MEDICINA
china

GUÍAS
DE
SALUD

MEDICINA
china

La curación a través
del equilibrio corporal

TOM WILLIAMS

susaeta

Traducción: Pilar Tutor
Maquetación: Mary Salinas
Documentación fotográfica: Vanessa Fletcher
Modelos tridimensionales: Mark Jamieson
Fotografías de estudio: Guy Ryecart y Silvio Dokov
Ilustradores: Lorraine Harrison, Andrew Kulman

© Element Books
© Tom Williams (texto)
© Susaeta Ediciones, S.A. (versión castellana)
Campezo s/n, 28022 - Madrid
Tel.: 913 009 100 - Fax: 913 009 118
ediciones@susaeta.com
Impreso en la UE

Publicado por vez primera bajo el título
THE COMPLETE ILLUSTRATED GUIDE TO CHINESE MEDICINE
en Gran Bretaña por
ELEMENT BOOKS LIMITED
Shaftesbury, Dorset SP7 8BP

NOTA DEL EDITOR

La información contenida en el presente libro no pretende sustituir al consejo médico. Cualquier persona que sufra una enfermedad que requiera atención médica debe siempre acudir a un especialista antes de someterse a una terapia alternativa.

AGRADECIMIENTOS

Los editores desean dar las gracias
a las siguientes personas y entidades
por el uso de las fotografías:

Archive für Kunst und Geschichte: pág. 130
e.t. archive: pág. 2, 15 arr, 83, 227
S & R Greenhill: pág. 162
The Hutchison Library: pág. 10 ab, 15 der, 25 m, 33 arr, 81, 188, 189, 213
The Image Bank: pág. 12/13, 24 ab, 41, 44, 77, 78, 82 arr, 101, 210, 212
Images Colour Library: pág. 11, 13, 14 ab, 41 recuadro, 49, 79 ab, 208, 228 arr, 229 ambas
The Mansell Collection: pág. 14 arr, 167, 180/181
The Royal Collection © Her Majesty Queen Elizabeth II: pág. 36
The Science Photo Library: pág. 33 ab, 76, 79 der, 92, 125, 163
Trustees of The Wellcome Institute: pág. 131, 235, 244

Gracias especiales a:
Caroline Dorling and Flint House, Lewes, East Sussex, por su ayuda y consejo en la preparación de este libro.
Keith Wright por su ayuda con las fotografías de acupuntura y digitopuntura.
Tom Aitken / Rebecca Carver / Ian Clegg / Judith Cox Nina Downey / Carly Evans / Julia Holden / Simon Holden Janice Jones / Pippa Losh / Chloe McCausland Clare Packman / Emma Ridley / Sally-Ann Russell Sarah Stanley / Stephen Sparshatt / Tony Wiles Robin Yarnton por su ayuda con las fotografías.
AcuMedic Ltd, Londres
The Clinic of Chinese Acupuncture, Brighton, East Sussex.
Mayway (UK) Company Ltd, Londres por su ayuda con los derechos.

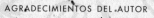

AGRADECIMIENTOS DEL AUTOR

Me gustaría expresar mi más sincero agradecimiento a Han Liping, Charlie Buck y Mike Burgess por ofrecerme sus conocimientos y su apoyo en el campo de la medicina china.

Desearía dedicar este libro a mi madre, Mary Williams, que murió antes de poder verlo terminado.
Gracias por su paciencia y comprensión.

ILUSTRACIÓN PÁGINA 2

Este grabado chino del siglo XVII muestra una familia estudiando el símbolo Yin y Yang, que representa los principios opuestos y complementarios que gobiernan tanto el universo como el cuerpo humano.

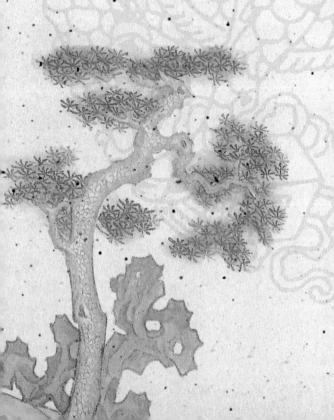

ÍNDICE DE MATERIAS

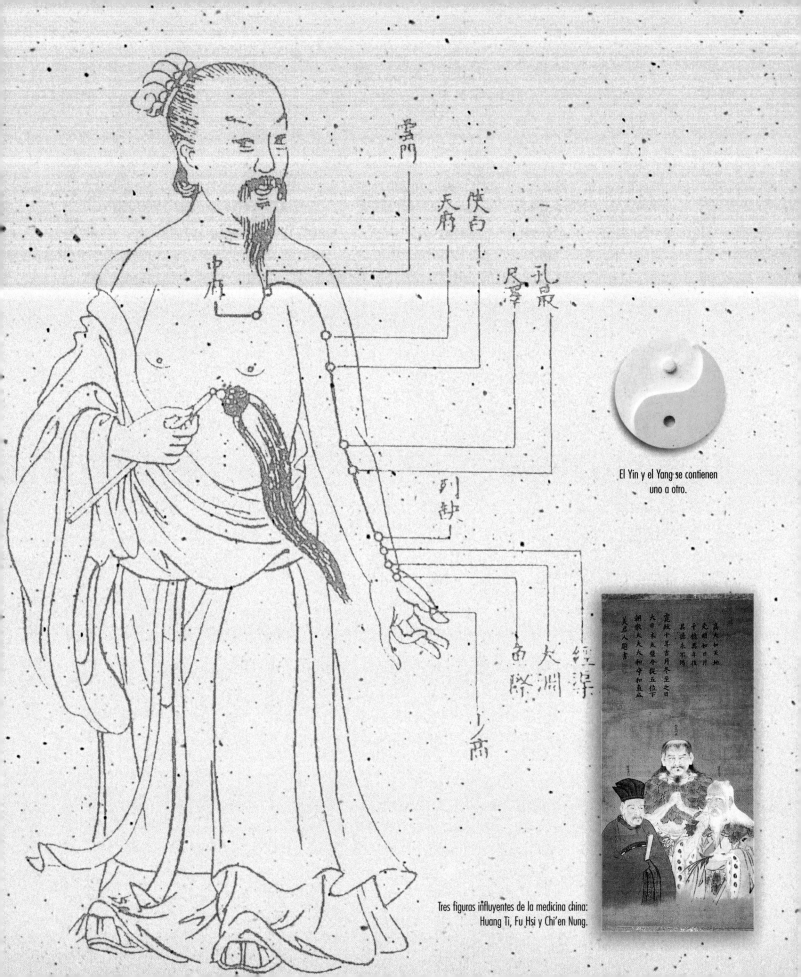

雲門

俠白
天府

孔最
尺澤

中府

列缺

經渠
太淵
魚際

少商

El Yin y el Yang se contienen
uno a otro.

Tres figuras influyentes de la medicina china:
Huang Ti, Fu Hsi y Chi'en Nung.

PREFACIO
DRA. HAN LIPING

PARA ALGUNOS lectores occidentales, ciertos aspectos de la medicina china pueden parecer extraños, pero estoy segura de que este excelente libro aportará alguna luz sobre materias que al principio resulten misteriosas.

La medicina china está basada en una profunda filosofía y en una tradición empírica particularmente rica. Un médico formado en medicina china tradicional emplea cuatro métodos (mirar, escuchar, preguntar y tocar) con objeto de obtener la suficiente información para realizar un diagnóstico. Toda esta información sirve además para definir el tratamiento posterior; por ejemplo, si el diagnóstico es «Invasión de Viento-Calor», el tratamiento será expulsar el Viento-Calor. Por tanto, es vital obtener el diagnóstico correcto.

Además de todo un sofisticado marco de trabajo analítico, la medicina china está totalmente basada en la observación empírica. Algunos de los primeros textos chinos existentes se refieren al uso de las hierbas medicinales o del efecto de la nutrición en la salud. El libro Huang Di Nei Jing («El clásico de medicina interna del Emperador Amarillo»), que data del tercer siglo antes de Cristo pero que contiene material mucho más antiguo, muestra lo avanzado que era el conocimiento médico práctico en esa época. Alrededor del 200 a.C., el Shang Han Lun («Discusión de las enfermedades frías») enumera más de cien extractos procedentes de fuentes herbales, minerales y animales y trata sus propiedades terapéuticas. Un médico de la dinastía Tang, Sun Simiao, descubrió la causa del bocio y del beriberi; recetó extractos de tiroides de cordero y de ciervo para el primero, así como hierbas específicas y productos animales para el último. En el mundo occidental se cree que la medicina ortodoxa es buena para tratar las enfermedades graves, mientras que la medicina china es adecuada para las enfermedades crónicas. Sin embargo, a medida que se populariza la medicina china, comienza a ser evidente que ésta también resulta útil para tratar las enfermedades graves. De hecho, los antiguos médicos chinos ya usaban hierbas para tratar la apendicitis, hemorragias, fiebre alta y otras enfermedades graves.

Finalmente, me ha producido una gran satisfacción ver que la medicina china es igualmente eficaz cuando se emplea en Occidente y, a veces, ¡mejor que en China! He podido observar que miles de pacientes, de todas las nacionalidades, responden bien a las hierbas chinas, a la acupuntura y a otras formas de tratamiento.

Esta guía ofrecerá a los lectores occidentales un mayor conocimiento de la increíble herencia que recibimos. Los lectores deben familiarizarse con nuestros conceptos de la naturaleza del cuerpo, de la salud y la enfermedad, y empezar a comprender qué terapias son apropiadas para ciertas dolencias y por qué los médicos recetan un tratamiento concreto. Por último, y no por ello menos importante, está claro que la responsabilidad final de nuestra salud recae en nosotros mismos: nuestra forma de comer, de dormir, de trabajar y de hacer ejercicio. Si asimilamos con provecho esta sencilla guía sobre cómo vivir en armonía con la naturaleza, y en particular con la naturaleza humana, podremos llevar a buen fin nuestros propios programas para conseguir una buena salud.

DRA. HAN LIPING

La Dra. Han Liping nació en China. Se graduó en la Universidad de Pekín de Medicina China Tradicional y trabajó como médico durante muchos años en la Academia China de Medicina China Tradicional. En 1989, fijó su residencia en Inglaterra donde llegó a ser directora de la clínica universitaria del Northern College of Acupuncture, en Bradford, y profesora encargada de su curso de Fitoterapia china. También ejerce la medicina privada.

CÓMO UTILIZAR ESTE LIBRO

ESTE LIBRO constituye una guía completa de todos los aspectos de la medicina china tal y como se practica en la actualidad, en particular en el mundo occidental. Con esto no se pretende conseguir un manual de autoayuda o de autotratamiento; su objetivo consiste en ofrecer información, de forma general, sencilla e ilustrada, acerca de los conceptos y principios del sistema chino de medicina y de cómo ponerlos en práctica. Cualquier persona que esté pensando en acudir a un especialista en medicina china obtendrá de este libro una imagen bastante clara de en qué consiste el diagnóstico y las diversas formas de tratamiento. Este conocimiento de la filosofía y la práctica de la medicina china ayudará a decidir si sirve para cada caso y a saber lo que puede esperarse de ella.

Además de abordar cada aspecto de la medicina china y de centrar la atención en las ideas más importantes, este libro ofrece descripciones detalladas de algunos de los ejercicios terapéuticos más beneficiosos, como medio de potenciar una buena salud. Finalmente, para aquellos que desean estudiar la medicina china con más detalle, al final del libro se ofrece una serie de direcciones útiles y lecturas adicionales.

En todo el libro se emplea la verdadera caligrafía china.

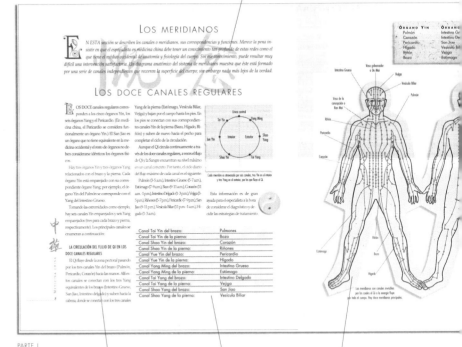

Los textos describen de forma sencilla los diversos conceptos de medicina china que son difíciles de comprender para la mente occidental.

La información se resume en tablas y recuadros sencillos.

Las teorías se explican con diagramas o fotografías.

Los recuadros de advertencia alertan sobre las situaciones en las que hay que tener cuidado y sobre posibles peligros.

La zona que se va a tratar se destaca en una imagen del cuerpo humano.

Guía paso a paso de las técnicas de digitopuntura más seguras que se pueden realizar en el hogar.
Cada paso se describe con claridad y va acompañado por una ilustración.

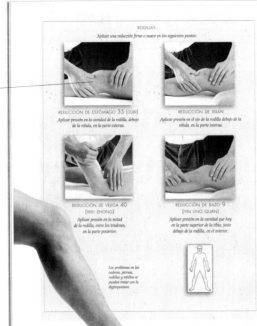

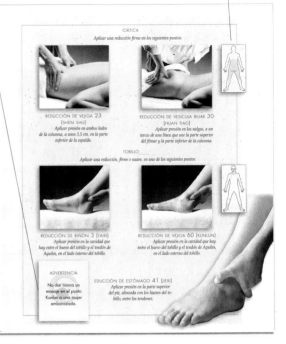

La primera parte del libro aborda las teorías de la medicina china, desarrolladas a partir de las antiguas tradiciones, a la luz de una observación práctica pero filosófica del mundo natural y de nuestro lugar en él como seres humanos.

La segunda parte explica cómo diagnostica una enfermedad un terapeuta de medicina china. El diagnóstico está basado en una filosofía completa pero bien definida en todos sus aspectos y el médico finaliza con una imagen descriptiva de la persona y de la enfermedad como un todo.

La tercera parte se ocupa del tratamiento. Muchos factores influyen a la hora de elegir la forma más adecuada de tratamiento, diseñado para adaptarse a la descripción total del estado del paciente. Aunque los métodos principales de tratamiento, fitoterapia y acupuntura («modalidades»), se suelen practicar por separado, el principio es el mismo: potenciar el equilibrio dinámico y expulsar el desequilibrio ocasionado por la enfermedad.

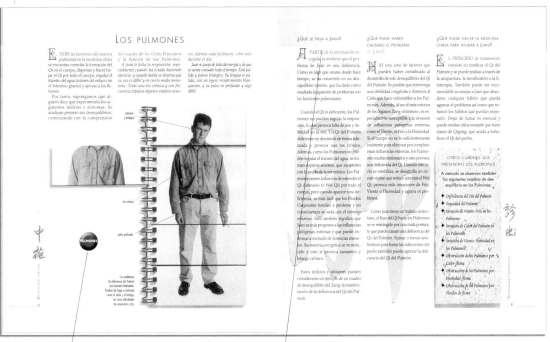

En todo el libro, cuando se utilizan términos occidentales para describir un concepto de medicina china, se emplea la mayúscula. Sangre se escribe con una «S» mayúscula cuando la palabra se está usando en sentido de la medicina china. Cuando se escribe con minúscula («sangre»), la palabra se está empleando en el sentido occidental habitual.

Se destacan los principales conceptos.

Los distintos casos permiten al lector comprender en un contexto real cómo se realiza un diagnóstico.

En medicina china, las partes del cuerpo se consideran de forma mucho más conceptual, como partes de todo el sistema de energía. Esta idea se representa por un rótulo en una bola de billar.

Los ingredientes que se utilizan en medicina china se disponen y fotografían especialmente para este libro.

El instrumental y el equipo que se trata en el texto se ilustra con claridad.

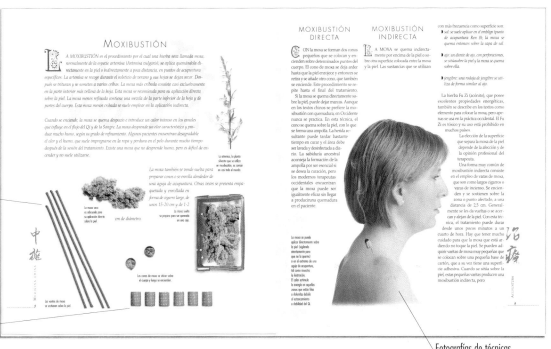

Fotografías de técnicas profesionales reales.

Introducción

Para la medicina china, el cuerpo humano es un microcosmos del universo.

L**A MEDICINA** china es un sistema de métodos de diagnóstico y prácticas para el cuidado de la salud que ha evolucionado en los últimos 3.000 años. El método chino de comprender el cuerpo humano es único. Está basado en el concepto holístico del universo resumido en las intuiciones espirituales del taoísmo y ha dado lugar a un conjunto sofisticado de prácticas destinadas a curar la enfermedad y mantener la salud.

Estas prácticas incluyen la acupuntura, la fitoterapia, la dieta, la meditación y los ejercicios estáticos y de movimiento; aunque sus métodos parezcan muy diferentes, todas comparten los mismos supuestos teóricos acerca de la naturaleza del cuerpo humano y del lugar que ocupa en el universo.

En los últimos veinte años ha aumentado de forma espectacular la popularidad de una serie de terapias cuya base se aleja de los límites aceptados por el pensamiento científico occidental. Los derivados de la medicina china –en particular, la acupuntura, la fitoterapia y los ejercicios Qigong– se encuentran entre los más des-

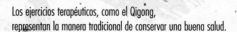

Los ejercicios terapéuticos, como el Qigong, representan la manera tradicional de conservar una buena salud.

tacados y actualmente disfrutan de un creciente reconocimiento no sólo entre los muchos pacientes que han experimentado sus beneficios sino también entre la comunidad médica occidental.

Sin embargo, a pesar de los beneficios terapéuticos, es probable que los pacientes, en algún momento, se pregunten: «¿Y cómo actúa esta medicina?».
Parece de sentido común preguntarse por qué la inserción de finas agujas en diversos puntos del cuerpo, que a menudo no guardan ninguna relación con el problema real, tiene un efecto tan espectacular. Cualquier paciente que intenta ingerir una mezcla de hierbas que haría las delicias de las famosas brujas de Macbeth puede preguntarse cómo actúa esa terapia.

Mucha gente que experimenta en su cuerpo los beneficios de los «ejercicios suaves» chinos (Tai chi, Qigong, etc.) se pregunta cuál es la diferencia con las terapias de ejercicio aeróbico orientado al mundo occidental. En cualquier caso, la prueba se encuentra en el alivio sintomático y en una mejor salud y bienestar. Con frecuencia una visión de la vida más equilibrada es el resultado de haber puesto en práctica esas terapias.

Por tanto, ¿cuál es la base de ese conocimiento que está teniendo tanto impacto en el mundo occidental? ¿En qué se diferencia de esos sistemas con los que hemos crecido?

Este libro está orientado a contestar a todas estas preguntas:

La acupuntura, que consiste en insertar finas agujas en puntos determinados, es un tratamiento muy frecuente.

中藥

La visión global

Cuerpo, mente y espíritu se ven como un todo. El Qi es la fuerza vital de energía del cuerpo y el universo.

La visión holística considera a la persona como un todo.

P ARA COMPRENDER cualquier sistema de curación es necesario entender el contexto cultural dentro del cual se desarrolla. La cultura articula la filosofía y la idea del mundo que definen la forma en que funciona el sistema. El sanador, el paciente y las técnicas usadas en medicina están íntimamente ligadas a la idea de que de la cultura sale la vida. La perspectiva científica occidental está basada en una ideología reduccionista: intenta comprender un sistema descomponiéndolo en sus partes constituyentes. Esto significa que la ciencia y la práctica de la medicina son también reduccionistas. Se enfatiza la especificidad analítica y se malinterpreta la perspectiva holística, es decir, el enfoque que aborda a las personas como seres «totales»: cuerpo, mente y espíritu. Este énfasis analítico ha proporcionado excelentes ideas para el tratamiento de las enfermedades, pero aún carece de esa visión general que engloba a todas las facetas de la condición humana. La medicina china ayuda a redireccionar este equilibrio. La visión global que sostiene los principios y las prácticas de la medicina china está basada en la comprensión

taoísta de un universo donde todo es interdependiente y mutuamente interactivo. Nada se excluye; nada se analiza o interpreta sin tener como referencia el todo. Cuando se extrapola a la teoría y práctica médica, esta visión asume un conjunto de supuestos y parámetros distintos de los que funcionan en la medicina occidental. Como seres humanos somos una parte integral de un universo lleno de energía, dentro del cual nuestra mente, cuerpo y espíritu son manifestaciones diferentes de la misma fuerza vital y por tanto no se pueden considerar como elementos independientes.

Por este motivo, los especialistas en medicina china definen los problemas de sus pacientes en términos que emergen de las tradiciones filosóficas taoístas. El diagnóstico extiende los indicios y síntomas en un tapiz interdependiente donde los síntomas físicos, las reacciones emocionales y las creencias espirituales se disponen junto con los factores sociales y ambientales para comprender cómo la dinámica de la energía de esa persona puede ocasionar salud o enfermedad.

Los tratamientos usados en medicina china también son intervenciones energéticas cuyo objetivo es restablecer la armonía y el equilibrio para cada persona dentro de su entorno único. Por tanto, ya emplee el profesional la acupuntura, prescriba remedios herbales, sugiera ejercicios de Qigong, recomiende prácticas de meditación o proponga una lectura de Feng Shui para equilibrar la energía del entorno del paciente, existe un propósito común que contempla todas esas intervenciones como mutuamente dependientes y reforzadoras.

Los principios de la medicina china no tienen que esperar la llegada de la enfermedad. En realidad, la comprensión de estos principios y su aplicación a la vida diaria forma parte tanto del sistema chino de salud como de las especialidades de tratamiento aplicadas. Por tanto, la prevención y la curación no son sólo prácticas médicas excelentes: en realidad, la medicina china no conoce otra forma de trabajar.

El arte del Feng Shui enseña cómo adaptarse al entorno para conseguir un flujo de energía equilibrado.

中藥

Las agujas se utilizan para estimular el flujo de energía y restaurar el equilibrio.

ANTECEDENTES HISTÓRICOS

Confucio (551-479 a.C.) ejerció
una gran influencia en el
pensamiento chino.

ERECE LA PENA considerar brevemente el desarrollo y evolución de la medicina china a lo largo de los siglos para ofrecer un marco contextual a los aspectos tratados en este libro.

Los primeros indicios se remontan a la dinastía Shang (h. 1000 a.C) y revelan un método relativamente sofisticado de tratar los problemas médicos. Las excavaciones arqueológicas han descubierto los primeros tipos de agujas de acupuntura y se han encontrado huesos de la misma época con inscripciones médicas.

De acuerdo con la importancia que en China se concede al equilibrio y a las fuerzas gobernantes de la naturaleza, parece probable que estas prácticas se desarrollaran a través de la observación del mundo natural. Muchas de las elegantes posturas del Tai chi y del Qigong se basan en la observación del comportamiento animal. Por ejemplo, los movimientos del ganso salvaje forman la base del Dayan Qigong, que relaciona estos movimientos con los puntos de acupuntura y energía corporal en el ser humano. Parece evidente que existió

una cultura chamánica en la primera civilización asiática y que muchas de sus prácticas beben sus fuentes en la medicina china. Hacia el siglo VI a.C., es evidente una conexión entre el chamán y el especialista médico.

La práctica de la acupuntura y el masaje se desarrollaron de forma empírica a través de la observación de los efectos que producían en ciertas partes del cuerpo y sobre dolencias internas específicas. La acupuntura primitiva se practicaba con fragmentos óseos afilados antes de que se desarrollara instrumental específico.

Hacia el siglo I d.C., ya se había redactado el primer y más importante libro clásico de medicina china. Esta obra (conocida como Inner Classic), que probablemente fue compilada a lo largo de varios siglos por diversos autores, adopta la forma de un diálogo entre el legendario Emperador Amarillo y su ministro Qi Bo acerca del tema de la medicina. En los siglos siguientes, se ampliaron estos conceptos básicos y aparecieron obras específicas sobre acupuntura y fitoterapia. Ya en el siglo XX, gran parte de la práctica de la medicina china refleja esas tradiciones que se han desarrollado durante los últimos 3.000 años.

Sin embargo, la cultura occidental también estaba causando un gran impacto en China. La respuesta inicial fue la sustitución de las teorías más tradicionales basadas en el Yin y Yang y en los Cinco Elementos ante el peso del determinismo científico occidental. Cuando los comunistas llegaron al poder en China, en 1949, se intentó conjugar mejor la aparente dicotomía entre las prácticas médicas occidentales y las que seguían los terapeutas chinos tradicionales.

En torno a 1954, el gobierno reconoció oficialmente a los terapeutas tradicionales como los representantes del «legado médico de la madre patria» y comenzó de este modo un desarrollo paralelo de las prácticas médicas chinas y occidentales. Los textos de los principales centros de enseñanza chinos ya han sido traducidos y se han aunado esfuerzos para acercar los principios de la medicina china al lector occidental.

La Gran Muralla China es el gran símbolo
de la cultura oriental.

Esta acuarela china del siglo XIX expresa un
equilibrio y una armonía perfectos.

La cabeza del
dragón chamánico sigue siendo un
símbolo vital, que afecta al flujo de energía.

中
藥

EL FUTURO

SIN DUDA es necesario volver al pasado para comprender de dónde procede la medicina china y entender cómo se vincula al antiguo pensamiento filosófico; pero este libro pretende ayudar a los lectores a entender la medicina china y su método holístico en la actual sociedad industrializada occidental, y sugerir el lugar que debería ocupar por derecho propio en la medicina más evolucionada y en el cuidado de la salud del siglo XXI.

Los pacientes, cada vez con más frecuencia, esperan que, cuando se ponen en las manos de un profesional de la salud, ya sea un médico formado en Occidente o un especialista en medicina china, se les ofrezca una explicación de lo que les hace y por qué. Así es como debería ser, y este libro pretende equipar a los lectores con un conocimiento básico de los principios de la filosofía china suficiente para que no se sientan confundidos cuando hablen con su especialista de medicina china.

Es un viaje fascinante y cautivador. Por ello, le pido que contemple su mundo desde un nuevo punto de vista y, una vez que se haya acostumbrado a este increíble paisaje, comprobará que la vista es asombrosa y las recompensas no van a la zaga. ¡Lea y disfrute!

La medicina china tiene mucho que hacer aún en Occidente.

Oriente

Jin Ying

Huang Bai

Tai Zi Shen

Lu Lu Tong

Bing

Xi Xin

Hong Hua

Zhi Cao

Símbolo del Yin y Yang

Moxa

Agujas de acupuntura

Los medicamentos y las plantas medicinales, las agujas de acupuntura y los bisturís del cirujano de las medicinas china y occidental pueden parecer opuestos, pero los terapeutas chinos y occidentales están dispuestos a aprender los mejores métodos del otro.

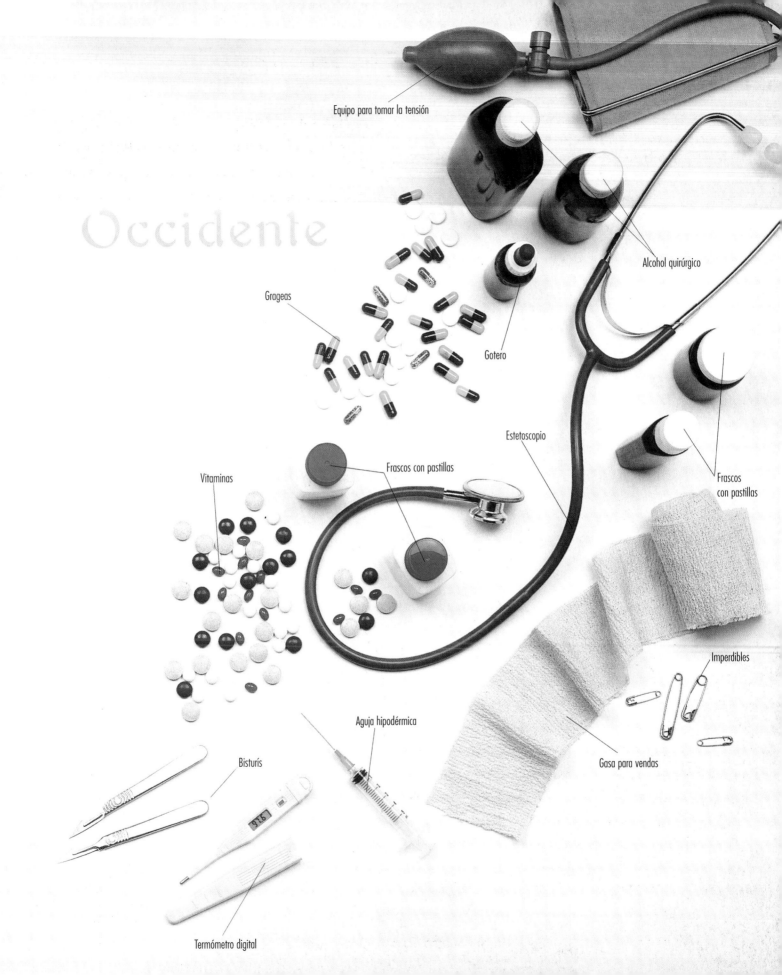

Equipo para tomar la tensión

Occidente

Alcohol quirúrgico

Grageas

Gotero

Estetoscopio

Frascos
con pastillas

Vitaminas

Frascos con pastillas

Imperdibles

Aguja hipodérmica

Bisturís

Gasa para vendas

Termómetro digital

概　診　治
念　斷　療　前

Conceptos básicos　Diagnósticos　Tratamientos　Información Complementaria

CONCEPTOS BÁSICOS DE LA MEDICINA CHINA

PRINCIPIOS BÁSICOS

CUANDO pensamos en las prácticas médicas de Occidente, suponemos que las destrezas del médico están basadas en la investigación científica que conoce cómo funciona el organismo y qué mecanismos pueden fallar durante el curso de una enfermedad. Por tanto, la práctica de la medicina, tal como la experimenta el paciente, está enraizada en una sólida base de principios científicos.

Es importante comprender que la sutileza y la complejidad de la medicina china están basadas en una filosofía y unos principios igualmente sólidos que, aunque difieren radicalmente de los occidentales, son igualmente rigurosos y válidos. Para comprender de qué trata la medicina china, es importante en primer lugar explorar este singular marco de referencia. Sin una comprensión de sus principios, el método que usan los chinos para explicar la salud y la enfermedad en términos de armonías y desequilibrios se parecerá a un galimatías diseñado para confundir más que para aclarar. En este capítulo, se tratan los conceptos clave del Yin y Yang y de los Cinco Elementos.

YIN Y YANG

EL CONCEPTO de Yin y Yang es fundamental para entender la medicina china. Las ideas que subyacen en el Yin y el Yang se desarrollaron a partir de la observación del mundo físico. Se comprobó que la naturaleza tiende a agruparse en parejas de opuestos mutuamente dependientes, aportando cada uno significado al otro. Así, por ejemplo, los conceptos de «noche» y «arriba» no tienen significado sin los de «día» y «abajo». Las implicaciones de esta aparentemente sencilla observación conducen en una dirección diametralmente opuesta a la lógica aristotélica en la que se apoya el pensamiento científico occidental. Para poner un sencillo ejemplo: en el pensamiento occidental el círculo es un círculo y no un cuadrado. Sin embargo, desde la perspectiva

La filosofía china, que subyace en la medicina china, se ha
← desarrollado a partir de la observación de la naturaleza.

El símbolo del Yin y Yang los presenta entrelazados.

La oscuridad y el frío, la luz y el calor, el Yin y el Yang se consideran aspectos complementarios de un todo.

china del Yin y del Yang, un círculo contiene un cuadrado en potencia, y viceversa, de forma que se evitan las dicotomías.

En el pensamiento chino, se enfatiza el proceso en detrimento de la estructura, algo que se tratará repetidamente en este libro, y es importante comprender el concepto de que el Yin y el

Los ideogramas chinos para el Yin y Yang.

Yang son descriptores de las interacciones dinámicas en que se basan todos los aspectos del universo. Por este motivo, tanto el Yin como el Yang no deberían ser interpretados como «cosas» en el sentido occidental, sino como la clave de un sistema de pensamiento ideado para comprender el mundo.

Los ideogramas chinos para el Yin y el Yang transmiten la misma idea. El ideograma para el Yin se traduce como el «lado oscuro de la montaña», y representa cualidades, como el frío, la quietud, la pasividad, la oscuridad, el interior y el potencial. El ideograma para el Yang se traduce como «el lado iluminado de la montaña» y representa la calidez, la actividad, la luz, el exterior y la expresión.

ASPECTOS DEL YIN Y YANG

SEGÚN el punto de vista chino, todo tiene una existencia física precisamente porque todo manifiesta las cualidades del Yin y del Yang. El énfasis relativo del Yin y Yang puede variar, pero ambos están siempre presentes. Al observar los órganos del cuerpo, por ejemplo, el sistema chino hace hincapié en las dos cualidades. Se considera que el Hígado es un órgano Yin porque es bastante sólido, pero también desempeña la función de potenciar el flujo de Qi o energía, lo que demuestra que hasta cierto punto tiene una cualidad Yang. El Estómago, por otro lado, es hueco y desplaza el alimento a través de él, por tanto se le considera Yang. Sin embargo, el Estómago también desempeña una función de almacenamiento, que representa la función Yin. Aun así, todos estos aspectos del Yin y del Yang son fundamentalmente interdependientes.

SUBDIVISIONES DEL YIN Y YANG

EN TEORÍA, todo Yin y Yang se puede subdividir infinitamente en aspectos que son ellos mismos Yin y Yang. El vapor, por ejemplo, se considera una cualidad Yang del agua, mientras que el hielo se considera Yin. Sin embargo, tanto el vapor como el hielo se pueden ver en términos de moléculas de agua que también contienen partículas Yin (protones y neutrones) en relación con partículas Yang (electrones). No hay duda. Si nos adentramos en la física cuántica se podrían observar más aspectos Yin y Yang. En medicina china, la parte frontal del cuerpo se considera Yin en relación con la espalda, que es Yang, pero la parte superior frontal, el tórax, se considera Yang en relación a la parte inferior frontal, el abdomen.

TIPOS DE DESEQUILIBRIO ENTRE EL YIN Y EL YANG

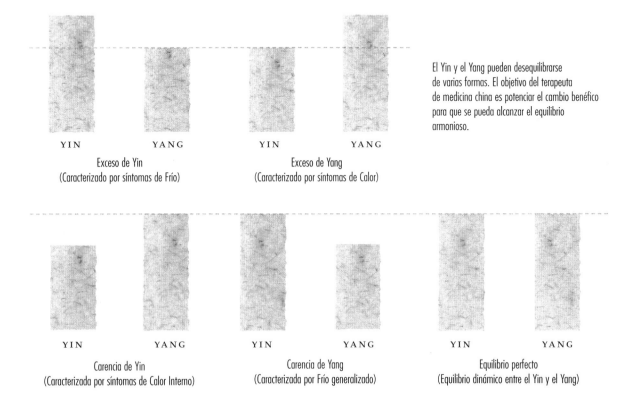

El Yin y el Yang pueden desequilibrarse de varias formas. El objetivo del terapeuta de medicina china es potenciar el cambio benéfico para que se pueda alcanzar el equilibrio armonioso.

YIN   YANG
Exceso de Yin
(Caracterizado por síntomas de Frío)

YIN   YANG
Exceso de Yang
(Caracterizado por síntomas de Calor)

YIN   YANG
Carencia de Yin
(Caracterizada por síntomas de Calor Interno)

YIN   YANG
Carencia de Yang
(Caracterizada por Frío generalizado)

YIN   YANG
Equilibrio perfecto
(Equilibrio dinámico entre el Yin y el Yang)

INTERACCIÓN DEL YIN Y YANG

LA INTERDEPENDENCIA del Yin y Yang apunta a la interacción dinámica entre ambos. El cambio está en la raíz de todas las cosas y se manifiesta como un Yang transformándose en Yin y viceversa. Si los aspectos Yin y Yang no consiguen equilibrarse en este intenso proceso de transformación mutua, las consecuencias pueden ser catastróficas

ya que, en último término, el equilibrio debe conseguirse a la fuerza.

Por ejemplo, el buen funcionamiento de un neumático depende de un estado de equilibrio entre la presión de su interior y la resistencia de su cámara. Si la presión del aire es demasiado baja, el neumático no realizará su cometido, mientras que si es excesiva, el equilibrio se logrará mediante un intercambio desastroso de Yin y Yang que hará que el neumático estalle. Para poner un caso relacionado con la salud humana, la fiebre se considera en medicina china como un exceso relativo de Yang. El principio del tratamiento se basa en permitir la transformación del exceso de Yang en Yin para restablecer un estado de equilibrio y la homeostasis biológica. De esta forma la fiebre se interrumpe y la temperatura comienza a volver a su estado normal, es decir, el Yang se transforma en Yin. Es interesante observar que la primera manifestación de la fiebre se suele ver como un exceso relativo de Yin, que se traduce en escalofríos y síntomas de Frío (resfriado). A medida que el malestar avanza, el Yin se transforma en Yang y aparece la fiebre.

La medicina china considera el cuerpo en términos de aspectos Yin y Yang. Un equilibrio dinámico entre ambos se caracteriza por un estado de salud y un estado de enfermedad indica algún desequilibrio entre el Yin y el Yang del cuerpo.

En principio, todos los trastornos se pueden reducir a un cuadro de desequilibrios del Yin y del Yang (véase página siguiente). Estos cuadros se tratan posteriormente con más detalle, pero ahora sirven para ilustrar la importancia del Yin y Yang en la comprensión de los procesos del cuerpo humano.

equilibrio

contrapeso

símbolo del Yin y Yang

línea de equilibrio

reajuste constante

El equilibrio es tan importante en el ser humano como en el universo e implica un reajuste constante de las fuerzas de energía.

COMPRENDER EL YIN Y EL YANG

EL OBJETO de este ejercicio, que no debe tomar muy en serio, es comprobar si se ha entendido el concepto de Yin y Yang, tan vital en la filosofía china en general y en la medicina china en particular.

Más abajo se muestra una lista de veinticinco objetos, situaciones, ideas, etc. Hay que decidir en cada caso si representa algo predominantemente Yin o predominantemente Yang. En segundo lugar, hay que sugerir con cada uno cómo se puede transformar para que represente a la otra cualidad; es decir, si creemos que el original es básicamente Yin, habrá que pensar cómo puede cambiar para que se convierta en Yang, y viceversa. El siguiente ejemplo ilustra la idea. Una taza de té caliente es de naturaleza Yang. Si se deja enfriar a temperatura ambiente durante media hora, su naturaleza se convertirá en predominantemente Yin.

Recuerde que en cada situación coexisten el Yin y el Yang, Igual que el té caliente se enfría, así el Yang se transforma en Yin.

y que sólo hay un relativo equilibrio entre uno y otro. Además, ambos se contienen uno al otro y están interactuando continuamente, y durante el proceso uno se transforma en el otro. Por último, no hay ninguna respuesta totalmente verdadera o falsa en este ejercicio.

Compárense las respuestas con las que se dan en el «cuadro de respuestas», aunque no hay que estar necesariamente de acuerdo con el análisis propuesto en todos los casos.

➤ 1. una clase de un colegio alborotada

➤ 2. un coche aparcado

➤ 3. un bloque de hielo

➤ 4. un dolor de cabeza insoportable

➤ 5. un rompecabezas incompleto

Un bloque de hielo:
¿qué ocurre si se derrite?

Un coche aparcado:
¿qué ocurre cuando se mueve?

➤ 6. un jugador de golf golpeando la pelota

➤ 7. un ataque de diarrea

➤ 8. un cucurucho de helado

➤ 9. un político pronunciando un discurso

➤ 10. un huevo duro

➤ 11. una sonata de piano

➤ 12. un disco compacto de un grupo de rock

➤ 13. un huevo crudo

➤ 14. un bebé con un cólico

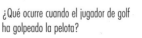

¿Qué ocurre cuando el jugador de golf
ha golpeado la pelota?

MEDICINA CHINA

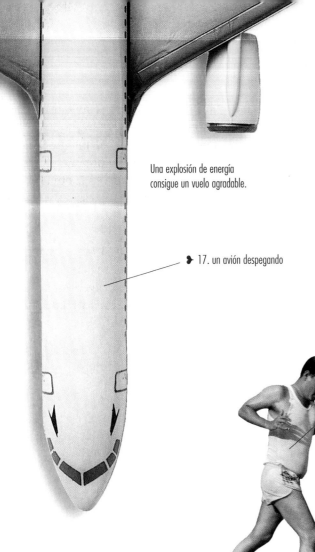

Una explosión de energía consigue un vuelo agradable.

❧ 15. un juego de ajedrez

El juego de ajedrez implica una tranquila deliberación.

❧ 16. un coche que se ha quedado sin gasolina

❧ 17. un avión despegando

❧ 18. un caluroso día de verano

❧ 19. una moneda

❧ 20. un bostezo

❧ 21. una persona haciendo un ejercicio de Tai chi

❧ 22. un corredor terminando un maratón

❧ 23. cómo funciona su pensamiento ahora

❧ 24. un vídeo de ejercicios de aerobic

El dinero: un sistema de intercambio sin ningún valor por sí mismo.

¿Este corredor es Yin o Yang?

LAS RESPUESTAS

A continuación, se enumera la lista, se identifica la situación como Yin o Yang y se expone el cambio sugerido.

1. Una clase de colegio alborotada	Yang	*El profesor manda trabajar.*
2. Un coche aparcado	Yin	*Entrar en el coche y arrancar.*
3. Un bloque de hielo	Yin	*Calentarlo y deshacerlo.*
4. Un dolor de cabeza insoportable	Yang	*Tomar un analgésico.*
5. Un rompecabezas incompleto	Yin	*Completar el rompecabezas.*
6. Un jugador de golf	Yang	*Hacer un descanso.*
7. Un ataque de diarrea	Yang	*Tomar la medicina adecuada.*
8. Un cucurucho de helado	Yin	*Lamer el cucurucho.*
9. Un político dando un discurso	Yang	*El político deja de hablar.*
10. Un huevo duro	Yin	*Hacerlo rodar cuesta abajo.*
11. Una sonata de piano	Yang	*Dejar de tocar el piano.*
12. Un CD de un grupo de rock	Yin	*Ponerlo.*
13. Un huevo crudo	Yin	*Cocerlo.*
14. Un bebé con un cólico	Yang	*Dar de comer al bebé.*
15. Un tablero de ajedrez	Yin	*Empezar a jugar.*
16. Un coche sin gasolina	Yin	*Repostar y ponerlo en marcha.*
17. Un avión despegando	Yang	*El avión volando.*
18. Un caluroso día de verano	Yang	*Una noche de verano.*
19. Una moneda	Yin	*Gastarla.*
20. Un bostezo	Yang	*Irse a la cama.*
21. Alguien haciendo Tai chi	Yang	*Postura estática de Qigong.*
22. Un corredor al final del maratón	Yang	*El corredor empezando a correr.*
23. Su pensamiento ahora	?	*Sólo usted lo sabe.*
24. Un vídeo de ejercicios de aerobic	Yin	*Hacer los ejercicios del vídeo.*
25. Un libro	Yin	*Leerlo.*

❧ 25. un libro

Un libro abierto. ¿Tiene el mismo valor Yin o Yang cuando está cerrado?

PRINCIPIOS BÁSICOS

25

LOS CINCO ELEMENTOS

OS ORÍGENES filosóficos de la medicina china tienen sus raíces, como se ha visto en páginas anteriores, en los principios del taoísmo. Las ideas del taoísmo están estrechamente basadas en la observación del mundo natural y en su funcionamiento. En medicina china, esto da lugar a una perspectiva metafórica del cuerpo humano que se manifiesta en los intercambios de Yin y Yang que se han visto en el mundo natural.

Los chinos han observado que en toda la naturaleza se da un intercambio dinámico. La semilla (Yin) da lugar a la planta (Yang), que a su vez muere en la tierra (Yin). Lo mismo ocurre con el cambio de las estaciones: el invierno (Yin) se transforma en primavera y luego en verano (Yang), que a su vez se transforma en otoño y de nuevo en invierno. El sistema médico chino se inspira en estas metáforas y se articula completamente en el sistema de los «Cinco Elementos» o «Cinco fases»: agua, fuego, madera, metal y tierra.

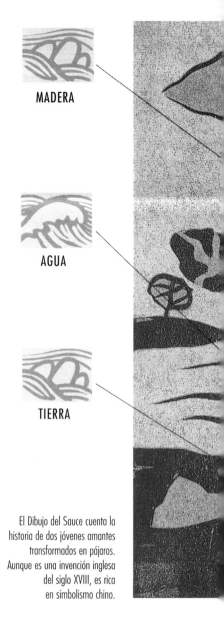

MADERA

AGUA

TIERRA

El Dibujo del Sauce cuenta la historia de dos jóvenes amantes transformados en pájaros. Aunque es una invención inglesa del siglo XVIII, es rica en simbolismo chino.

STE SISTEMA de los Cinco Elementos ha surgido de la observación de los diversos grupos de procesos dinámicos, funciones y características observados en el mundo natural.

Las características descritas son sólo un ejemplo de cómo se pueden entender los elementos, pero el rasgo más importante es que todos contienen aspectos Yin y Yang, por lo que reflejan el principio subyacente de la dualidad mutuamente interactiva, primordial en el pensamiento chino.

Cada elemento tiene una serie de correspondencias relacionadas con el mundo natural y el cuerpo humano. El Fuego, por ejemplo, se corresponde con el Calor y el Corazón. Se emplea un modelo de interrelaciones entre los Cinco Elementos –definidas a través de los ciclos Sheng y Ke– para comprender cómo se ayudan entre ellos los procesos del organismo.

AGUA	Humedad, frío, descenso, fluidez, complacencia
FUEGO	Sequedad, calor, ascensión, movimiento
MADERA	Crecimiento, flexibilidad, enraizamiento
METAL	Puede cortar; dureza, conductibilidad
TIERRA	Productividad, fertilidad, potencial para el crecimiento

METAL **FUEGO**

	MADERA	FUEGO	TIERRA	METAL	AGUA
Estación	Primavera	Verano	Final de verano	Otoño	Invierno
Dirección	Este	Sur	Centro	Oeste	Norte
Clima	Viento	Calor	Humedad	Sequedad	Frío
Color	Azul/Verde	Rojo	Amarillo	Blanco	Azul/Negro
Sabor	Agrio	Amargo	Dulce	Picante	Salado
Olor	Rancio	Quemado	Oloroso	Podrido	Pútrido
Órgano Yin (Zang)	Hígado	Corazón	Bazo	Pulmones	Riñones
Órgano Yang (Fu)	Vesícula biliar	Intestino delgado	Estómago	Intestino grueso	Vejiga
Orificio	Ojos	Lengua	Boca	Nariz	Oídos
Tejido	Tendones	Vasos sanguíneos	Músculos	Piel	Huesos
Emoción	Ira	Alegría	Preocupación	Dolor	Miedo
Voz	Grito	Risa	Canto	Llanto	Gemido

EL CICLO SHENG
PRODUCCIÓN O APOYO MUTUO

ESTE CICLO representa la forma en la que los elementos, y por tanto los sistemas orgánicos del cuerpo, se ayudan y favorecen entre ellos. Por ejemplo, el Fuego arde para crear la Tierra, el Agua alimenta la Madera para que pueda crecer, y así sucesivamente. Cuando la medicina china aplica este ciclo de apoyo al sistema orgánico, se desarrollan relaciones similares: el Corazón ayuda al Bazo, el Bazo a los Pulmones, etc.

A veces, este apoyo mutuo se denomina ciclo de la «Madre y el Hijo». Por ejemplo, los Riñones pueden ser «madres» del Hígado. Un ejemplo de su aplicación es cuando la energía Yin del riñón es deficiente, lo que suele derivar en una deficiencia de energía Yin del hígado, y la «madre» se utiliza para tratar al «hijo». Si la energía de los Pulmones es deficiente, se puede tratar tonificando el Bazo.

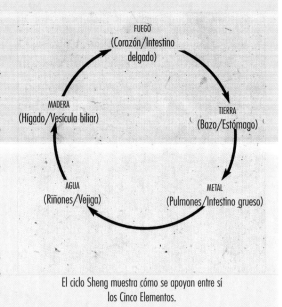

El ciclo Sheng muestra cómo se apoyan entre sí los Cinco Elementos.

EL CICLO KE
EL CICLO DE CONTROL MUTUO

ESTAS RELACIONES se refieren a la forma en la que los elementos del mundo natural se controlan entre sí como parte del proceso de equilibrio dinámico. De esta forma, el Fuego controla al Metal porque puede fundirlo, mientras que el Agua controla al Fuego porque es capaz de apagarlo. En medicina china, se considera que la noción de «control» forma parte del proceso de ayuda de un órgano a otro. Cuando aparece el desequilibrio, un órgano débil puede ser incapaz de ejercer el control y prestarle al otro la ayuda necesaria.

Si la energía del Pulmón es débil, la energía del Hígado puede tender a descontrolarse y aumentar, lo que se manifiesta con dolores de cabeza o una tensión sanguínea elevada. Si el Bazo está muy húmedo, puede inhibir la capacidad del Hígado de desplazar la energía por el cuerpo.

El ciclo Ke muestra cómo se controlan entre sí los Cinco Elementos.

LA SECUENCIA COSMOLÓGICA

EL ESPEJO DEL CUERPO HUMANO

LA TERCERA secuencia que deriva del concepto de los Cinco Elementos y que tiene sus raíces no sólo en la visión de la naturaleza taoísta sino también en la numerología china, se conoce como la «Secuencia Cosmológica». Esta secuencia sitúa el elemento Agua en la base y por tanto en el punto más importante del ciclo.

Como el elemento Agua se corresponde con los Riñones, esto indica la importancia que los Riñones tienen en medicina china. Se considera que este órgano es la fuente de la energía Yin y Yang del cuerpo y, por tanto, del resto de órganos.

El Bazo, que está situado en el centro de la Secuencia Cosmológica, se considera que es el origen del Qi del cuerpo y, como tal, el centro de apoyo de todos los demás órganos.

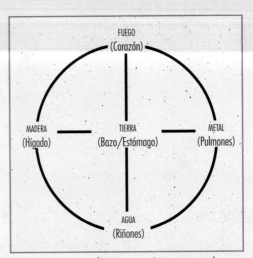

La secuencia cosmológica muestra cómo se corresponden los Cinco Elementos con la concepción china del cuerpo humano.

EL SISTEMA DE LOS CINCO ELEMENTOS

ESTE ENFOQUE de los Cinco Elementos es muy importante para demostrar la forma en que el sistema chino de medicina se ha basado en la visión taoísta del equilibrio, el proceso y la armonía del mundo natural. Algunos especialistas enfocan los problemas del paciente desde la perspectiva de los Cinco Elementos y determinan su intervención de acuerdo con estos principios. Otros terapeutas se basan en la perspectiva Yin y Yang y elaboran su conocimiento de los problemas del paciente a partir de los conceptos de exceso y de deficiencia de energía. Este último enfoque, que refleja las prácticas más dominantes en China en la actualidad, es el que forma la base de este libro. Sin embargo, los lectores interesados en profundizar más en el método de los Cinco Elementos pueden consultar las referencias bibliográficas que aparecen en las últimas páginas para ampliar su conocimiento sobre este interesante sistema.

TIERRA

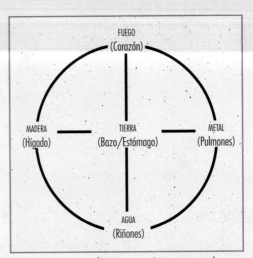

MADERA

METAL

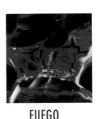

FUEGO

AGUA

SUSTANCIAS BÁSICAS

COMO HEMOS observado, la visión occidental convencional del cuerpo humano insiste en las estructuras físicas y los componentes que interactúan de forma sutil y compleja. La anatomía y la fisiología configuran estas estructuras, desde las mayores (huesos, músculos, piel, etc.) a las menores (células y sus componentes). Este mapa estructural conforma la base del modelo de causa y efecto que domina la práctica médica de Occidente.

El modelo chino es diferente. En él se consideran más importantes los componentes que la estructura del proceso. El cuerpo humano se entiende, primero y sobre todo, como un sistema de energía en el que diversas sustancias interactúan para crear todo el organismo físico. Estas sustancias básicas, que van desde lo material a lo inmaterial, son: Qi, Jing, Sangre, Fluidos Corporales y Shen. Aunque se tratará cada una de ellas por separado, es importante recordar que ninguna puede ser considerada como un elemento separado de los demás y que en el modelo de la medicina china se establece una continua interacción dinámica entre ellas.

Para cada una de estas sustancias básicas consideraremos lo siguiente:

◆ ORIGEN ◆ TIPOS ◆ FUNCIONES ◆ DESEQUILIBRIOS

QI

El ideograma chino para Qi.

EN LA MEDICINA china es muy importante comprender el concepto de Qi (se pronuncia «Chi» y a veces se escribe así). El Qi se puede traducir como «energía vital», «fuerza vital» o «energía»; sin embargo, es imposible expresar el concepto con una sola palabra o frase. Todo en el universo está compuesto de Qi, aunque no se considera como una sustancia fundamental ni como mera energía. Ted Kaptchuk, un conocido terapeuta occidental de medicina china, ha escrito en numerosas ocasiones para los lectores occidentales. Quizá sea el que mejor ha expresado la esencia del Qi al describirlo como «una materia que está a punto de convertirse en energía, o una energía a punto de materializarse». Como dicen los chinos: «Cuando el Qi se aglutina, el cuerpo físico se forma; cuando el Qi se dispersa, el cuerpo muere».

Por último, probablemente es más sensato no abrir un debate interminable acerca de lo que es el Qi; es preferible intentar comprenderlo a partir de su forma de actuar.

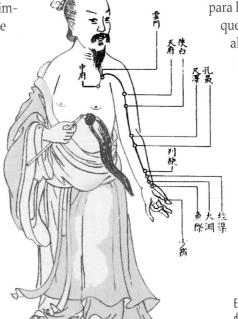

La energía (Qi) fluye por todo el universo y por su microcosmos: ← el cuerpo humano.

Esta representación del meridiano de los pulmones (h. 1624) muestra 22 puntos de acupuntura en el sistema del flujo de energía del cuerpo.

ORIGEN Y TIPOS DE QI

SE EMPIEZA con el Qi Original (Yuan Qi), conocido como Qi Prenatal o Anterior al Cielo, que se hereda de los padres en la concepción.

Se crece con el Qi Postnatal o Posterior al Cielo, que procede del Qi que está en el mundo en el que vivimos. Hay dos fuentes principales de Qi Postnatal: los alimentos y el aire. El Gu Qi procede de los alimentos que se ingieren; el principal órgano asociado con este proceso es el Bazo. El Kong Qi procede del aire que se respira y el principal órgano asociado es el Pulmón. El Gu Qi y el Kong Qi se combinan y forman el Qi Aglutinado (Zong Qi), que también se conoce como Qi del Pecho.

Finalmente, el Zong Qi está catalizado por la acción del Yuan Qi para formar el Qi Normal o Vertical (Zheng Qi), que se convierte en el Qi que circula por

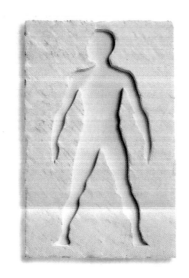

Nacemos con un Qi que actúa sobre el Qi de los alimentos que ingerimos y del aire que respiramos.

los canales y órganos del cuerpo. Como el Zheng Qi fluye por todo el cuerpo, hay varias funciones basadas en él, como se podrá comprobar.

El Zheng Qi es la base del Qi Nutritivo (Ying Qi), esencial en el proceso de nutrición de todos los tejidos del organismo. También forma la base del Qi Defensivo (Wei Qi), que circula por el exterior del cuerpo y lo protege de los factores externos que pueden causarle desequilibrios y enfermedades.

Cuando el Zheng Qi fluye por los diversos órganos internos del cuerpo, el Qi actúa de acuerdo a las características de ese órgano. Por ejemplo, la actividad del Qi del Hígado es diferente de la del Qi del Pulmón, pero ambas son manifestaciones del Zheng Qi. En este caso, se denomina Qi de los órganos (Zangfu Zhi Qi). De forma similar, cuando el Zheng Qi fluye por los canales o meridianos del cuerpo se llama Qi de los meridianos (Jing Luo Zhi Qi).

TIPOS DE QI Y SUS ORÍGENES

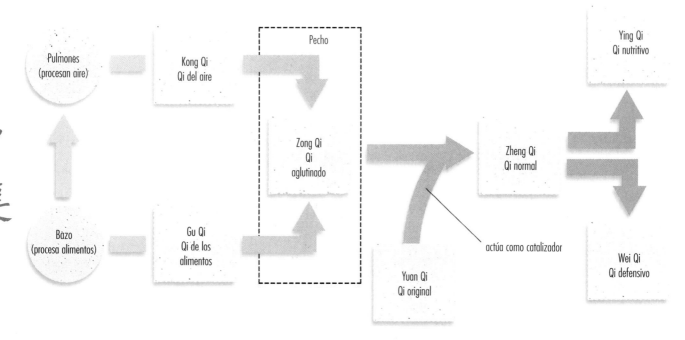

El diagrama muestra el proceso por el cual el Qi que procede de los alimentos (Gu Qi), procesados por el Bazo, y el Qi que deriva del aire (Kong Qi), procesado por los Pulmones, son catalizados por el Qi original (Yuan Qi) para nutrir al cuerpo y formar su sistema defensivo.

中藥

MEDICINA CHINA

Cuando el Qi
está en armonía,
se posee salud
y bienestar.

FUNCIONES DEL QI

HAY CINCO FUNCIONES PRINCIPALES DEL QI EN EL CUERPO:

1. FUENTE DE ACTIVIDAD Y MOVIMIENTO DEL CUERPO

Todos los movimientos del cuerpo, voluntarios e involuntarios, son una manifestación del flujo del Qi. El Qi está constantemente ascendiendo, descendiendo, entrando y saliendo del cuerpo, y la salud y el bienestar dependen de esta continua actividad dinámica.

2. CALENTAR EL CUERPO

Mantener la temperatura normal del cuerpo es una función de la acción calorífica del Qi.

3. FUENTE DE PROTECCIÓN PARA EL CUERPO

El Wei Qi es el responsable de proteger al cuerpo de la invasión de factores ambientales externos como Calor, Frío y Humedad, y otros factores patógenos que pueden causar la enfermedad.

4. FUENTE DE TRANSFORMACIÓN EN EL CUERPO

La acción del Qi es crucial para la transformación de los alimentos y del aire en otras sustancias vitales, como el mismo Qi, la Sangre y los Fluidos Corporales.

5. CONTROLAR LA RETENCIÓN Y LA CONTENCIÓN

Un Qi sano y fuerte es vital para mantener a los distintos órganos, vasos sanguíneos y tejidos del cuerpo en su sitio y facilitar así un buen funcionamiento. Se puede comparar al neumático que necesita de una presión correcta para quedar sujeto a la rueda y facilitar el movimiento.

La mala salud aparece
cuando el Qi se
desequilibra.

DESEQUILIBRIOS DEL QI

EN GENERAL, HAY CUATRO TIPOS CARACTERÍSTICOS DE DESEQUILIBRIOS DEL QI:

1. QI DEFICIENTE (QI XU)

El Qi es insuficiente para realizar correctamente las distintas funciones. Por ejemplo, en las personas ancianas una deficiencia del Qi como resultado del envejecimiento puede conducir a un resfriado crónico porque el Qi no está desempeñando su función de calentamiento.

2. QI AGOTADO (QI XIAN)

Si el Qi es deficiente, puede dejar de realizar adecuadamente su función de mantenimiento y agotarse. Un ejemplo muy evidente se observa en trastornos como el prolapso de un órgano.

3. QI ESTANCADO (QI ZHI)

Si el flujo normal del Qi se ve afectado por alguna razón, ello conduce a un flujo más lento o a un bloqueo. Un simple golpe en el brazo puede provocar una hinchazón y un dolor localizado debido al estancamiento del Qi en los meridianos. El estancamiento también puede afectar a los órganos internos y provocar problemas más graves.

4. QI REBELDE (QI NI)

En este caso, el Qi fluye en la dirección errónea. Por ejemplo, el Qi del Estómago debe fluir de forma característica hacia abajo y llevar los alimentos a los intestinos. Si el Qi del Estómago «se rebela», se dirigirá hacia arriba y dará lugar a problemas como hipo, náuseas y, en casos extremos, vómitos.

QI Y ENERGÍA

L A TRADICIÓN china no es la única que ha formulado teorías de «energía vital». La medicina india o ayurvédica tiene mucho en común con la medicina china en su trasfondo histórico y filosófico. Aquí el exceso de salud se considera el resultado de un equilibrio armonioso de las energías vitales que hay dentro de nosotros. La fuerza vital, comparable al Qi que fluye tanto por las personas como por el universo, se conoce como Prana.

LOS CAMPOS HUMANOS DE ENERGÍA

S E HA escrito mucho acerca de los campos de energía. Se cree que el cuerpo físico es el nivel más denso de materia energética y que existe dentro de un nivel de frecuencia que lo hace tangible y visible. Hay otros niveles de materia energética que rodean la materia física con distribuciones de frecuencia cada vez más sutiles. Se habla de los siguientes niveles: físico, etéreo, astral, mental (que contiene los subniveles instintivo, intelectual y espiritual) y el espíritu puro o causal.

También se ha sugerido que los niveles de energía no deben dividirse. Desde este punto de vista, cada nivel interactúa con su contiguo, y el desarrollo y organización del cuerpo físico van precedidos por la estimulación de los cuerpos energéticos de frecuencia más alta. En otras palabras, el campo organizacional comienza con el espíritu puro o nivel causal, que

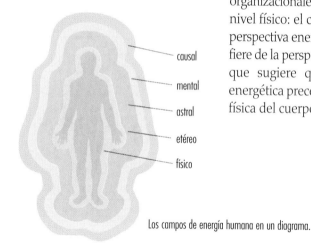

crea entonces un modelo de organización a nivel mental, que a su vez actúa de la misma manera en el nivel astral, y a continuación a un nivel etéreo; finalmente, los modelos organizacionales se manifiestan en el nivel físico: el cuerpo humano. Esta perspectiva energética del cuerpo difiere de la perspectiva mecanicista, ya que sugiere que la organización energética precede a la organización física del cuerpo, y no al revés.

causal

mental

astral

etéreo

físico

Los campos de energía humana en un diagrama.

EL SISTEMA DE ENERGÍA DEL QI

A L PARECER, el flujo del Qi que recorre todo el cuerpo y las redes de meridianos o canales que lo llevan operan en el límite entre los sistemas energéticos físicos y los no tangibles. Por tanto, como se cree que el cuerpo etéreo es el más cercano al sistema físico, puede considerarse que los meridianos forman lo que Richard Gerber llama la «frontera físico-etérea».

La energía del Qi del universo entra a través del nivel de energía etéreo, accede al cuerpo por los puntos de acupuntura mayores y menores y afluye a las estructuras celulares a través de los gradientes o concentraciones de energía (el sistema de meridianos). Por tanto, cuando aparece un desequilibrio en el cuerpo, ya se ha manifestado previamente en el nivel etéreo. La enfermedad física aparece al final de una cadena de procesos energéticos.

En la medicina occidental, el electrocardiograma muestra las variaciones eléctricas que se ven cuando se contrae el corazón.

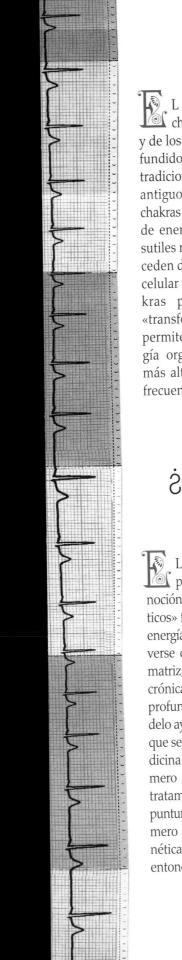

El sistema de chakras

EL CONCEPTO de los siete chakras principales del cuerpo y de los chakras menores se ha difundido desde hace tiempo en las tradiciones espirituales indias. Los antiguos textos sugieren que los chakras son como vórtices o centros de energía que existen dentro de sutiles niveles de energía y que acceden directamente a la estructura celular del cuerpo físico. Los chakras pueden funcionar como «transformadores de energía» y permiten que los campos de energía organizacional de frecuencia más alta funcionen en niveles de frecuencia relativamente inferiores del cuerpo. Cada chakra principal está asociado a una glándula del sistema endocrino y da acceso al flujo hormonal y a los cambios del organismo.

Parece ser que los chakras están conectados entre sí y que se unen por todo el cuerpo a través de sutiles canales de energía llamados «nadis». Resulta tentador sugerir que los chakras y los nadis son sólo una forma alternativa de denominar al sistema de meridianos y a los puntos de acupuntura de la medicina china, pero los textos indican que operan a un nivel más sutil y que pueden llegar a complementarlo.

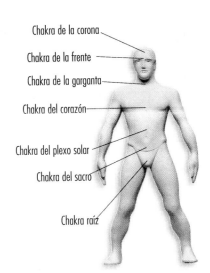

Chakra de la corona

Chakra de la frente

Chakra de la garganta

Chakra del corazón

Chakra del plexo solar

Chakra del sacro

Chakra raíz

Los chakras hindús o centros de poder del cuerpo están asociados a glándulas determinadas.

¿Cómo actúa la medicina china?

EL BIÓLOGO botánico Rupert Sheldrake introdujo la noción de «campos morfogenéticos» formativos o matrices de energía. Una enfermedad puede verse como un «corte» en esa matriz; la enfermedad se vuelve crónica si el corte se hace más profundo. Puede que este modelo ayude a explicar los efectos que se han observado en la medicina china, que funciona primero a un nivel energético. El tratamiento mediante la acupuntura o la fitoterapia actúa primero sobre la matriz morfogenética de Sheldrake; ésta opera entonces en el límite entre el nivel energético y el físico, y como consecuencia aparecen los cambios celulares y moleculares.

Cuando se golpea un diapasón, se producen una serie de vibraciones armónicas a una cierta frecuencia energética, y si la frecuencia y la fase son adecuadas, se producen efectos físicos sorprendentes, como el estallido de una copa de cristal. El reto de la medicina del siglo XXI consistirá en explorar estos terrenos energéticos y lograr que sean reconocidos. La medicina china dirige estos procesos de pensamiento en la dirección más correcta.

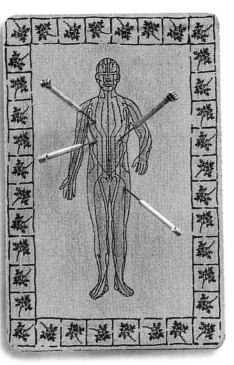

Los meridianos invisibles, a través de los cuales fluye la energía, tienen puntos de acupuntura menores y mayores.

SUSTANCIAS BÁSICAS

JING

L JING, que generalmente se traduce como «esencia», es otro de los difíciles conceptos de la medicina china. El Jing se considera el pilar de todas las formas de la vida orgánica. Si el Jing es abundante, entonces habrá una gran fuerza vital y el organismo se mostrará sano y radiante, mientras que si falta el Jing, la fuerza vital se verá debilitada y el organismo será susceptible de contraer enfermedades y sufrir trastornos. Para distinguir el Jing del Qi, puede resultar útil aplicar la noción de movimiento.

Como se ha visto, el Qi es el responsable de los continuos movimientos diarios del cuerpo, mientras que el Jing se asocia al lento cambio evolutivo que caracteriza el crecimiento del organismo desde el feto, a través de la vida, hasta llegar finalmente a la vejez y a la muerte.

ORÍGENES Y TIPOS DE JING

L JING Congénito o Anterior al Cielo (Xian Tian Zhi Jing) se forma por la reunión de las energías sexuales del hombre y de la mujer en el acto de la concepción. Por tanto, el Jing Congénito es la base del crecimiento prenatal en el útero y alimenta al embrión y al feto en desarrollo. La cantidad y calidad del Jing Congénito de una persona es invariable y determina la constitución y las características que esa persona llevará durante toda su vida.

El Jing Postnatal o Posterior al Cielo (Hou Tian Zhi Jing) es el Jing que se obtiene al ingerir alimentos sólidos o líquidos a través de la acción del Bazo y del Estómago. Este Jing Postnatal sirve para complementar al Jing Congénito, y juntos constituyen el Jing total del organismo.

La medicina china asocia estrechamente el Jing con la función de los Riñones, y el Jing del riñón representa una distinción adicional tanto del Jing Anterior al Cielo como del Jing Posterior al Cielo. Será suficiente con saber que el Jing del riñón potencia la transformación del Yin del riñón en Qi del riñón bajo la influencia calorífica del Yang del riñón.

Mientras que el Qi es la fuerza vital que rige el cambio diario, el Jing controla el cambio lento evolutivo, desde la fase prenatal a la muerte. (Dibujo de Leonardo da Vinci.)

El ideograma chino para el Jing.

FUNCIONES DEL JING

CONTROLAR EL CRECIMIENTO, LA REPRODUCCIÓN Y EL DESARROLLO

El Jing es esencial para el desarrollo de la persona a lo largo de la vida. En los niños, es el responsable del crecimiento de los huesos, los dientes y el pelo. Favorece además el desarrollo cerebral y la madurez sexual. En los adultos, constituye la base de la reproducción. En cuanto a la fertilidad, depende de la fortaleza del Jing del riñón.

POTENCIAR EL QI DEL RIÑÓN

La conexión entre el Jing y los Riñones es muy estrecha. El Qi del riñón es la base del Qi de todo el cuerpo y, si es deficiente o débil, esta situación puede provocar una deficiencia o debilidad del Qi de todo el cuerpo.

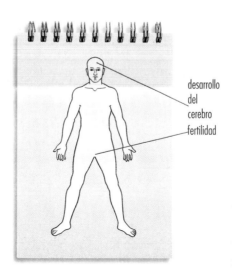

desarrollo del cerebro
fertilidad

El Jing, descrito como fuerza vital, está en la persona desde su nacimiento y corresponde a lo que el Occidente llama «constitución».

PRODUCIR LA MÉDULA

En medicina china, el concepto de Médula comprende la constitución básica de la médula espinal y del cerebro.
Como el Jing es responsable de la producción de Médula, puede tener graves consecuencias si este proceso se debilita.

DETERMINAR NUESTRA CONSTITUCIÓN

La fortaleza del Jing determina la resistencia básica constitucional. Por tanto, actúa en unión con el Wei Qi para ayudar a proteger al cuerpo de los factores externos. Si es débil, el individuo padecerá infecciones y enfermedades crónicas.

DISFUNCIONES DEL JING

LOS DESEQUILIBRIOS del Jing suelen relacionarse con el desarrollo y la constitución.

TRASTORNOS EVOLUTIVOS

Este tipo de trastornos, como dificultad en el aprendizaje o discapacidad física en la infancia, es debido a una deficiencia del Jing. Cuando disminuye en el adulto, aparece un deterioro físico y síntomas como la sordera, las canas, la calvicie, y debilidad y senilidad generales.

TRASTORNOS ASOCIADOS AL RIÑÓN

Debido a la relación del Jing con los riñones, cualquier deficiencia puede conducir a un problema asociado con el Riñón: impotencia, lumbago o zumbidos en los oídos.

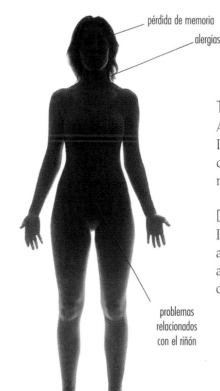

pérdida de memoria
alergias

problemas relacionados con el riñón

La debilidad o deficiencia del Jing puede estar asociada con problemas y trastornos.

TRASTORNOS ASOCIADOS A LA MÉDULA

La debilidad del Jing da lugar a disfunciones cerebrales como una mala memoria, falta de concentración y mareos.

DEBILIDAD CONSTITUCIONAL

Puede dar lugar a una tendencia crónica a padecer ciertas dolencias externas y alergias, que pueden resultar difíciles de curar.

SANGRE

E L LECTOR occidental que todavía no ha comprendido bien los conceptos del Qi y del Jing no encontrará más facilidades cuando se explique la naturaleza y el significado de la Sangre en medicina china. La Sangre no es sólo la sustancia física que se reconoce como sangre en la medicina occidental; está estrechamente unida al Qi y nutre al cuerpo y al Shen.

La medicina china considera la Sangre como una manifestación material y fluida del Qi. En este apartado que trata de la Sangre se modificará ligeramente el curso de esta exposición y se verá por este orden: origen de la sangre, funciones de la sangre, interrelaciones con la sangre, desequilibrios de la sangre.

ORIGEN DE LA SANGRE

S E CREE que hay dos formas de que se produzca la Sangre para su uso por todo el cuerpo.

Como se ha visto, en la medicina china, el Bazo, el Estómago, los Pulmones, el Corazón y los Riñones desempeñan importantes funciones en el desarrollo de la Sangre.

La comida y la bebida se transforman en Sangre, comenzando en el Bazo.

1. TRANSFORMACIÓN DE LOS ALIMENTOS

Los alimentos y las bebidas se transforman en Sangre, comenzando en el Bazo. Éste extrae el Gu Qi de los alimentos ingeridos en el Estómago y lo envía hacia arriba a la zona pectoral. El Qi del Pulmón comienza el proceso de transformación en Sangre. El Gu Qi se envía luego de los Pulmones al Corazón, donde el Yuan Qi y el Jing facilitan la posterior transformación en Sangre.

2. LA ACCIÓN DE LA MÉDULA

La Médula también está implicada en el proceso de producción de la Sangre.

En este caso, el Jing que se almacena en los Riñones produce la Médula. Ésta a su vez produce la Médula Ósea, que contribuye además a la producción de Sangre.

PRODUCCIÓN DE LA SANGRE A PARTIR DE LOS ALIMENTOS

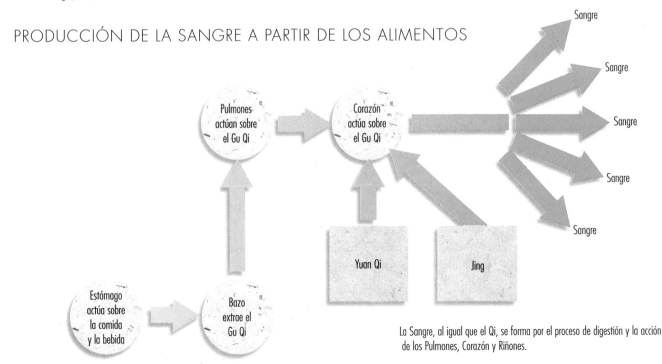

La Sangre, al igual que el Qi, se forma por el proceso de digestión y la acción de los Pulmones, Corazón y Riñones.

La Médula se produce por la acción de los Riñones y conduce a la producción de la Médula Ósea y de la Sangre.

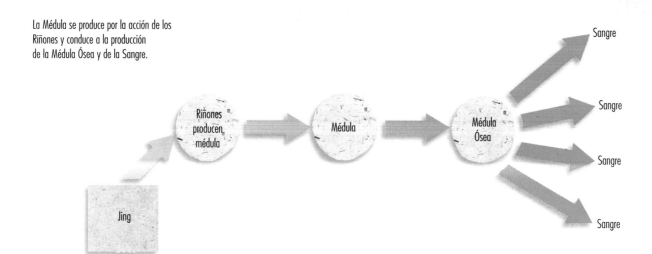

FUNCIONES DE LA SANGRE

SE CREE *que hay tres funciones principales de la Sangre en el cuerpo.*

1. ALIMENTAR AL CUERPO

Probablemente la función más importante de la Sangre consiste en llevar continuamente los nutrientes a todos los órganos, músculos, tendones, etc. del cuerpo. Hay que recordar que en la medicina china la Sangre se considera un aspecto del Qi y como tal contribuye a transportar los elementos nutritivos del Qi.

2. HIDRATAR EL CUERPO

La Sangre desempeña un papel importante en la hidratación y lubricación del cuerpo.

3. AYUDAR A LA MENTE (SHEN)

La medicina china considera que la Sangre ayuda a fijar la mente, lo que permite el desarrollo de procesos de pensamiento claros y estables. Cuando una persona presenta una carencia de Sangre, puede mostrar una tendencia a la irritabilidad y a la ansiedad.

La Sangre alimenta e hidrata el cuerpo y ayuda a la mente, pero no hay que pensar en ella como algo puramente físico.

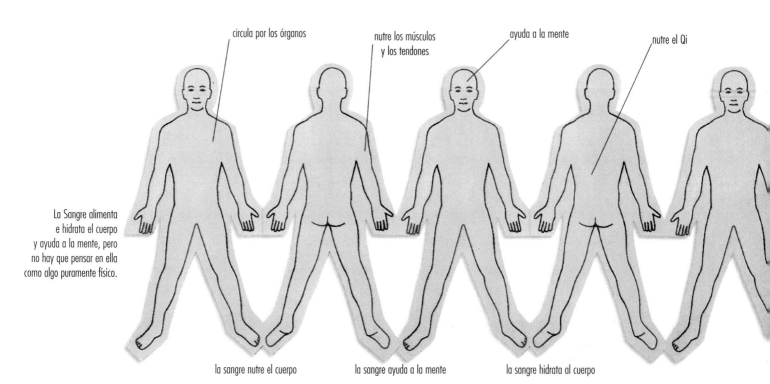

circula por los órganos

nutre los músculos y los tendones

ayuda a la mente

nutre el Qi

la sangre nutre el cuerpo

la sangre ayuda a la mente

la sangre hidrata al cuerpo

RELACIÓN CON EL QI

A SANGRE mantiene importantes relaciones con todos los órganos Yin (Zang) del cuerpo. Estas interrelaciones se tratarán con más detalle cuando se estudie la función de los diversos órganos.

Un terapeuta chino puede decidir regular la Sangre con remedios herbales.

Sin embargo, merece la pena decir algo más acerca de la íntima interdependencia entre la Sangre y el Qi. La Sangre es un aspecto del Qi. El Qi se puede considerar Yang con respecto a la Sangre ya que es más etéreo; y, por implicación, la Sangre se considera Yin con respecto al Qi porque es más tangible. Esta estrecha relación se puede interpretar de la siguiente forma:

- El Qi produce Sangre.
- El Qi transporta la Sangre por todo el cuerpo.
- El Qi retiene la Sangre en los vasos sanguíneos.
- La Sangre nutre al Qi.

Los chinos resumen esta estrecha relación entre el Qi y la Sangre afirmando que: «El Qi es el jefe de la Sangre y la Sangre es la madre del Qi».

DESEQUILIBRIOS DE LA SANGRE

OS TRES tipos principales de desequilibrios de la Sangre son los siguientes:

1. SANGRE DEFICIENTE (XUE XU)
La deficiencia de Sangre está relacionada con la incapacidad del Bazo de mover el Gu Qi para producir Sangre. Generalmente, esta incapacidad da lugar a una tez pálida, piel seca y vértigo.

2. SANGRE ESTANCADA (XUE YU)
Si el Qi es débil o está estancado, puede que no mueva la Sangre como debe, lo que conduce al estancamiento de la Sangre. Por lo general, esto ocasiona ataques de dolor agudos y con frecuencia intensos. También puede ser origen de tumores.

3. CALOR EN LA SANGRE
Suele ser el resultado de un calor interno generado por el desequilibrio de otro órgano, generalmente el Hígado. El calor en la Sangre puede provocar enfermedades cutáneas y problemas mentales y emocionales, entre muchos otros trastornos.

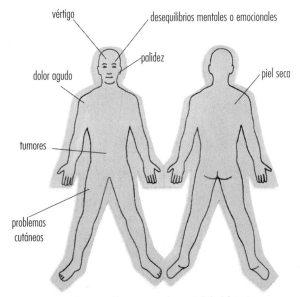

vértigo

desequilibrios mentales o emocionales

dolor agudo

palidez

piel seca

tumores

problemas cutáneos

Algunos problemas que pueden surgir de la deficiencia o estancamiento de la Sangre.

中
藥

MEDICINA CHINA

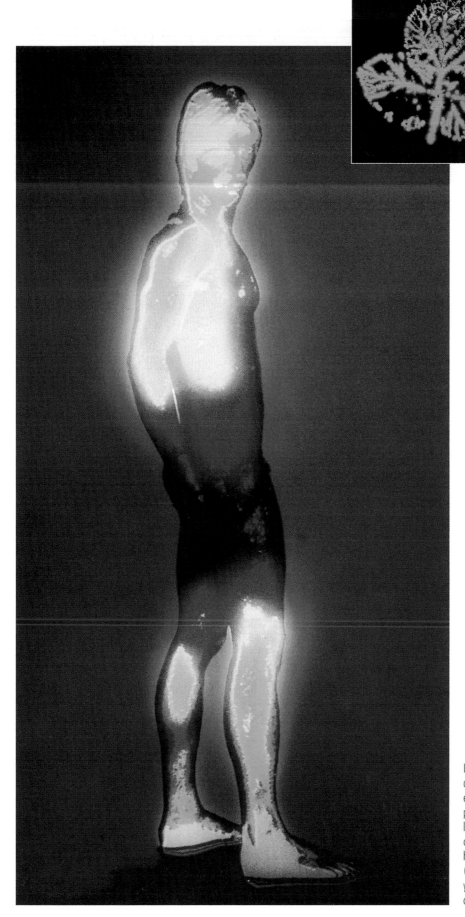

La fotografía de Kirlian, que registra la descarga eléctrica emitida por un objeto, revela las áreas de energía concentrada en un ser humano (fotografía principal) y en una hoja recién cogida (recuadro).

FLUIDOS CORPORALES

SE CONSIDERAN *Fluidos Corporales (Jin Ye) los otros líquidos orgánicos que hidratan y lubrican el organismo (además de la Sangre, que, como se ha visto, es de gran importancia en la medicina china). El Jin Ye se origina por la acción de los órganos sobre los alimentos líquidos y sólidos y actúa en el organismo tanto interna como externamente. Estos fluidos son de dos tipos: ligeros y acuosos o densos y pesados, y la deficiencia o exceso de Fluidos Corporales causan trastornos específicos.*

ORIGEN Y TIPOS DE FLUIDOS CORPORALES

EL CICLO del origen y transformación de los Fluidos Corporales es bastante complejo pero se puede simplificar de la manera siguiente.

Los Fluidos Corporales se originan en el proceso en el que el Bazo y el Estómago actúan sobre los alimentos ingeridos. En medicina china, una función importante del Bazo consiste en separar los fluidos «puros» de los «impuros» que se toman con los alimentos. Los primeros se envían hacia los Pulmones donde se separan posteriormente en fluidos «ligeros» y «densos». Los Pulmones dispersan entonces los fluidos «ligeros», que alimentan e hidratan la piel y los músculos del cuerpo, mientras que los «densos» se envían hacia los Riñones. La acción calorífica del Yang del Riñón separa de nuevo los fluidos densos y envía los más refinados de regreso hacia arriba para hidratar los Pulmones, mientras que los fluidos

PRODUCCIÓN Y CIRCULACIÓN DE LOS FLUIDOS CORPORALES

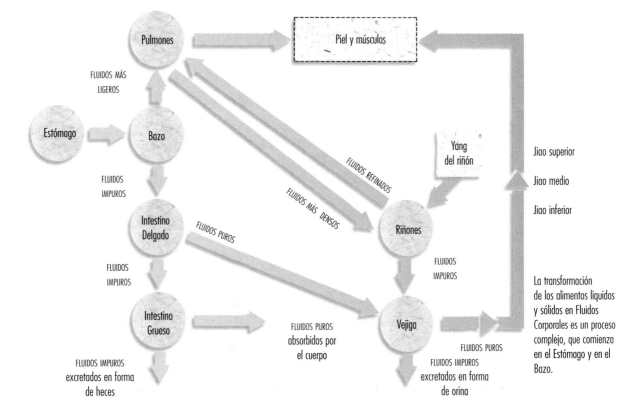

Pulmones

Piel y músculos

FLUIDOS MÁS LIGEROS

Estómago

Bazo

Yang del riñón

Jiao superior

Jiao medio

Jiao inferior

FLUIDOS IMPUROS

FLUIDOS REFINADOS

FLUIDOS MÁS DENSOS

Intestino Delgado

FLUIDOS PUROS

Riñones

FLUIDOS IMPUROS

FLUIDOS IMPUROS

La transformación de los alimentos líquidos y sólidos en Fluidos Corporales es un proceso complejo, que comienza en el Estómago y en el Bazo.

Intestino Grueso

Vejiga

FLUIDOS PUROS absorbidos por el cuerpo

FLUIDOS PUROS

FLUIDOS IMPUROS excretados en forma de heces

FLUIDOS IMPUROS excretados en forma de orina

impuros van desde los Riñones hasta la Vejiga donde se excretan en forma de orina.

Además de este proceso, los líquidos impuros del Bazo se envían hacia el Intestino Delgado, donde se discriminan todavía más: los más puros se envían a la Vejiga y los más impuros, al Intestino Grueso para su excreción final en forma de heces. Incluso entonces, algunos fluidos destilados más puros pueden ser absorbidos por el cuerpo. La fase final del ciclo

comporta todavía una separación adicional en la Vejiga donde los líquidos puros se envían de regreso al cuerpo, a través de la acción del San Jiao o Triple Calentador, y los impuros se excretan como orina.

Como es evidente, la producción y la circulación de los Fluidos Corporales es un proceso sutil y complejo. En todas las etapas tiene lugar un proceso continuo de separación y reciclado, para asegurar que el cuerpo extrae y usa la máxima cantidad de líquido beneficioso.

Esencialmente, hay dos tipos de fluidos corporales:

1. Fluidos ligeros (Jin)
Son líquidos ligeros y acuosos que circulan con el Wei Qi por la piel y los músculos del exterior del cuerpo, bajo el control de los Pulmones.

2. Fluidos densos (Ye)
Son mucho más pesados y espesos. Parece ser que circulan por el interior del cuerpo junto con el Ying Qi bajo la influencia del Bazo y de los Riñones.

Función de los Fluidos Corporales

LA FUNCIÓN de los Fluidos Corporales consiste básicamente en hidratar y nutrir al cuerpo.

Los fluidos Jin llevan a cabo esta

función en beneficio de la piel, los músculos y el pelo.

Pueden aparecer como líquidos que fluyen directamente del cuerpo en

forma de sudor, lágrimas y saliva.

Los fluidos. Ye realizan esta misma función en las articulaciones y el cerebro.

Qi, Sangre y Fluidos Corporales

EN LA MEDICINA china no se concibe que ninguna de las sustancias vitales existan funcionalmente por sí mismas. Sus funciones interactúan y se interrelacionan continuamente. Un buen ejemplo son el Qi, la Sangre y los Fluidos Corporales.

El Qi es crucial tanto en la producción como en el transporte de los Fluidos Corporales y es responsable de retener los fluidos en su lugar. Y a la inversa, si los Fluidos Corporales se vuelven deficientes, el Qi puede resultar dañado; por tanto, los Fluidos

Corporales son esenciales para el mantenimiento de un Qi saludable.

Los Fluidos Corporales y la Sangre se nutren mutuamente. Los primeros son esenciales para mantener la consistencia de la Sangre y evitar que ésta se estanque y provoque enfermedades.

Trastornos de los Fluidos Corporales

HAY DOS tipos de trastornos que pueden presentar los Fluidos Corporales:

1. Deficiencia de Fluidos Corporales
Provocan una amplia gama de problemas derivados de un fallo en la función

nutriente e hidratante. Por ejemplo, una deficiencia en los Intestinos puede provocar un problema de estreñimiento.

2. Acumulación de Fluidos
Si los Fluidos Corporales se acumulan, pueden originar los problemas

descritos en medicina china como Humedad y Flema. Por ejemplo, si el Bazo resulta dañado por una dieta desequilibrada, produce un exceso de humedad que se manifiesta como letargo acompañado de una sensación de pesadez en la parte inferior del abdomen.

SHEN

A ÚLTIMA sustancia básica que se tratará es el Shen, que podría traducirse como la mente o el espíritu de la persona. La mente es quizá el término más adecuado ya que la filosofía china distingue entre los diversos aspectos del espíritu, una explicación que sobrepasa el propósito de este libro. Sin embargo, no hay que pensar que el Shen es simplemente la mente que piensa, memoriza y ejecuta un procesamiento lógico. De hecho, el Shen no es la conciencia humana como tal, pero se puede decir que la existencia de una conciencia humana es una prueba de la acción y de la presencia del Shen.

ES MEJOR considerar el Shen en términos de su relación con el Qi y el Jing. En medicina china el Jing, el Qi y el Shen se denominan colectivamente los «Tres tesoros» y se considera que son los componentes esenciales de la vida de la persona.

- ▶ El Jing es el componente más denso y es responsable de los procesos evolutivos del cuerpo.
- ▶ El Qi es el estado siguiente y es responsable de la vida animada más inmediata del cuerpo.
- ▶ El Shen es el nivel más refinado, responsable de la conciencia humana.

Cuando los Tres Tesoros están en armonía, el individuo se siente pletórico y lleno de vida: se encuentra físicamente bien, mentalmente agudo y despejado. La fuerza motriz del Shen expresa la personalidad del individuo.

DESEQUILIBRIOS DEL SHEN

Un desequilibrio leve del Shen puede manifestarse como un pensamiento lento y confuso, ansiedad e insomnio. En casos extremos, provoca un trastorno serio de la personalidad, desórdenes mentales e incluso pérdida de conocimiento.

El ideograma chino para el Shen.

SHEN
Es el aspecto mental o espiritual.

QI
Qi es la fuerza animada, desde dentro y desde fuera.

JING
Es el aspecto que explica la constitución y el desarrollo.

El cuerpo es sólo un aspecto del ser humano, cuyas partes de mente y espíritu son igualmente importantes para la medicina.

RESUMEN

ESTE CAPÍTULO ha presentado las sustancias básicas de la medicina china. Como se ha mostrado, ofrece una imagen muy diferente de la tradición occidental, aunque ciertamente no por ello menos sutil o completa. Puede ser útil resumir los diversos orígenes y funciones de las sustancias fundamentales en forma de tabla. Un buen consejo para facilitar la comprensión de estas ideas es no intentar entender el Qi, el Jing, la Sangre, los Fluidos Corporales y el Shen como «cosas» que conforman el ser humano, sino reconocer que esas ideas describen un proceso y que estas sustancias básicas existen en un constante equilibrio dinámico: constituyen el «baile de la vida» en la medicina china.

SUSTANCIAS BÁSICAS

SUSTANCIA	ORIGEN	FUNCIONES
QI	Anterior al Cielo–padres Posterior al Cielo–alimento/aire	*movimiento y actividad* *transformación, protección,* *retención*
JING	Anterior al Cielo–padres Posterior al Cielo–comida ingerida	*crecimiento, reproducción* *desarrollo, apoyo al Qi del* *Riñón, producción de Médula,* *formación de la* *constitución*
SANGRE	Transformación de los alimentos Acción de la Médula	*nutrición, hidratación* *ayuda al Shen*
FLUIDOS	Destilación de los alimentos	*hidratación, nutrición por:* *Jin – fluidos ligeros* *Ye – fluidos densos*
SHEN	Manifestación de la conciencia	*mantiene la mente* *aguda y ágil*

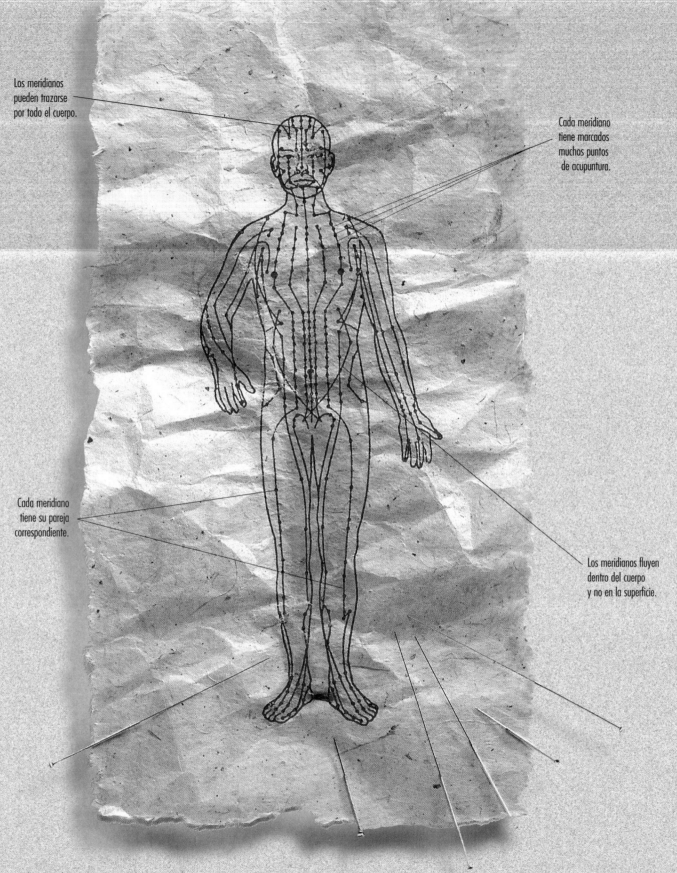

Los meridianos pueden trazarse por todo el cuerpo.

Cada meridiano tiene marcados muchos puntos de acupuntura.

Cada meridiano tiene su pareja correspondiente.

Los meridianos fluyen dentro del cuerpo y no en la superficie.

El sistema de meridianos consiste en doce canales principales. Cada uno posee puntos de acupuntura específicos y reconocidos.

EL SISTEMA DE MERIDIANOS

L OBJETIVO de este capítulo es aportar alguna claridad y lógica a la comprensión del sistema de distribución de energía de la medicina china y relacionarla con la teoría general que se ha visto hasta ahora. El término «meridiano» se ha elegido para describir el sistema general, pero con frecuencia los mismos meridianos se describen como «canales» o incluso como «vasos» cuando se refieren a las vías específicas del cuerpo. La elección normalmente es personal, pero los términos «canales» y «vasos» suelen implicar la idea de carga, soporte y transporte, mientras que «meridiano» es funcionalmente un término más neutral.

¿QUÉ SON LOS CANALES?

A QUEDADO claro de la explicación de las sustancias básicas que debe haber un camino por el cual estas sustancias penetren en todo el cuerpo. La medicina china describe el sistema complejo de canales y de vasos conectores como el sistema de distribución que lleva el Qi, la Sangre y los Fluidos Corporales a todo el cuerpo.

Es tentador pensar que los canales son algo parecido al sistema de vasos sanguíneos (arterias, venas, capilares) que llevan la sangre a todo el cuerpo. Es una analogía en cierto modo útil pero engañosa. Es útil en el sentido de que el sistema de canales es responsable de la distribución de las sustancias básicas por todo el cuerpo, pero puede ser engañosa en que la anatomía y fisiología convencionales no son capaces de identificar esas vías en un sentido físico de la misma forma que se pueden identificar los vasos sanguíneos.

Es necesario recordar que la medicina china opera en gran medida a un nivel energético muy sutil. El Qi, la Sangre, el Jing y el Shen son cuatro propiedades esencialmente energéticas que están oscilando continua-

mente entre el límite de lo físico y de lo energético. Los efectos de los procesos que regulan se manifiestan en el cuerpo físico, con su fortaleza, debilidad, idiosincrasia y desequilibrios, pero siguen siendo de naturaleza esencialmente energética. Por consiguiente, es quizá más útil considerar el sistema de meridianos como una red de distribución energética que en sí misma tiende hacia una manifestación energética. Del mismo modo que cuando se intenta comprender el Qi por sus efectos, el sistema de meridianos se entiende mejor si se explica como un proceso que se hace pensando en una estructura.

Una analogía útil que se emplea con frecuencia para describir el flujo del Qi es la de un río. Un río tiene un origen y sigue su curso hasta llegar al mar. En su trayecto, puede variar su profundidad o su velocidad, pero siempre tiende a seguir su camino más «natural».

La filosofía china cree que el Qi impregna cada cosa del universo, que no hay nada que no sea una manifestación del Qi. Sin embargo, varían las concentraciones del Qi, por lo

Los puntos de acupuntura asociados a ciertos órganos están situados en cada meridiano.

EL SISTEMA DE MERIDIANOS

47

que puede ser útil considerar el sistema de meridianos como la representación de zonas de alta concentración de Qi. Por tanto, al alejarse de un meridiano, no se llega repentinamente a ningún «borde»; es más una cuestión de desplazamiento desde áreas de alta concentración de Qi a otras con menor concentración. Es como cuando nos alejamos del centro del río y el agua se vuelve cada vez menos profunda, e incluso cuando se traspasa la orilla física del río todavía se sigue encontrando humedad en el suelo. El agua está presente, por tanto, más allá de los límites del río.

Por este motivo, se ha construido una imagen del cuerpo impregnado por un sistema de energía que se concentra alrededor de zonas de energía de mayor densidad, denominadas canales. Esta energía está en un constante movimiento dinámico de formas muy específicas, como se verá posteriormente, e impulsa la gran cantidad de procesos cuya manifestación es ese organismo físico. Si ese flujo de energía se debilita o se obstruye de alguna forma, el resultado es un desequilibrio energético que a su vez se manifiesta en el organismo físico como una enfermedad o trastorno.

¿QUÉ SON LOS PUNTOS DE ACUPUNTURA?

EL OTRO rasgo que siempre está presente en los diagramas de meridianos del cuerpo humano son los puntos específicos marcados sobre los canales individuales. Algunos canales tienen muchos, otros tienen menos; algunos puntos se agrupan cerca de otros y otros aparecen más separados. Éstos representan lo que se describe como puntos de acupuntura, pero, ¿cómo están relacionados con el sistema de energía dinámico que se ha descrito hasta ahora?

En muchos de los canales se encuentra lo que se podría describir mejor como «puntos de acceso». Volviendo a la analogía del río: considérese el efecto de un remolino que atrae todo hacia el centro del río y que en realidad lo que proporciona es el acceso a lo más hondo del río. Se pueden considerar los puntos de acupuntura como los «vórtices de energía» que atraen al Qi dentro y fuera del flujo de energía corporal y que proporcionan los puntos de acceso a través de los cuales se influye directamente en el flujo del Qi del cuerpo.

Incluso la simple presión sobre un «vórtice de energía» específico puede llegar a provocar cambios en el sistema de energía, con los consiguientes efectos físicos. Por supuesto, ésta sería la base para un sencillo tratamiento de digitopuntura o acupresión, que probablemente usaríamos en caso de sufrir un trastorno leve en nuestra vida cotidiana. Por ejemplo, si se padece un dolor de cabeza, frotar el área de la sien estimula el «vórtice de energía» o punto de acupuntura conocido normalmente como Taiyang. La acupuntura sólo lleva esto un poco más lejos.

En acupuntura, se insertan finas agujas en el sistema de energía del paciente en una serie de vórtices, o puntos de acupuntura, apropiadamente seleccionados. El efecto de la inserción de agujas provoca cambios en la estructura del sistema energético del paciente con el resultado, normalmente, de cambios beneficiosos a nivel físico. Como es probable que el propio sistema energético del terapeuta sea un factor importante en este proceso, la aguja en efecto se convierte en una extensión de ese sistema de energía.

La explicación anterior debería haber proporcionado al lector una visión más dinámica del sistema de energía del cuerpo que le puede ayudar a comprender el concepto del sistema de meridianos como una forma de «anatomía de la energía».

Vórtice de energía (punto de acupuntura)

Alta concentración del flujo de Qi en el canal.

La energía es arrastrada dentro y fuera del flujo.

Nivel de energía reequilibrada.

Un punto de acupuntura puede compararse con un remolino o vórtice, a través del cual la energía es arrastrada.

中
樂

MEDICINA CHINA

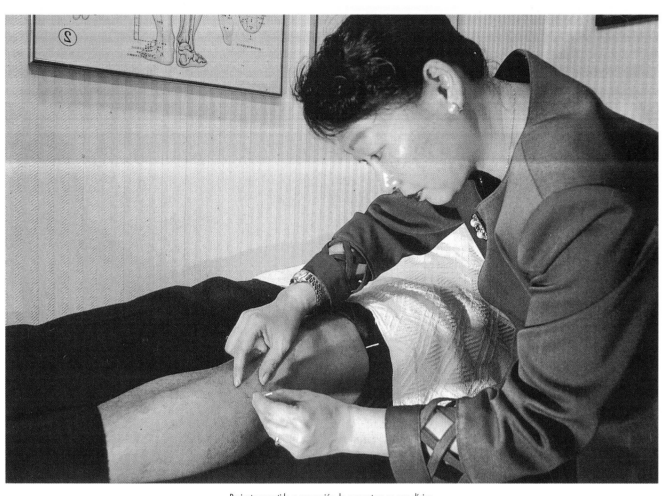

Paciente sometido a una sesión de acupuntura en una clínica.

Dentro de un canal o de un meridiano se pueden detectar altas y bajas concentraciones de energía.

alta concentración del flujo de Qi

baja concentración del flujo de Qi

VISTA SUPERIOR DEL CANAL

Esta imagen transversal del flujo de energía de Qi muestra cómo una alta concentración de Qi en una zona interfiere en el flujo.

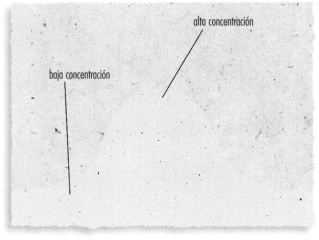

alta concentración

baja concentración

CORTE TRASVERSAL DEL CANAL

LOS MERIDIANOS

N ESTA sección se describen los canales o meridianos, sus correspondencias y funciones. Merece la pena insistir en que el especialista en medicina china debe tener un conocimiento tan profundo de estas redes como el que tiene el médico occidental de anatomía y fisiología del cuerpo. Sin ese conocimiento, puede resultar muy difícil una intervención satisfactoria. Un diagrama anatómico del sistema de meridianos muestra que éste está formado por una serie de canales independientes que recorren la superficie del cuerpo; sin embargo nada más lejos de la verdad.

LOS DOCE CANALES REGULARES

LOS DOCE canales regulares corresponden a los cinco órganos Yin, los seis órganos Yang y el Pericardio. (En medicina china, el Pericardio se considera funcionalmente un órgano Yin.) El San Jiao es un órgano que no tiene equivalente en la medicina occidental y el resto de órganos no deben considerarse idénticos los órganos físicos.

Hay tres órganos Yin y tres órganos Yang relacionados con el brazo y la pierna. Cada órgano Yin está emparejado con su correspondiente órgano Yang; por ejemplo, el órgano Yin del Pulmón se corresponde con el Yang del Intestino Grueso.

Tomando las extremidades como ejemplo, hay seis canales Yin emparejados y seis Yang emparejados (tres para cada brazo y pierna, respectivamente). Los principales canales se enumeran en el recuadro de la derecha.

LA CIRCULACIÓN DEL FLUJO DE QI EN LOS DOCE CANALES REGULARES

El Qi fluye desde la zona pectoral pasando por los tres canales Yin del brazo (Pulmón, Pericardio, Corazón) hacia las manos. Allí estos canales se conectan con los tres Yang equivalentes de los brazos (Intestino Grueso, San Jiao, Intestino delgado) y suben hacia la cabeza, donde se conectan con los tres canales Yang de la pierna (Estómago, Vesícula Bi-

liar, Vejiga) y bajan por el cuerpo hasta los pies. En los pies se conectan con sus correspondientes canales Yin de la pierna (Bazo, Hígado, Riñón) y suben de nuevo hacia el pecho para completar el ciclo de la circulación.

Aunque el Qi circula continuamente a través de los doce canales regulares, a veces el flujo de Qi y la Sangre encuentran su nivel máximo en un canal concreto. Por tanto, el ciclo diario del flujo máximo de cada canal es el siguiente:

Pulmón (3-5 a.m.), Intestino Grueso (5-7 a.m.), Estómago (7-9 a.m.), Bazo (9-11 a.m.), Corazón (11 a.m. -1 p.m.), Intestino Delgado (1-3 p.m.), Vejiga (3-5 p.m.), Riñones (5-7 p.m.), Pericardio (7-9 p.m.), San Jiao (9-11 p.m.), Vesícula Biliar (11 p.m.–1 a.m.), Hígado (1-3 a.m.).

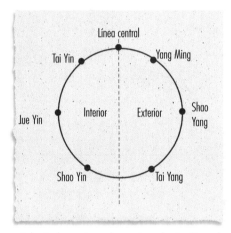

Cada miembro es atravesado por seis canales, tres Yin en el interior y tres Yang en el exterior, por los que fluye el Qi.

Esta información es de gran ayuda para el especialista a la hora de considerar el diagnóstico y decidir las estrategias de tratamiento.

Canal Tai Yin del brazo:	Pulmones
Canal Tai Yin de la pierna:	Bazo
Canal Shao Yin del brazo:	Corazón
Canal Shao Yin de la pierna:	Riñones
Canal Yue Yin del brazo:	Pericardio
Canal Yue Yin de la pierna:	Hígado
Canal Yang Ming del brazo:	Intestino Grueso
Canal Yang Ming de la pierna:	Estómago
Canal Tai Yang del brazo:	Intestino Delgado
Canal Tai Yang de la pierna:	Vejiga
Canal Shao Yang del brazo:	San Jiao
Canal Shao Yang de la pierna:	Vesícula Biliar

Órgano Yin	Órgano Yang
Pulmón	Intestino Grueso
Corazón	Intestino Delgado
Pericardio	San Jiao
Hígado	Vesícula Biliar
Riñón	Vejiga
Bazo	Estómago

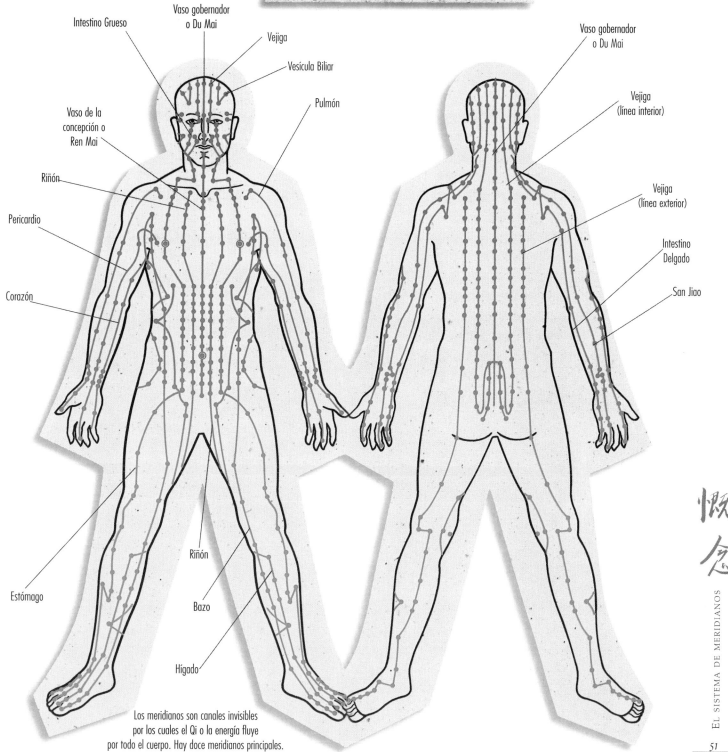

Los meridianos son canales invisibles
por los cuales el Qi o la energía fluye
por todo el cuerpo. Hay doce meridianos principales.

FUNCIONES DE LOS CANALES

Los canales son las estructuras de unificación energéticas de todo el cuerpo. Conectan el interior con el exterior y son las vías y las concentraciones del flujo del Qi y la Sangre de todo el cuerpo. Asimismo, transportan el Wei Qi protector por todo el cuerpo aunque también proporcionan la ruta de acceso a través de la cual los factores externos patógenos invaden el organismo y causan daño, inicialmente en el exterior y después en el interior. Lo más importante es que los canales proporcionan también al acupuntor los «puntos de entrada» para acceder al flujo del Qi.

COMUNICACIÓN ENTRE CANALES

En medicina china se considera que los canales de los brazos y de las piernas que tienen el mismo nombre se «comunican» entre ellos. De ahí que cuando aparece un problema en un canal u órgano concreto puede ser tratado utilizando puntos del canal comunicador. Por poner un ejemplo: un desequilibrio en los Pulmones se puede tratar en los puntos del canal del Bazo, ya que ambos son canales Tai Yin.

Cada canal está relacionado además con su órgano correspondiente. Éste es un claro ejemplo de comunicación interior-exterior. Finalmente cada canal está relacionado con su órgano Yin o Yang correspondiente. Esta relación se puede ilustrar con un par de ejemplos.

1. *Un problema en el canal del Intestino Grueso se puede tratar en los puntos del canal del Intestino Grueso y también en los puntos del canal del Pulmón (pareja Yin del Intestino Grueso).*

2. *Un problema en los Riñones se puede tratar en los puntos del canal del Riñón y en los puntos del canal de la Vejiga (pareja Yang de los Riñones).*

DESEQUILIBRIOS DE LOS CANALES REGULARES

Hay que tener presente que cuando aparece un desequilibrio en un órgano determinado, el problema se puede extender a los órganos correspondientes a través del sistema de canales.

Por ejemplo, si una persona sigue una dieta excesivamente «fría», a base de ensaladas, alimentos fríos y crudos, frutas y bebidas heladas, puede padecer una deficiencia de Qi en el Estómago. Esta carencia afecta a la energía Yang del Bazo (el órgano emparejado), con lo que el Qi del Bazo es incapaz de ascender. En consecuencia, la energía del Bazo decae y da lugar a problemas como la diarrea.

La conexión del Estómago con el Intestino Grueso (los canales Yang Ming) puede agravar también este desequilibrio.

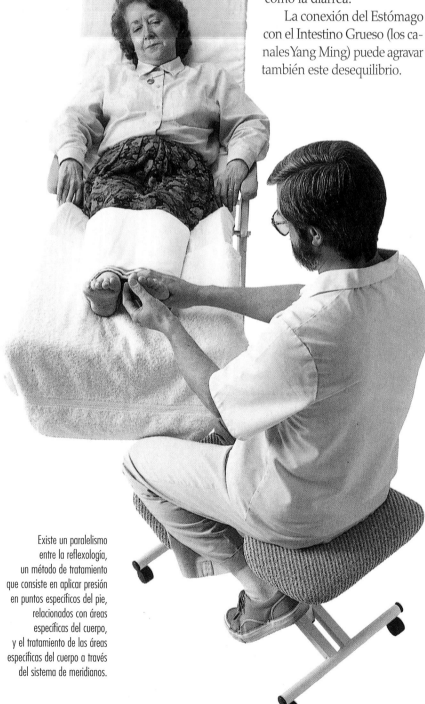

Existe un paralelismo entre la reflexología, un método de tratamiento que consiste en aplicar presión en puntos específicos del pie, relacionados con áreas específicas del cuerpo, y el tratamiento de las áreas específicas del cuerpo a través del sistema de meridianos.

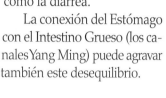

LOS OCHO CANALES EXTRAORDINARIOS

ESTOS OCHO canales no están directamente relacionados con los principales sistemas orgánicos y sólo dos de ellos tienen puntos de acupuntura. Los ocho canales extraordinarios son: Ren Mai, Vaso de la concepción; Du Mai, Vaso gobernador; Chong Mai, Vaso de acceso; Dai Mai, Vaso del ajuste; Yin Wei Mai, Vaso de conexión con el Yin; Yang Wei Mai, Vaso de conexión con el Yang; Yin Qiao Mai, Vaso de control del Yin; Yang Qiao Mai, Vaso de control del Yang.

Los canales más importantes son el Du Mai y el Ren Mai. Ambos tienen puntos de acupuntura independientes de los doce canales regulares. Los otros seis se consideran menos importantes y comparten puntos con los doce canales regulares.

FUNCIONES DE LOS CANALES EXTRAORDINARIOS

Estos canales tienen varias funciones específicas, entre las que destacan:

1. *Actúan como depósitos de Qi y de la Sangre de los doce canales regulares, llenándose y vaciándose cuando se necesita.*

2. *Transportan el Jing por el cuerpo porque mantienen una estrecha relación con los Riñones.*

3. *Ayudan a que el Wei Qi defensivo circule por el tronco del cuerpo con lo que desempeñan una importante función en el mantenimiento de la salud.*

4. *Proporcionan conexiones adicionales entre los doce canales regulares.*

CANALES DIVERGENTES

Cada uno de los doce canales regulares tiene un canal divergente, que conecta los canales Yin con los órganos Zang asociados y los canales Yang con los órganos Fu asociados (*véase página 58*).

LA RED MÁS FINA DE CANALES (LUO)

El flujo sanguíneo tiene sus vasos principales de distribución, que son las arterias y las venas, pero también dispone de numerosos y diminutos capilares conectores que aseguran que el flujo sanguíneo llega a cada rincón del cuerpo. De igual forma, el sistema de meridianos está compuesto por una red de pequeños canales conectores.

LOS QUINCE CANALES CONECTORES

Estos canales sirven para unir las parejas de canales Yin y Yang; por ejemplo, enlazan los canales del Corazón y del Intestino Delgado. Cada uno de los doce canales regulares tiene un canal conector; el canal del Bazo tiene dos, y el Ren Mai y el Du Mai tienen uno cada uno, lo que da un total de quince canales.

CANALES DIMINUTOS

Existe una gran cantidad de diminutos canales conectores. Todos juntos conforman la estructura completa del sistema de meridianos.

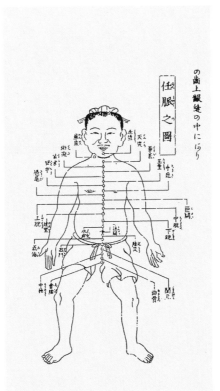
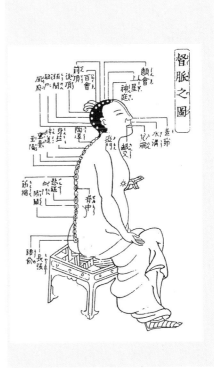

El Ren Mai o Vaso de la concepción (arriba izquierda) actúa principalmente sobre la energía Yin, mientras que el Du Mai o Vaso gobernador (arriba derecha) actúa principalmente sobre la energía Yang.

EXPERIMENTE SU PROPIO FLUJO DE QI

UNO DE LOS principales problemas con el que se encuentra la gente en general al enfrentarse a la medicina china es la adaptación a la idea de un sistema y un proceso que no puede observarse directamente. Podemos ver sin problemas nuestro flujo sanguíneo si nos pinchamos en el dedo, pero sentir nuestro flujo de Qi no es tan sencillo.

Éste es un sencillo ejercicio Qigong para que empiece a experimentar los efectos del flujo de Qi.

1 *Siéntese cómodamente con los pies sobre el suelo y la espalda erguida. Ponga las manos con las palmas hacia arriba sobre sus rodillas.*

2 *Dedique dos o tres minutos a relajarse, permanezca tranquilo y respire suavemente.*

3 *Lleve sus brazos a la altura del pecho, con las palmas separadas entre sí unos 10 ó 15 cm. Los brazos deben estar relajados. Evite estirarlos y tensar los músculos. Imagínese que sostiene una pelota de playa suave y flexible.*

4 *Respire con normalidad, ensanchando en la inhalación la parte inferior del abdomen, el área conocida en medicina china como Dan Tien inferior. Imagínese que el Qi se está desplazando desde esta área a la zona situada unos dos dedos por debajo del ombligo. Este punto sobre el canal Ren se llama Qihai o «mar de Qi».*

5 *Imagine que el Qi está subiendo por el canal Ren y a lo largo de los canales Yin por el interior de su brazo. Preste atención al canal del Pericardio, que recorre el centro interno del brazo y finaliza en la punta del dedo medio.*

6 *Con cada exhalación imagine al Qi fluyendo por el canal del Pericardio hasta la palma de la mano. Concéntrese en el punto Laogong del centro de la palma: es el Pericardio ocho.*

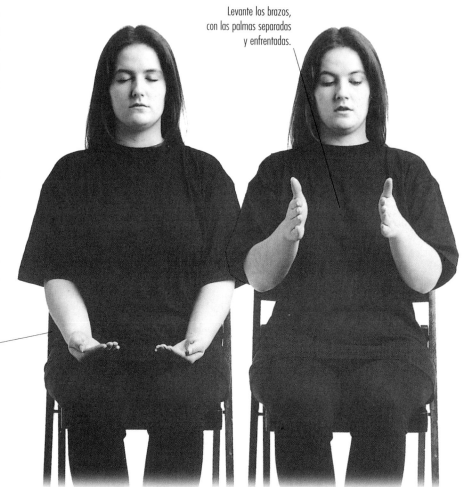

Levante los brazos, con las palmas separadas y enfrentadas.

Siéntese y relájese.

DE IZQUIERDA A DERECHA
Los ejercicios de Qigong permiten experimentar el flujo del Qi en el cuerpo.

7 *Piense en lo que experimenta en los puntos Laogong de las dos palmas opuestas mientras sigue relajándose y respirando con normalidad. Es posible que experimente distintas sensaciones: calor, frío, hormigueo, pesadez, sensación de atracción entre las palmas... Piense sólo en lo que siente.*

8 *Pruebe a acercar las dos palmas y luego separarlas. Recorra con la palma de la mano la parte externa del brazo contrario, desde el pulgar hacia el codo. Manténgalo a unos centímetros del brazo. Esté atento por si, al moverse, nota cualquier «punto caliente», que es donde el Laogong parece conectar con un punto del brazo opuesto. Al principio se puede experimentar con facilidad en el punto Hegu (sobre la masa carnosa entre el pulgar y el índice) o en el punto Quchi, que se encuentra en el codo.*

Cuando realice este sencillo ejercicio, comenzará a sentir el efecto del flujo de Qi, ya sea en forma de calor, frío o cualquier otra sensación. Recuerde que la sensación no es el Qi, sino su efecto.

Piense en la siguiente analogía. Cuando la electricidad pasa a través de un cable, encuentra resistencia. Si la resistencia aumenta, la corriente calentará el cable. El calor del cable no es la electricidad, es el efecto del paso de electricidad.

Piense de la misma forma con relación a lo que ha experimentado en este ejercicio. Lo que ha sentido es el efecto del flujo del Qi. No espere ninguna sensación particular; las sensaciones que se experimentan pueden variar, aunque lo más usual sea sentir alguna forma de calor. Si practica los ejercicios de Qigong con regularidad, su capacidad para reconocer su propio flujo de Qi, y el de los demás, se desarrollará notablemente. Si lo desea, puede aprender algo más sobre el Qigong en las páginas 189-205.

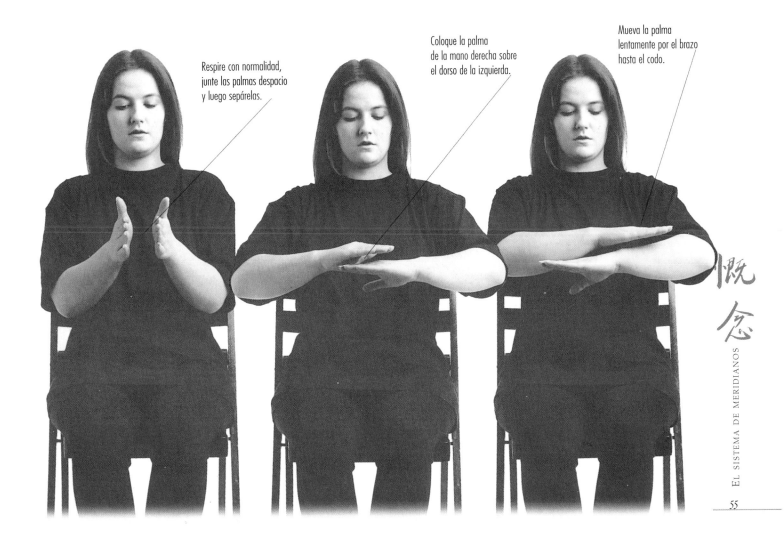

Respire con normalidad, junte las palmas despacio y luego sepárelas.

Coloque la palma de la mano derecha sobre el dorso de la izquierda.

Mueva la palma lentamente por el brazo hasta el codo.

EL SISTEMA ZANGFU

N ESTE capítulo se trata un sistema de vital importancia para comprender cómo la medicina china entiende el funcionamiento del cuerpo humano. Los órganos Zang o Yin y los órganos Fu o Yang trabajan unidos para asegurar la salud de la mente y del cuerpo. Estos sistemas orgánicos se conocen con el nombre de Zangfu. Primero se verán las ideas básicas del Zangfu y a continuación se examinarán con más detalle las características del sistema con respecto a cada órgano del Zangfu.

PROCESO Y ESTRUCTURA

L PRIMER punto que es necesario abordar es la diferencia entre proceso y estructura.

LOS ÓRGANOS CORPORALES COMO ESTRUCTURAS FÍSICAS

La idea de que los órganos son entidades físicas es tan evidente para la mentalidad occidental que obliga a formularse la siguiente pregunta: ¿por qué sale a relucir entonces? Es importante afirmar lo obvio para señalar la diferencia con lo que no lo es.

Lo que la anatomía y fisiología occidentales han legado al mundo es una visión sumamente sofisticada de las estructuras del cuerpo físico. Entre estas estructuras se hace hincapié en la biología y función de los órganos individuales. Así, por ejemplo, el corazón es considerado como una bomba muy compleja y fiable que asegura un flujo constante de sangre a todo el cuerpo.

El cuerpo se ve como interacción de fuerzas de energía:
← una red de procesos más que una simple estructura física.

El método occidental de medicina se ha preocupado, casi exclusivamente, por intentar comprender cómo funcionan estas estructuras en su estado normal y cómo dicho funcionamiento normal se puede romper. La terapia, por tanto, intenta restablecer el buen funcionamiento de una estructura que no funciona correctamente.

Es importante añadir que no hay nada absolutamente erróneo en esta forma de entender el cuerpo, pues ha sido origen de algunos destacados avances médicos que habrían sido inconcebibles hace tan sólo unas décadas.

Sin embargo, esta forma de conocimiento inspirada en el «sentido común» se ve limitada cuando se considera el modelo chino. Es más, una buena regla empírica que se puede adoptar cuando se aborda el método chino de medicina es dejar la sabiduría convencional a un lado. La experiencia dicta que cuando se combinan ambos sistemas, los problemas conceptuales que ello trae sólo logran impedir el conocimiento.

LOS ÓRGANOS CORPORALES COMO PROCESOS

En medicina china es obvio que se habla poco de órganos y estructuras y se dice mucho de cómo un sistema de órganos forma parte del proceso de energía dinámico del cuerpo humano. En cada caso se pone de relieve cómo los órganos aseguran el flujo y reflujo constante de las sustancias fundamentales del cuerpo. La enfermedad se considera un desequilibrio del proceso que debe ser aliviado y no un «fallo en la maquinaria» que necesita ser reparado. Esta distinción puede parecer un malabarismo semántico, pero el significado completo irá apareciendo a medida que se estudie la función de los procesos de cada uno de los sistemas orgánicos por separado.

¿QUÉ SON LOS ZANGFU?

El término Zangfu es el nombre colectivo de una serie de sistemas orgánicos Yin y Yang que se conocen en medicina china. Estos sistemas son los cinco órganos Yin sólidos, los seis órganos Yang huecos y los órganos Fu adicionales, tal y como se describen a continuación.

LOS ÓRGANOS YIN: LOS ZANG

En la teoría de la medicina china, los Zang comprenden los cinco órganos sólidos (Yin): *los Pulmones, el Corazón, el Bazo, el Hígado y los Riñones.* También se considera que hay un sexto órgano, *el Pericardio.* Este órgano tiene su propio meridiano Qi, pero su función está estrechamente asociada al Corazón.

En general, la medicina china considera que los Zang están en un nivel más profundo del organismo, relacionados con el almacenamiento, la fabricación y la regulación de las sustancias fundamentales.

LOS ÓRGANOS YANG: LOS FU

En la teoría de la medicina china, los Fu comprenden los seis órganos huecos (Yang): *el Intestino Delgado, el Intestino Grueso, la Vesícula Biliar, la Vejiga, el Estómago y el San Jiao* (a veces llamado Triple Calentador).

El San Jiao está considerado un órgano en medicina china debido a que sus procesos pueden ser identificados, pero al mismo tiempo no existe ninguna estructura anatómica que se identifique con él. Cuando se comprenda bien el concepto del San Jiao, se estará en el buen camino para entender completamente el interesante sistema de la medicina china.

En general, la medicina china considera que los Fu están más próximos a la superficie del cuerpo y sus funciones son las de recibir, clasificar, distribuir y excretar las sustancias corporales. No se consideran órganos de almacenamiento, sino órganos implicados en un proceso continuo de cambio y movimiento. Los Fu establecen la primera distinción interesante entre el punto de vista chino y el occidental con relación a la estructura y el proceso.

LOS FU EXTRAORDINARIOS

Además de la división principal del Zangfu, el sistema tradicional de medicina china identifica una serie de órganos menos importantes en cuanto a los procesos: *el Cerebro, el Útero, la Médula, los Huesos, los Vasos Sanguíneos y la Vesícula Biliar* (Nota: La Vesícula Biliar se considera tanto un órgano Fu como un Fu extraordinario.)

Puede resultar útil en la descripción del Zangfu explicar las funciones y procesos de cada uno de los órganos Zang y Fu por separado. La descripción de cada Zangfu se ilustra con ejemplos sencillos de los tipos de desequilibrio más habituales de ese órgano concreto. Esta descripción tiene un propósito ilustrativo y se elaborará con mayor profundidad cuando se traten los desequilibrios del Zangfu en los capítulos siguientes.

FUNCIONES DEL ZANG

N LOS TEXTOS antiguos, el cuerpo se compara a un reino gobernado por doce oficiales del estado o ministros, que se corresponden con los seis órganos Yin sólidos (el Zang) y los seis órganos Yang huecos (el Fu). El Corazón (a veces traducido como Corazón-Mente) es el comandante en jefe y se ocupa del Shen o espíritu. Los otros oficiales actúan de mensajeros, se responsabilizan del transporte y almacenamiento, tratan con el exceso y el desperdicio, controlan las conexiones internas, toman decisiones y emiten veredictos, y activan el cuerpo. En la medicina china actual, las funciones de los órganos Zang se consideran similares a las de los órganos físicos de la medicina occidental, pero con importantes funciones adicionales, como las relacionadas con el Qi. Además, cada Zang está unido a una emoción. Los órganos Zang actúan como zonas de almacenamiento o depósitos y los Fu están emparejados con los Zang.

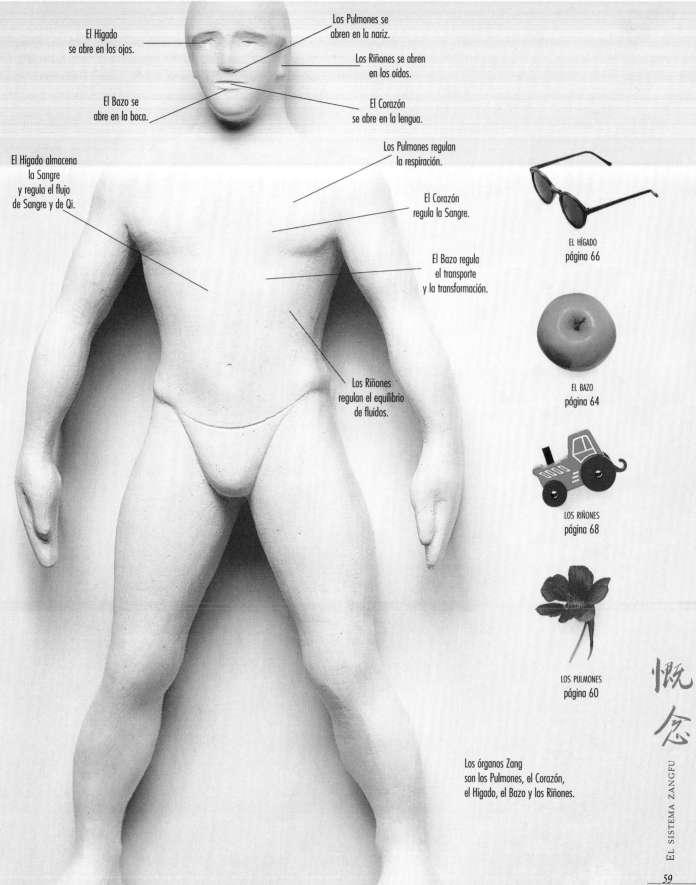

El Hígado
se abre en los ojos.

Los Pulmones se
abren en la nariz.

Los Riñones se abren
en los oídos.

El Bazo se
abre en la boca.

El Corazón
se abre en la lengua.

El Hígado almacena
la Sangre
y regula el flujo
de Sangre y de Qi.

Los Pulmones regulan
la respiración.

El Corazón
regula la Sangre.

El Bazo regula
el transporte
y la transformación.

Los Riñones
regulan el equilibrio
de fluidos.

EL HÍGADO
página 66

EL BAZO
página 64

LOS RIÑONES
página 68

LOS PULMONES
página 60

Los órganos Zang
son los Pulmones, el Corazón,
el Hígado, el Bazo y los Riñones.

慨
念

EL SISTEMA ZANGFU

LOS PULMONES

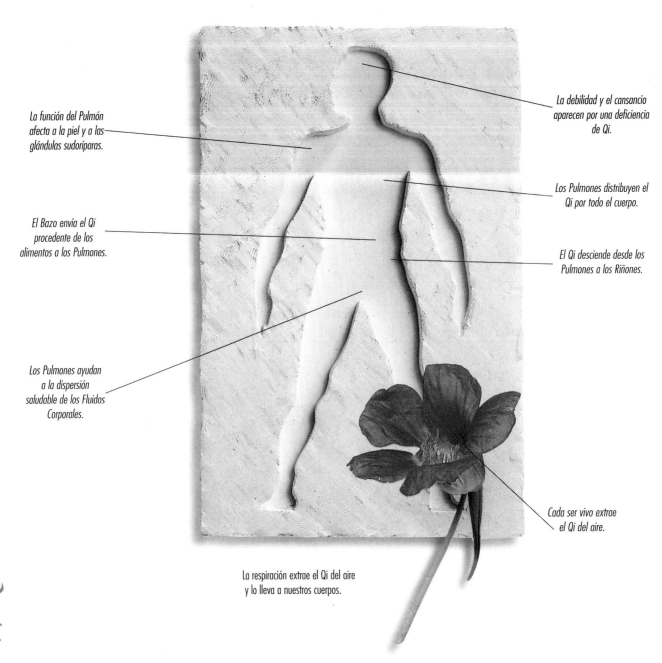

La función del Pulmón afecta a la piel y a las glándulas sudoríparas.

El Bazo envía el Qi procedente de los alimentos a los Pulmones.

Los Pulmones ayudan a la dispersión saludable de los Fluidos Corporales.

La debilidad y el cansancio aparecen por una deficiencia de Qi.

Los Pulmones distribuyen el Qi por todo el cuerpo.

El Qi desciende desde los Pulmones a los Riñones.

Cada ser vivo extrae el Qi del aire.

La respiración extrae el Qi del aire y lo lleva a nuestros cuerpos.

LOS PULMONES REGULAN EL QI Y LA RESPIRACIÓN

Esta función, la más importante de los Pulmones, es similar y a la vez diferente de la visión convencional de Occidente. Los Pulmones regulan la inhalación del Qi puro del aire y la exhalación del Qi impuro. La principal diferencia estriba en que, en medicina china, es el Qi que se obtiene del aire lo más importante, no el oxígeno.

El segundo aspecto de control del Qi consiste en el papel que desempeñan los Pulmones en la formación del Qi que empleamos en el cuerpo. El bazo envía el Qi extraído de los alimentos a los Pul-

mones, donde se combina con el Qi puro inhalado del aire para formar lo que se conoce como Zong Qi. Éste es el aspecto que asegura que los Pulmones ayudan a distribuir el Qi a todo el cuerpo. Cualquier desequilibrio en los Pulmones conduce a los síntomas generales de deficiencia de Qi que afectan a todo el cuerpo y que causan debilidad y cansancio generalizados. Cuando los pulmones funcionan bien, el ritmo respiratorio es uniforme y regular.

LOS PULMONES CONTROLAN LA DISPERSIÓN Y EL DESCENSO

Los Pulmones dispersan el Qi defensivo (Wei Qi) y los Fluidos Corporales por todas las capas exteriores del cuerpo. Unos Pulmones sanos mantienen al cuerpo a una temperatura uniforme y lo protegen de la invasión de agentes patógenos externos, como el Frío, el Viento y la Humedad. Si el Qi del Pulmón es débil, el cuerpo será muy susceptible a contraer enfermedades. Por tanto, cuando «se pilla un resfriado», es probable que sea porque el Qi del Pulmón esté agotado, lo que permite que el Frío invada el cuerpo. Por ello, el órgano que se ve afectado con más rapidez son los Pulmones. Con relación a los Fluidos Corporales, los Pulmones controlan el buen funcionamiento del sudor y, si se suda de forma anormal, es muy probable que los Pulmones estén afectados.

La función natural de los Pulmones es la del descenso. Ellos son los que envían el Qi hacia los Riñones (el Zang inferior) donde es «retenido». Esta dinámica entre Pulmones y Riñones es vital para una respiración saludable. Si la función de descenso no funciona, pueden aparecer problemas en el pecho, como tos, congestión e incluso asma.

Los Pulmones también envían Fluidos Corporales a los Riñones, donde se separan en puros e impuros. Unos Pulmones sanos aseguran un correcto metabolismo de los fluidos, mientras que una disfunción pulmonar puede causar inflamación y edemas en la parte superior del cuerpo, principalmente en la cara.

El ideograma chino para el Pulmón.

LOS PULMONES REGULAN EL PASO DEL AGUA POR EL CUERPO

Los Pulmones tienen la función de asegurar que los Fluidos Corporales se dispersen correctamente por todo el cuerpo. Una disfunción pulmonar puede ser causa de la retención de orina.

LOS PULMONES CONTROLAN LA PIEL Y EL PELO

Como ya se ha señalado, los Pulmones desempeñan la función vital de asegurar que el Qi y los fluidos fluyan de forma uniforme y eficaz por las partes externas del cuerpo. Así, en medicina china se afirma que los Pulmones ejercen una poderosa influencia sobre la piel y las glándulas sudoríparas. Si se

ve afectada la función pulmonar, puede aparecer una piel seca y áspera. La medicina china considera que las enfermedades de la piel son la evidencia palpable de un desequilibrio pulmonar. Es interesante observar que esta medicina proporciona una base sólida a la relación observada entre las alergias de la piel y las alergias pulmonares, por ejemplo el asma y el eczema.

Los Pulmones controlan además el estado del vello corporal, mientras que se considera que el pelo de la cabeza está relacionado con los Riñones. La salud del vello del cuerpo está estrechamente relacionada con el estado de la piel.

LOS PULMONES SE ABREN EN LA NARIZ

Se considera que la nariz es la puerta de los Pulmones y el estado de éstos determina factores como una nariz despejada o la agudeza del sentido del olfato.

LOS PULMONES NOS RELACIONAN CON EL MUNDO

La medicina china considera que los Pulmones son responsables del grado en que se establecen las relaciones saludables y constructivas con el mundo en que se vive. Con una función pulmonar saludable se pueden mantener las estructuras de nuestra relación con los demás. Una disfunción pulmonar causa un estado de alienación. En particular, la emoción asociada con los Pulmones es el Dolor. Cuando el ser humano se enfrenta de forma saludable a la pérdida y al cambio, puede controlar y aprovechar esa sensación y experiencia del Dolor. Si se ven afectados por algún trastorno, resulta difícil enfrentarse con el Dolor y el cambio.

EL CORAZÓN

EL CORAZÓN REGULA LA SANGRE

Esta función es la más próxima a la perspectiva occidental convencional. El Corazón controla y regula el flujo de la Sangre a través de los vasos sanguíneos. Es esencial asegurar un buen suministro sanguíneo a todos los tejidos del cuerpo. Del buen funcionamiento del corazón resulta un calentamiento uniforme de las extremidades del cuerpo y un pulso constante y uniforme. Un mal funcionamiento provoca que las extremidades estén frías, que el pulso sea anormal y, en los casos más graves, la aparición de los clásicos dolores de pecho relacionados con el corazón.

El Corazón también desempeña la función de transformar el Qi de los alimentos (Gu Qi) en Sangre; se considera que una dieta desequilibrada puede causar una disfunción del Corazón.

Los latidos cardíacos, que mueven la sangre, están ayudados por el Zong Qi del pecho, que interviene en la respiración de los Pulmones.

EL CORAZÓN CONTROLA LOS VASOS SANGUÍNEOS

La función del Corazón se refleja en el buen funcionamiento de los vasos sanguíneos, que en medicina china son una extensión del Corazón. Ese buen funcionamiento da lugar a una circulación sana; un mal funcionamiento provoca en cambio enfermedades, como el endurecimiento de las arterias o arteriosclerosis.

EL CORAZÓN ALOJA AL SHEN

El concepto del Shen es un concepto complejo en medicina china y puede tener una amplia variedad de significados. Para el objetivo de este libro es importante tener en cuenta que el Shen representa la multitud de facultades

El ideograma chino del Corazón.

mentales, psicológicas y espirituales que constituyen la característica esencial de la condición humana. Se puede describir como la fuerza que moldea nuestras personalidades. Cuando el Corazón mantiene al Shen bajo control, se pueden usar los atributos de la personalidad de forma sana y constructiva. Si el Corazón no puede alojarlo, aparecen una serie de trastornos mentales y psicológicos. En medicina china se afirma a menudo que la salud del Shen se refleja en los ojos.

EL CORAZÓN SE MANIFIESTA EN EL CUTIS

Como la función del Corazón consiste en asegurar un flujo sanguíneo uniforme por todo el cuerpo a través de los vasos sanguíneos, es importante observar el cutis para valorar el funcionamiento del Corazón. Cuando está sano, se refleja en un cutis sonrosado y brillante, mientras que si existe una disfunción, el cutis ten-

drá un aspecto apagado y mortecino. Si el desequilibrio es tan grave que provoca el estancamiento de la Sangre, el cutis puede adoptar un tono azulado o amoratado.

EL CORAZÓN SE ABRE EN LA LENGUA

En medicina china suele decirse que «la lengua es el espejo del Corazón». Aunque permite valorar el estado de otros órganos, es la función del Corazón la que se manifiesta con más claridad en la lengua, especialmente en la punta. Si la Sangre del Corazón es insuficiente, la lengua aparece pálida; si hay un estancamiento de Sangre, la lengua presenta un tono violáceo.

EL CORAZÓN CONTROLA EL SUDOR

En medicina china se considera que la Sangre y los Fluidos Corporales tienen el mismo origen y que hay un continuo intercambio entre los dos.

Por tanto, si el paciente suda de forma anormal, hay que considerar la función que en este estado desempeña la Sangre del Corazón.

EL CORAZÓN CONSERVA LA ALEGRÍA

La emoción que está asociada con el Corazón en el sistema chino es la Alegría. La medida de Alegría que las personas manifiestan en sus vidas suele reflejar la salud de su funcionamiento cardíaco. Al igual que los demás aspectos en la medicina china, las emociones se abordan desde la perspectiva de equilibrio. Por este motivo, la tendencia a expresar emociones de alegría desmedida de forma inadecuada se considera un desequilibrio en la misma medida que una disposición pesimista y abiertamente negativa.

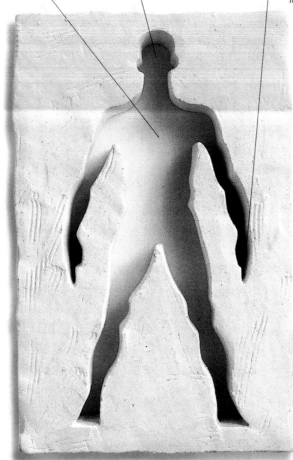

La Alegría es una emoción del Corazón.

Una tez sonrosada es indicio de un Corazón que funciona bien.

Unas extremidades calientes indican un buen funcionamiento del Corazón.

Además de regular el flujo de la Sangre, el Corazón controla el Shen, del que se dice que forma la personalidad.

El ideograma chino para el Pericardio.

EL PERICARDIO

Llegados a este punto, es importante hacer notar la primera anomalía. En la medicina tradicional se considera que el Pericardio es un órgano Yin, pero no se incluye entre los cinco grandes órganos Zang. En la práctica, el Pericardio está estrechamente ligado al Corazón.

EL PERICARDIO PROTEGE AL CORAZÓN

En la medicina occidental el Pericardio es la cobertura exterior que protege al corazón. Del mismo modo, la medicina china considera que el Pericardio protege al Corazón de la invasión de agentes patógenos externos, como la fiebre elevada. El Pericardio, en este último caso, retiene el Ca-lor, y protege por tanto al principal órgano Yin, que es el Corazón.

EL PERICARDIO GUÍA LA ALEGRÍA Y LOS PLACERES

En cierto modo, es una función vaga del Pericardio, que parece relacionada con la conexión entre el Corazón y la Alegría. Es importante tener presente que la medicina china considera un desequilibrio tanto el exceso como la falta de Alegría. Por este motivo, en su papel de protector del Corazón, el Pericardio ejerce de guía al ser humano para ayudarle a sentir la Alegría y los placeres de una forma equilibrada.

EL BAZO

EL BAZO REGULA EL TRANSPORTE Y LA TRANSFORMACIÓN

En medicina china, se considera que el Bazo es el órgano principal de la digestión. El Bazo extrae los nutrientes de los alimentos en el Estómago (Gu Qi), que forman la base del Qi y de la Sangre, y los transporta a los Pulmones y al Corazón para su transformación en Qi y en Sangre. Un Bazo saludable se refleja en un buen apetito y en una buena digestión, energía y tono muscular. Si la función del Bazo se ve afectada, este estado se manifiesta en fatiga, distensión abdominal, malas digestiones y diarrea. El bazo también transforma y transporta los fluidos por todo el cuerpo. La disfunción del Bazo se manifiesta en una acumulación de fluidos corporales, que en último término puede provocar una Humedad interna. Esta Humedad puede dar lugar a edemas, obesidad y trastornos relacionados con la flema.

EL BAZO RETIENE LA SANGRE

El Bazo asegura que el flujo de Sangre esté controlado dentro de los vasos sanguíneos. Se distingue de la función del Corazón en que debe asegurar que la Sangre sea «bombeada». Si la función del Bazo se ve afectada, se producen derrames sanguíneos que se manifiestan como sangre en las heces y en la orina o una propensión a los hematomas. Las venas varicosas también se consideran un trastorno relacionado con el Bazo.

EL BAZO DOMINA LOS MÚSCULOS Y LAS EXTREMIDADES

El Bazo transporta el Qi refinado a través del cuerpo, lo que asegura que los músculos y las extremidades posean un tono y forma correctos. Cualquier deficiencia del Qi del Bazo ocasiona que el Qi refinado no tonifique adecuadamente los músculos, lo que se traduce en fatiga y en unos músculos débiles y flojos. Cualquier trastorno que presente cansancio o debilidad debe trabajarse a través del Bazo.

EL BAZO SE ABRE EN LA BOCA Y SE MANIFIESTA EN LOS LABIOS

La boca desempeña un papel esencial al preparar los alimentos para la digestión, y por ello está estrechamente relacionada con el Bazo. Cuando el Bazo está sano, el sentido del gusto está agudizado y los labios se presentan húmedos y sonrosados.

Un desequilibrio en este órgano se manifiesta en un sentido del gusto menos agudo y en unos labios pálidos y resecos.

EL BAZO CONTROLA EL AUMENTO DEL QI

Una característica general de la función del Bazo es que posee un efecto estimulante sobre la energía del cuerpo desde la línea central. Por tanto, el Bazo que funciona correctamente mantiene los órganos internos en su lugar.

Es probable que un desequilibrio del Bazo provoque trastornos, como un prolapso interno y un desequilibrio de la función normal, lo que puede dar lugar a problemas como la diarrea.

EL BAZO ALOJA EL PENSAMIENTO

Como resultado de su función elevadora, el Bazo desempeña el papel de enviar energía limpia a la cabeza y al cerebro. Esto da lugar a una claridad de pensamiento que provoca sensación de ligereza y bienestar. Por ello, la capacidad de pensar con claridad y la concentración dependen del Bazo.

Cuando el Bazo se ve afectado, provoca una deficiencia de energía limpia en el cerebro, que ocasiona confusión y, a veces, trastornos mentales. Esta situación puede derivar en una forma de bloqueo psicológico, en el que resulta difícil tomar decisiones y avanzar en cualquier faceta de la vida. De la misma forma, un exceso de concentración (por ejemplo, cuando un estudiante está dedicado de lleno a estudiar un examen) puede lesionar el Bazo y ocasionar fatiga y letargo.

El ideograma chino para el Bazo.

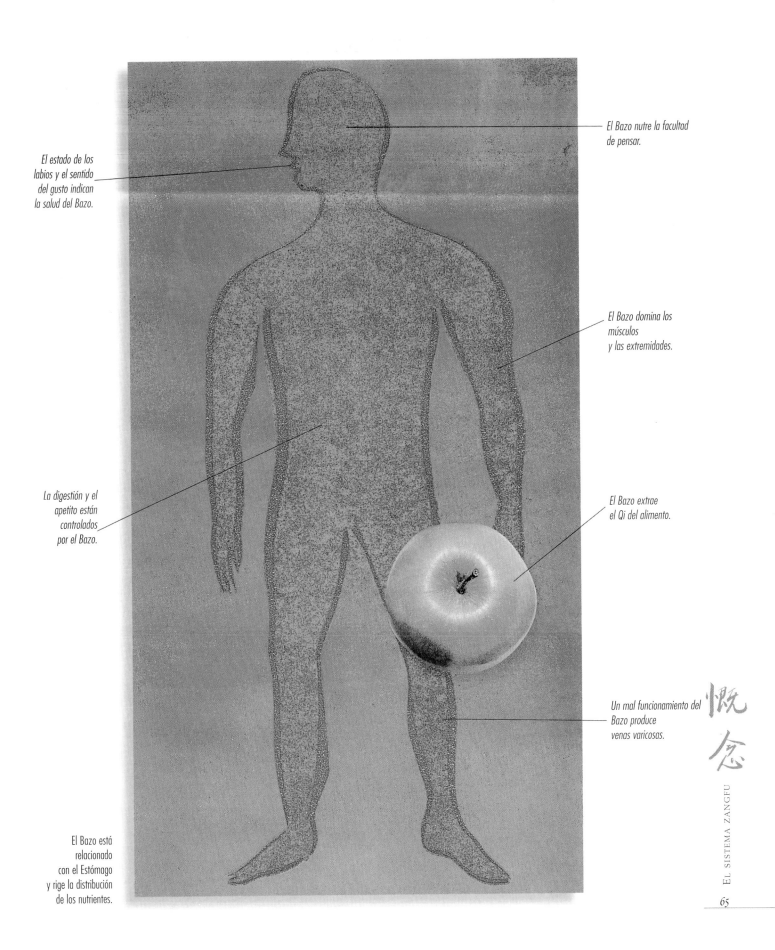

El Bazo nutre la facultad de pensar.

El estado de los labios y el sentido del gusto indican la salud del Bazo.

El Bazo domina los músculos y las extremidades.

La digestión y el apetito están controlados por el Bazo.

El Bazo extrae el Qi del alimento.

Un mal funcionamiento del Bazo produce venas varicosas.

El Bazo está relacionado con el Estómago y rige la distribución de los nutrientes.

El Hígado

El Hígado almacena la Sangre

Una de las principales funciones del Hígado consiste en regular la cantidad de Sangre que está en circulación. Esta función varía según las demandas de la actividad física: cuando el cuerpo necesita un mayor flujo sanguíneo, el Hígado libera Sangre, y cuando el cuerpo requiere menos flujo sanguíneo, el Hígado almacena el exceso de Sangre. Si el Hígado funciona correctamente, el cuerpo recibe un buen suministro de Sangre y está sano, fuerte y flexible. Un desequilibrio de este órgano puede derivar en debilidad y rigidez.

Debido a su papel de almacenamiento y liberación de Sangre, está estrechamente asociado con la menstruación en las mujeres; por este motivo, se cree que muchos trastornos ginecológicos están relacionados con el Hígado.

El Hígado controla el flujo uniforme de Qi

Es una de sus funciones más importantes. El libre flujo del Qi por todo el cuerpo es vital para la buena salud de todas las funciones corporales, y por ello el Qi estancado en el Hígado se asocia a muchos otros desequilibrios. Clínicamente, es probable que sea el trastorno más habitual que suele atender un especialista en medicina china. Los problemas que surgen del estancamiento del Qi en el Hígado se tratan con más detalle en otros apartados de este libro.

Esta función del Hígado de uniformizar y dar fluidez está relacionada con la armonización de las emociones y con evitar el estancamiento emocional. Al mismo tiempo, la Ira y los distintos sentimientos de frustración pueden dañar al Hígado.

El Hígado controla los tendones

En medicina china, el concepto de «tendones» abarca los ligamentos y los tendones así como su forma de interactuar con los músculos. Por tanto, el Hígado es muy importante en relación con la capacidad de movimiento y flexibilidad. La capacidad de los tendones de expandirse y contraerse de forma eficaz depende de la nutrición que aporta la Sangre del Hígado, que a su vez requiere un flujo uniforme del Qi del Hígado.

El Hígado se muestra en las uñas

La medicina china considera que las uñas forman parte de los tendones, de ahí su conexión con el Hígado. Si la Sangre del Hígado está sana, las uñas estarán fuertes e hidratadas. Si existe algún problema con la Sangre del Hígado, es probable que las uñas se vuelvan débiles, quebradizas y muestren un color pálido.

El Hígado se abre en los ojos

Los ojos requieren la nutrición que les suministra la Sangre del Hígado para poder ver con claridad. Por tanto, el estado de salud de los ojos depende de un buen funcionamiento del Hígado. La deficiencia de la Sangre del Hígado puede dar lugar a una gran variedad de trastornos oculares.

El Hígado ejerce control

En la medicina china, se considera que el Hígado es el Zang que ayuda a mantener el control de la vida. Cuando el Hígado está equilibrado y funciona bien, el individuo ejerce un control eficaz sobre los acontecimientos de la vida y responde a los cambios súbitos de forma flexible y razonable. Pero si el funcionamiento del Hígado se ve afectado, hay riesgo de ejercer un control excesivo, rígido e inflexible, o de volverse descontrolado, lo que puede conducir a ataques de Ira y a reacciones emocionales irracionales. En cualquier trastorno relacionado con el estrés siempre está presente algún desequilibrio del Hígado.

El ideograma chino para el Hígado.

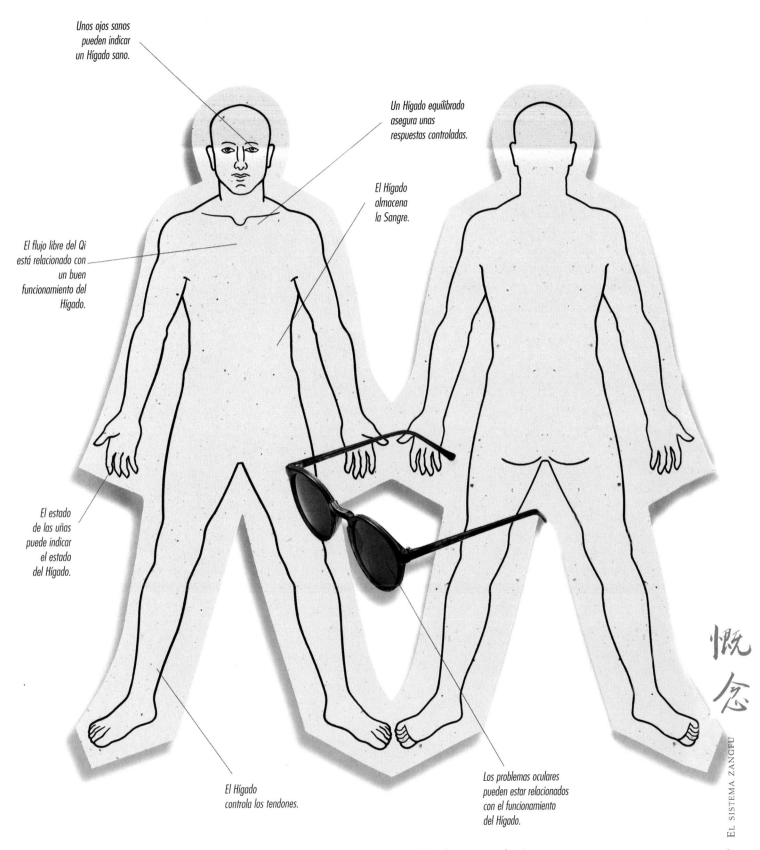

Unos ojos sanos
pueden indicar
un Hígado sano.

Un Hígado equilibrado
asegura unas
respuestas controladas.

El Hígado
almacena
la Sangre.

El flujo libre del Qi
está relacionado con
un buen
funcionamiento del
Hígado.

El estado
de las uñas
puede indicar
el estado
del Hígado.

El Hígado
controla los tendones.

Los problemas oculares
pueden estar relacionados
con el funcionamiento
del Hígado.

El Hígado regula la Sangre, y su funcionamiento está asociado con las emociones y el estrés.

Los Riñones

Los Riñones almacenan el Jing y controlan la reproducción, el crecimiento y el desarrollo

El Jing es la esencia de la vida y se almacena en los Riñones. En parte se hereda de los padres y en parte es una esencia refinada que se extrae de los alimentos. El Jing determina la resistencia de nuestra constitución y es un componente esencial de todo el cuerpo. Es la base del crecimiento y el desarrollo durante la niñez y resulta fundamental para un normal funcionamiento sexual y reproductivo durante toda la vida.

Cuando el Jing del Riñón sufre algún trastorno, a menudo por razones constitucionales, puede tener como consecuencia un retraso en el crecimiento, dificultades de aprendizaje, infertilidad, trastornos sexuales o senilidad prematura.

Los Riñones producen Médula, conforman el cerebro, controlan los huesos y fabrican la Sangre

Hay una serie de conexiones entre estas funciones aparentemente dispares vinculadas a los Riñones. El Jing del Riñón es responsable de la producción de la Médula. En medicina china, la Médula es el elemento esencial del hueso, de la Médula Ósea, de la médula espinal y de la estructura del cerebro. Por este motivo, de un Jing del Riñón sano dependen unos huesos y dientes fuertes, así como un funcionamiento eficaz del cerebro.

Si se ve afectada la producción de la Médula, pueden aparecer problemas, como zumbidos de oídos, visión borrosa, trastornos mentales o dolor lumbar. La Médula también participa en la fabricación de la Sangre, por lo que un grave problema en el funcionamiento de los Riñones también ocasiona una deficiencia en la Sangre.

Los Riñones mantienen la puerta de la vitalidad (Fuego del Mingmen)

En medicina china, el Fuego del Mingmen es la fuente del calor del cuerpo. El mantenimiento de este Fuego esencial constituye el aspecto Yang de la función renal. Si la energía del Yang del Riñón es deficiente, este estado puede afectar al Fuego del Mingmen, dando como resultado un frío generalizado, letargo y una disfunción sexual; y si, además, se daña el Bazo, puede dar lugar en algunos casos a malas digestiones.

Los Riñones regulan el agua

Una función importante de los Riñones es la de regular el equilibrio de fluidos en el cuerpo. Los Riñones dominan el Jiao inferior, llamado con frecuencia «la acequia de drenaje», y por tanto desempeñan la función de eliminar las aguas residuales del cuerpo.

Cuando los Riñones funcionan bien, envían los fluidos limpios de nuevo a los Pulmones y excretan los fluidos impuros a través de la Vejiga. Si los Riñones funcionan mal, puede presentarse una enorme cantidad de problemas urinarios.

Los Riñones controlan la recepción del Qi

Esta función representa la relación armoniosa entre los Riñones y los Pulmones. Los Pulmones hacen descender el Qi y los Riñones tienen la función de conservarlo, facilitando así un buen proceso respiratorio.

Si los Riñones no funcionan bien, el Qi se puede rebelar y ascender, lo que ocasiona dificultades respiratorias y, en casos extremos, un asma crónico. Por tanto, en medicina china, los Riñones desempeñan un papel muy importante en una respiración sana.

Los Riñones se abren en el oído

Los oídos dependen del Jing del Riñón para su nutrición, y una carencia puede ocasionar zumbidos y sordera. Como el Jing disminuye con la edad, es frecuente que las personas mayores tengan problemas de audición.

Los Riñones se manifiestan en el pelo

El pelo también depende del Jing del Riñón para su nutrición. En un funcionamiento normal, el pelo estará sano y brillante, mientras que si existe una deficiencia, el pelo se vuelve frágil y se ve sin vida y mate. También pueden aparecer canas y debilidad capilar prematuras.

Los Riñones alojan la voluntad y controlan el Miedo

En los Riñones se observa la relación entre la voluntad y la emoción del Miedo. Se cree que los Riñones son la raíz de la vida y, por tanto, la percepción personal de la voluntad para tener éxito está enraizada en un buen funcionamiento de los Riñones. Un mal funcionamiento provoca sentimientos de debilidad y timidez, y que la persona sea incapaz de enfrentarse a la vida diaria.

El ideograma chino para el Riñón.

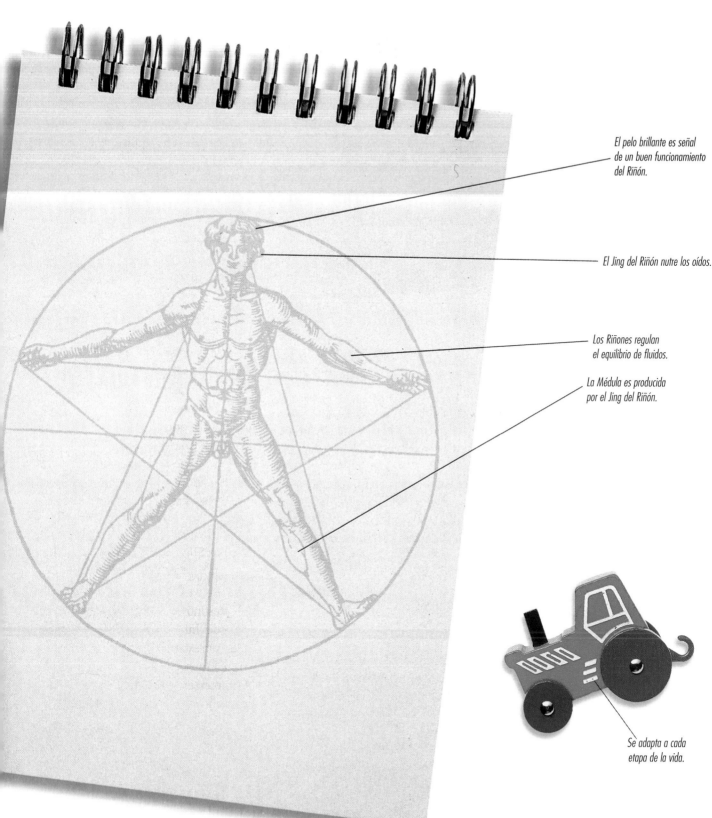

El pelo brillante es señal
de un buen funcionamiento
del Riñón.

El Jing del Riñón nutre los oídos.

Los Riñones regulan
el equilibrio de fluidos.

La Médula es producida
por el Jing del Riñón.

Se adapta a cada
etapa de la vida.

El crecimiento y el desarrollo en la infancia
están controlados por la función del Riñón.

慨
念

FUNCIONES DEL FU

ANTES de considerar los factores que causan desequilibrios en el intrincado sistema Zangfu, se examinarán brevemente las funciones de los órganos Yang del cuerpo: los Fu. Aunque el objetivo principal de este libro se centra en los órganos Zang, es importante tener aunque sea un leve conocimiento de los Fu.

LA VESÍCULA BILIAR

LA VESÍCULA BILIAR ALMACENA LA BILIS
La Bilis se almacena y se excreta en el aparato digestivo para facilitar la digestión.

LA VESÍCULA BILIAR CONTROLA LA TOMA DE DECISIONES
En medicina china se considera que la Vesícula Biliar controla la capacidad de emitir juicios. Una disfunción de la Vesícula Biliar puede impedir una toma de decisiones correcta. La Vesícula Biliar está emparejada con el Hígado.

EL ESTÓMAGO

EL ESTÓMAGO RECIBE Y ALMACENA LOS ALIMENTOS
El Estómago desempeña la función de recibir los alimentos, separar la esencia pura que pasa al Bazo, donde se refina y se convierte en Gu Qi, y pasar la impura al Intestino Delgado para su excreción final.

Se suele considerar que los órganos Yang del cuerpo (los Fu), no son tan importantes como los Zang (los Yin), pero los Fu y los Zang están emparejados.

EL QI DEL ESTÓMAGO DESCIENDE
La función natural del Estómago consiste en enviar el Qi hacia abajo para su procesamiento posterior. Si esta función se ve afectada, se dice que el Qi del Estómago «se rebela hacia arriba», lo que provoca aerofagia, hipo, regurgitación, náuseas y vómitos. El Estómago está emparejado con el Bazo.

EL INTESTINO DELGADO

EL INTESTINO DELGADO SEPARA LA ESENCIA PURA DE LA IMPURA
El Intestino Delgado, que está emparejado con el Corazón, recibe los alimentos parcialmente digeridos del Estómago. La parte pura se extrae bajo el control del Bazo, y la impura se pasa al Intestino Grueso o a la Vejiga para su excreción. El Intestino Delgado también realiza esta función con los Fluidos Corporales.

EL INTESTINO GRUESO

EL INTESTINO GRUESO ABSORBE LO PURO Y EXCRETA LO IMPURO
El Intestino Grueso recibe la parte impura del Intestino Delgado y la refina más para extraer cualquier fluido o esencia pura aprovechable; después, excreta lo impuro en forma de heces. Está emparejado con los Pulmones.

LA VEJIGA

LA VEJIGA ALMACENA LA ORINA Y CONTROLA LA EXCRECIÓN
La Vejiga recibe los Fluidos Corporales de desecho procedentes de los Pulmones, del Intestino Delgado y del Grueso, y, bajo la influencia de los Riñones, los almacena y excreta en forma de orina. La Vejiga está emparejada con los Riñones.

EL SAN JIAO

EL SAN JIAO COORDINA LA TRANSFORMACIÓN Y EL TRANSPORTE DE FLUIDOS POR EL CUERPO

El San Jiao coordina las funciones del agua en las zonas del Jiao superior, medio e inferior del cuerpo. El San Jiao se podría comparar con el director que supervisa el trabajo diario de su equipo.

EL SAN JIAO REGULA LA FUNCIÓN DE CALENTAMIENTO DEL CUERPO

Al asegurarse de que la energía Yang de los Riñones se está coordinando adecuadamente, el San Jiao ayuda a mover el Qi y a mantener la temperatura ambiente en el cuerpo. Esta función se conoce también con el nombre de Triple Calentador. El San Jiao está emparejado con el Pericardio en medicina china.

FUNCIONES DE LOS FU EXTRAORDINARIOS

Se consideran Fu extraordinarios lugares como la Vesícula Biliar.

CÓMO si el Zangfu no fuera suficiente, la medicina china menciona los Fu extraordinarios (o Fu Curiosos). Se parecen a los Fu en que se considera que están huecos, aunque desempeñan funciones de alma- cenamiento que es lo que los relaciona más con los Zang. Suelen almacenar las esencias Yin del cuerpo, es decir, el Jing, la Médula y la Sangre.

A continuación se describen muy brevemente sus funciones principales:

▶ El Útero regula la menstruación y favorece la concepción. (Se considera que existe un equivalente masculino en la zona Dan Tien, llamado Jing o «Palacio del Semen».)

▶ El Cerebro almacena la Médula. Se conoce como «Mar de médula».

▶ Los Huesos almacenan la Médula Ósea.

▶ Los vasos sanguíneos contienen la Sangre

▶ La Vesícula Biliar también se considera un Fu extraordinario porque almacena Bilis.

En esta sección se ha hecho una breve mención de los Fu extraordinarios, pero no se describirán en profundidad en este libro.

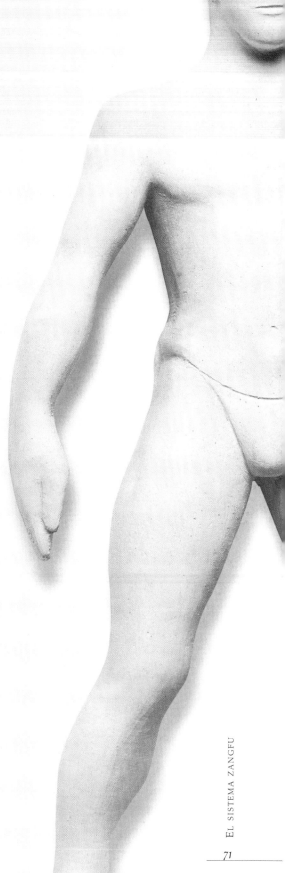

CAUSAS DE DESEQUILIBRIO

na vez expuesto el elaborado sistema que utiliza la medicina china para comprender el cuerpo y sus procesos, es evidente que el concepto básico es la idea de un equilibrio dinámico en este sistema. La concepción de la medicina occidental, más mecanicista, remite a una forma de pensamiento que iguala la enfermedad a algo que ha causado un «colapso» en alguna parte de nuestro mecanismo biológico, por tanto el tratamiento se centra sobre todo en la porción dañada. Hay ocasiones en las que esta orientación es adecuada y proporciona tratamientos adecuados y eficaces, pero crea un cuadro psicológico que a veces puede llegar a ser contraproducente.

La medicina china, en cambio, considera que la enfermedad es producto de las influencias que han perturbado la armonía y el equilibrio de todo el sistema de energía, y, aunque pueden aparecer síntomas específicos, nunca se pierde de vista el «equilibrio del conjunto». En esta parte del libro se tratarán las influencias que la medicina china considera importantes cuando aparecen los desequilibrios.

Las causas de desequilibrio se dividen en tres grandes áreas: ✦ causas internas ✦ causas externas ✦ causas diversas; que a su vez se dividen en otras partes más pequeñas.

CAUSAS INTERNAS

OMO se ha podido deducir al tratar el sistema del Zangfu, la medicina china considera que los órganos internos influyen no sólo en las funciones físicas del cuerpo sino también en los aspectos psicológicos y espirituales. Las principales causas internas de desequilibrio son de naturaleza psicológica y se las suele llamar las «siete emociones»: Ira, Alegría, Tristeza, Dolor, Preocupación, Miedo y Terror.

En algunos casos hay claros solapamientos entre algunas de estas emociones y en otros, la distinción es cuestión de matices, como ocurre con Tristeza y Dolor, Miedo y Terror. La medicina china no divide las emociones y estos solapamientos no se consideran problemáticos.

Si volvemos al sistema de las correspondencias de los Cinco Elementos, las emociones se pueden asociar con el sistema orgánico. Las siete emociones no se consideran ni «buenas» ni «malas», lo importante es cómo consiguen el equilibrio. De esta forma, un exceso de Alegría es un estado tan desequilibrado como un exceso de Dolor, aunque el desequilibrio pueda parecer diferente.

A continuación se tratan las siete emociones por separado. La mayoría de las personas experimenta una amplia gama de emociones que varían en intensidad. Algunas son adecuadas y adaptables, y otras no tanto. Es importante tener presente que las emociones pueden influir en el equilibrio del Qi en el cuerpo y que pueden agravar los desequilibrios.

EMOCIÓN	ZANG	FU
Ira	Hígado	Vesícula Biliar
Alegría	Corazón	I. Delgado
Tristeza, Dolor	Pulmones	I. Grueso
Preocupación	Bazo	Estómago
Miedo, Terror	Riñón	Vejiga

La clave para una buena salud radica en saber conservar
← el equilibrio, dentro y fuera del cuerpo.

ALEGRÍA

La Alegría, en medicina china, se refiere a un estado activo de excitación. Demasiada Alegría puede dañar al Corazón.

La Alegría produce el Fuego del Corazón.

ALEGRÍA

EN MEDICINA china el concepto de Alegría se refiere a un estado de agitación o sobreexcitación, más que a la noción pasiva de un profundo bienestar. El órgano más directamente afectado es el Corazón. La sobreestimulación puede ocasionar problemas de Fuego en el Corazón, que se manifiestan como agitación, insomnio y palpitaciones.

IRA

LA IRA abarca toda una variedad de emociones asociadas, entre ellas resentimiento, irritabilidad y frustración. La Ira puede afectar al Hígado, lo que provoca el estancamiento del Qi del Hígado. Esto ocasiona una subida de la energía del Hígado a la cabeza, lo que da como resultado dolores de cabeza, mareos y otros síntomas relacionados. A largo plazo puede causar hipertensión y problemas con el Estómago y el Bazo.

TRISTEZA Y DOLOR

LOS PULMONES están directamente relacionados con estas emociones. Una manifestación normal y saludable de la Tristeza o del Dolor se expresa como un sollozo, que se origina en lo más profundo de los Pulmones, con una respiración muy profunda y expulsión de aire. Sin embargo, la tristeza a la que no se da salida y que se vuelve crónica puede crear un desequilibrio en los Pulmones y debilitar el Qi del Pulmón, lo que interfiere con la función pulmonar que hace circular el Qi por el cuerpo.

El Dolor y la Tristeza deben resolverse.

El Dolor persistente y sin resolver causa un desequilibrio que afecta a la función del Qi del Pulmón.

DOLOR

La Preocupación
afecta al Bazo.

Demasiada estimulación
intelectual puede
causar preocupación.

PREOCUPACIÓN

PREOCUPACIÓN

EN LA MEDICINA china, la Preocupación se considera el resultado de pensar demasiado o de una excesiva estimulación mental e intelectual. Cualquier actividad que requiera un gran esfuerzo mental corre el riesgo de causar un desequilibrio. El órgano más amenazado es el Bazo. La Preocupación puede provocar una deficiencia del Qi del Bazo, causa a su vez de fatiga, letargo e incapacidad de concentración. Esta mala situación puede verse agravada por unos malos hábitos alimentarios.

MIEDO Y TERROR

EL MIEDO es una emoción humana normal, pero cuando se vuelve crónico y la causa percibida del Miedo no se puede abordar directamente, es probable que dé lugar a un desequilibrio. Los órganos más afectados son los Riñones. En casos de terror extremo la capacidad de los Riñones de controlar el Qi puede verse afectada y conducir a la enuresis. Esta situación es más difícil con niños. El Qi del Riñón se agota y con él el Yin del Riñón.

La Ira afecta al Hígado
y produce dolores
de cabeza.

IRA

La Ira puede
causar
hipertensión.

El miedo está relacionado
con los oídos.

Una deficiencia del Yin del Riñón
puede estar causada
por un Miedo crónico.

MIEDO

CAUSAS EXTERNAS

A MEDICINA china considera que hay seis causas externas de desequilibrio que se relacionan con las condiciones climáticas. Se conocen con los nombres de las «seis influencias perniciosas», los «seis factores patógenos» o los «seis males exteriores». Estos factores son: ✦ *VIENTO* ✦ *FUEGO Y CALOR* ✦ *FRÍO* ✦ *SEQUEDAD* ✦ *HUMEDAD* ✦ *CALOR DE VERANO. En los climas templados, los factores que se observan con más frecuencia son: Frío, Humedad, Viento y, hasta cierto punto, Calor.*

VIENTO

El viento causa movimiento.
El viento causa cambios repentinos.
El viento causa temblores y oscilaciones.

EL VIENTO se considera una influencia patógena Yang, con características similares en el cuerpo o la naturaleza.

El Viento es un factor externo influyente y posee el efecto de penetrar en la superficie del cuerpo. A menudo se combina con otros factores externos, especialmente el Frío, para invadir el cuerpo.

Los desequilibrios producidos por el Viento se caracterizan por su comienzo repentino. Una afección muy habitual es el resfriado común. Si el Wei Qi es débil, el Viento y el Frío pueden penetrar en el cuerpo y traspasar con rapidez el más «externo» de los Zang internos: los Pulmones. Así, aparecen los síntomas clásicos del resfriado: estornudos, escalofríos y mucosidad. Es interesante observar que si sobreviene un desequilibrio producido por el Viento y el Frío, los síntomas del Frío se convierten en síntomas de Calor, así como el Yin cambia a Yang.

Por tanto, el desequilibrio cambia y aparece fiebre, dolor de garganta, boca seca y flemas amarillentas y espesas.

En la medicina china, el Viento se relaciona con un desequilibrio interno, asociado normalmente al Hígado. El Viento interno del Hígado se suele considerar un desequilibrio más grave, que puede tener como resultado enfermedades como la epilepsia, la apoplejía o el Parkinson. El Viento interno del Hígado aumenta y causa que el cuerpo se sacuda, tiemble y se estremezca.

Se suele relacionar al Viento con la primavera, según las correspondencias de los Cinco Elementos, lo que significa que en la medicina china las personas son más propensas a ser susceptibles a desequilibrios externos de Viento en primavera.

El Viento externo afecta a los Pulmones y el Viento interno causa trastornos en el Hígado.

PULMONES

HÍGADO

El tiempo ventoso, o Viento externo, puede causar un resfriado, pero el Viento interno, que es un desequilibrio dentro del cuerpo, puede dar lugar a síntomas peores.

FRÍO

EL FRÍO se considera una influencia patógena Yin y sus principales efectos son:

> El Frío contrae el cuerpo.
> El Frío restringe el movimiento.
> El Frío limita el calor del cuerpo.
> El Frío puede provocar el estancamiento.

Una invasión de Frío comienza súbitamente y provoca una sensación de enfriamiento, dolor de cabeza y aversión al frío. Puede que duela todo el cuerpo y es probable que no haya sudor.

Si no se trata, este Frío puede afectar a los Pulmones, e incluso al Estómago y al Bazo, provocando dolor abdominal, vómitos o diarrea. También puede afectar al canal del Hígado, especialmente en la zona genital, y causar dolor y malestar en esta zona.

La exposición al Frío externo produce escalofríos en el cuerpo.
A nivel emocional, el Frío está asociado con el Miedo, tanto en el pensamiento chino como en el occidental.

El Frío interno suele proceder de una deficiencia crónica del Yang, producida por múltiples causas, entre ellas una exposición prolongada al Frío externo. Como cabe esperar, el Frío está asociado al invierno.

Los dolores de cabeza y abdominales pueden estar causados por un Frío externo. El Frío interno está relacionado con la ingestión de demasiados alimentos fríos o desequilibrios del Estómago y el Bazo.

HUMEDAD

LA HUMEDAD se considera una influencia patógena Yin. El concepto de Humedad en la medicina china comparte muchas de las cualidades asociadas a la humedad ambiental:

> *La Humedad causa letargo general.*
> *La Humedad es pesada y persistente.*
> *La Humedad tarda en desaparecer.*

Cuando la Humedad invade el cuerpo, causa pereza, miembros cansados y pesados, confusión mental y letargo general. Toda emisión corporal tenderá a ser turbia y pegajosa, y la lengua tendrá un aspecto pegajoso. El Bazo es especialmente susceptible a la Humedad; ésta inhibe las funciones de transporte y transformación del Bazo, lo que puede causar distensión abdominal y posiblemente diarrea.

La Humedad puede afectar también a las articulaciones, causando rigidez, en especial por las mañanas al levantarse, y las articulaciones pueden mostrarse inflamadas y doloridas, como en algunos estados de artrosis. La Humedad también suele combinarse con el Frío y el Calor.

Si el Bazo resulta dañado debido a la invasión de la Humedad externa o a una dieta inadecuada, causa un trastorno interno crónico que conduce a la acumulación de flema. La flema interna «invisible» puede resultar particularmente difícil, porque contribuye a la aparición de problemas tales como el vértigo crónico o la hipertensión arterial (tensión sanguínea alta).

En el calendario chino, la Humedad está asociada con el final del verano, que puede ser húmedo. Sin embargo, es razonable pensar que la Humedad puede aparecer en cualquier momento, según las condiciones climáticas locales.

Se cree que un clima húmedo puede causar reumatismo. El estado mental asociado es un exceso de Preocupación.

BAZO

La Humedad es una fuerza externa que causa letargo, rigidez y articulaciones doloridas.
La Humedad interna está relacionada con el Bazo.

FUEGO Y CALOR

EN LA MEDICINA china es frecuente usar los términos Fuego y Calor de forma indistinta. Se consideran influencias patógenas Yang. Las principales características de ambas influencias son bastante obvias.

El Fuego y el Calor producen una amplia variedad de síntomas relacionados con el calor: fiebre, inflamación, ojos irritados, aversión al calor, erupciones de la piel, etc. Poseen un efecto secante de los Fluidos Corporales: piel seca, estreñimiento y orina escasa y amarillenta. El Fuego y el Calor también pueden ocasionar unos cuadros psicológicos molestos, como hiperactividad, agitación mental y, en casos graves, delirio y manías, causados por el Calor que afecta al Shen.

El Fuego y el Calor son calientes.
El Fuego y el Calor inducen
al movimiento.
El Fuego y el Calor secan.

También puede haber estados internos causados por el Fuego y el Calor. Una deficiencia de Yin («Calor Vacío») afecta a varios órganos Zangfu, aunque en todos los casos suele haber una deficiencia del Yin del Riñón subyacente.

Los trastornos del Fuego suelen estar asociados con el Hígado, el Estómago y los Pulmones y causan estados en los que el Fuego arde hacia arriba y que afectan con frecuencia a la cabeza. Por ejemplo, el Fuego del Estómago puede provocar un agudo dolor de muelas cuando el Fuego asciende por el canal del Estómago hacia la cara.

El Fuego y el Calor están asociados al verano. Obviamente, las variaciones climáticas pueden influir; sin embargo, las personas que viven en climas fríos, y también húmedos, son más susceptibles de sufrir una invasión de Fuego y Calor si visitan, por ejemplo, un país cálido en vacaciones y no toman medidas.

HÍGADO

ESTÓMAGO

PULMONES

El Fuego y el Calor son secantes y causan fiebre e inflamación de la piel. El Calor o Fuego interno está asociado al Hígado, Estómago y Pulmones y puede ascender a la cabeza.

El Calor está asociado a la Alegría. El exceso de Alegría es también un desequilibrio muy peligroso.

SEQUEDAD Y CALOR DE VERANO

STAS DOS últimas influencias externas se tratan juntas, ya que son mucho menos comunes y menos importantes que las demás que se acaban de tratar. Ambas se consideran influencias patógenas Yang.

La Sequedad es en realidad una prolongación del Calor y sus síntomas son similares, aunque produce mayor desecación de los Fluidos Corporales. Puede provocar una piel con grietas, labios y nariz secos, y una tos seca con poca o ninguna flema. Los Pulmones son particularmente susceptibles, especialmente si el Calor va acompañado de un viento seco.

La Sequedad está asociada al otoño, pero de nuevo varía en función de la zona geográfica.

El Calor de Verano está asociado a los días más calurosos de esa estación y de nuevo es una prolongación del Fuego y del Calor. Con frecuencia está asociado a climas muy húmedos y muy cálidos, con lo que se añade el factor Humedad. Consume rápidamente los Fluidos Corporales y provoca agotamiento y deshidratación.

Como se puede ver, las causas externas de desequilibrio constituyen las experiencias ambientales con las que hay que vivir. Los factores a los que está expuesto el individuo dependen de forma importante del clima en el que viva, pero el grado en que estos factores provocan desequilibrios depende de la resistencia del Qi de cada individuo y de sus hábitos de conducta. Nadie puede evitar la exposición a estas influencias, pero la forma de cuidarse determina de forma claramente decisiva cómo afectan.

La Sequedad es una influencia externa asociada a distintos síntomas «secos», desde la piel seca a la tos seca. Está relacionada con la Tristeza.

PULMONES

El Calor seco puede producir toses y resfriados de verano que afectan a los Pulmones.

CAUSAS DIVERSAS

COMO *ya se ha podido ver, las principales causas de desequilibrio son las causas internas de las emociones, o de los grados de emociones, que pueden causar disfunciones, y las externas de las condiciones climáticas hostiles, que influyen en el organismo. Sin embargo, además de estos factores internos y externos, existen otros que hay que tener en cuenta y que se describen brevemente a continuación.*

FACTORES RELATIVOS A LA CONSTITUCIÓN

COMO se ha dicho anteriormente al tratar de las sustancias básicas, la medicina china reconoce que el sistema energético del individuo comprende el Qi y el Jing Anteriores al Cielo así como los que se producen a lo largo de la vida. Nuestra herencia Anterior al Cielo representa nuestra constitución, que depende de los padres. Si esta herencia es deficiente, el individuo será más susceptible a todos los numerosos y diversos factores, tanto internos como externos, que pueden causarle desequilibrios.

Por consiguiente, si se cree que se tiene alguna debilidad constitucional, hay que tener un cuidado especial en asegurarse de que se evita, o al menos se reduce, cualquier causa potencial de desequilibrio en nuestras vidas.

FACTORES RELATIVOS AL ESTILO DE VIDA

TODOS somos conscientes del estrés generalizado que acompaña la vida diaria, y la medicina occidental reconoce que esos «factores relativos al estilo de vida» pueden ejercer una gran influencia sobre la salud y bienestar. De igual manera, la medicina china reconoce la importancia del estilo de vida, pero lo interpreta de una forma muy diferente.

Un trabajo mental monótono perjudica al Bazo.

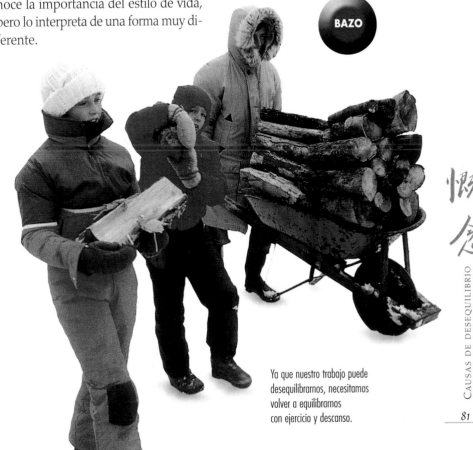

BAZO

TRABAJO

EL TIPO de trabajo que se realiza –o la falta de trabajo en el caso de una persona desempleada– puede ejercer una profunda influencia en el sistema energético. Un exceso de trabajo físico afecta al Qi, y con un exceso de estimulación los Pulmones se vuelven deficientes. Demasiada actividad mental puede dañar el Bazo y agotar el Yin. La persona que trabaja al aire libre está más expuesta al Frío, a la Humedad, al Viento, al Calor, etc.

Ya que nuestro trabajo puede desequilibrarnos, necesitamos volver a equilibrarnos con ejercicio y descanso.

EJERCICIO

LA CANTIDAD y el tipo de ejercicio que se haga, sin mencionar la no práctica de ejercicio, puede influir, pasado un tiempo, en un estancamiento del Qi. Como todo en la filosofía china, es una cuestión de equilibrio. El ejercicio no es bueno ni malo, sino que si se lleva a extremos, puede causar un desequilibrio evidente.

Por ejemplo, muchos atletas que entrenan demasiado y que parecen gozar de una excelente salud suelen ser muy propensos a sufrir infecciones y lesiones. A largo plazo padecen de una insuficiencia de Qi crónica debido a la tensión excesiva de los Riñones. Hay que señalar que muchos de los regímenes

de ejercicios chinos como el Qigong y el Tai chi no son por naturaleza aeróbicos, como muchas formas occidentales de ejercicio, lo que ofrecen es un método más equilibrado de ejercicio coherente basado en los principios de la medicina china. Es evidente que la buena salud y la longevidad son rasgos muy destacados de los que practican esas actividades, lo que no siempre se puede decir de los que practican las formas occidentales de ejercicio.

Aunque el ejercicio se considera «bueno para todos», demasiado ejercicio o un ejercicio excesivamente intenso causa agotamiento y perjudica al Qi.

DIETA

LA DIETA ocupa un lugar muy importante en la medicina china y su tratamiento podría ocupar todo un libro.

El Estómago y el Bazo son responsables de procesar los alimentos ingeridos y de extraer el Gu Qi, que pasa entonces a los Pulmones y es parte central de la producción del Qi en el cuerpo. Si el Bazo tiene que trabajar con una alimentación pobre y desequilibrada, se resiente (sobre todo con la Humedad), con el consiguiente agotamiento del Qi de todo el cuerpo.

De nuevo, el equilibrio en lugar de una lista de alimentos prohibidos y permitidos constituye el enfoque chino de la dieta. Si se sigue una buena dieta equilibrada y sana, el Bazo estará sano y el Qi del cuerpo será el adecuado. El abuso de los dulces y de los alimentos procesados en muchas dietas occidentales no contribuye en absoluto al equilibrio que se pretende.

carne

verduras

legumbres

fruta

pescado

frutos secos

productos lácteos

Tanto la medicina china como la occidental consideran que una dieta equilibrada es esencial para tener una buena salud.

ACTIVIDAD SEXUAL

EN LA MEDICINA china, una excesiva actividad sexual se considera perjudicial para el Jing del Riñón y puede conducir a problemas de insuficiencia a largo plazo.

Un exceso de embarazos puede agotar de forma grave la Sangre y el Jing de la mujer.

Los pensamientos chino y occidental tienen ideas muy distintas en cuanto a lo que es demasiada actividad sexual, pero en general el sistema chino resalta una disminución natural de esa actividad como parte del proceso de envejecimiento.

La necesidad de regular todo se aplica también a la actividad sexual.

ACONTECIMIENTOS IMPREVISTOS

LA ÚLTIMA categoría que hay que destacar incluye los accidentes y las lesiones, que obviamente pueden afectar al Qi del cuerpo, dependiendo de su tipo y gravedad.

Los chinos consideran también dentro de esta categoría acontecimientos como las plagas y las epidemias.

Aunque son un grave problema en algunas partes del mundo, por lo general no suelen preocupar en el área occidental, aunque, por supuesto, allí también ocurren accidentes y lesiones, además de sufrir muchos otros problemas, como la contaminación ambiental y la alimentaria, incluidos dentro de esta categoría.

AUTORREFLEXIÓN

E N ESTA *parte del libro se han descrito las diferentes formas de tratar los desequilibrios que ocurren en el cuerpo desde el punto de vista de la medicina china; algunas son causas internas, otras externas, otras diversas, algunas causas se pueden evitar y otras son menos evitables.*

En este ejercicio, se le invita a reflexionar sobre usted mismo, su estilo de vida y su entorno, y debe juzgar las posibles áreas de «riesgo» desde la perspectiva de la medicina china. Tómese el tiempo que considere oportuno para contestar este sencillo cuestionario, pero no se lo tome demasiado en serio. Todo lo más que puede hacer es ofrecerle algunos consejos muy generales que tal vez desee conocer.

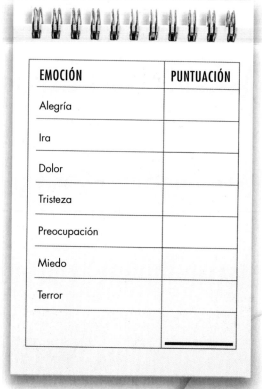

EMOCIÓN	PUNTUACIÓN
Alegría	
Ira	
Dolor	
Tristeza	
Preocupación	
Miedo	
Terror	

FACTORES INTERNOS

Para cada una de las siete emociones, establezca una puntuación del uno al cinco de esta forma:

1. Controlo muy bien esta emoción.

2. Controlo esta emoción bastante bien la mayoría de las veces.

3. A veces controlo esta emoción bien; a veces no la controlo tan bien.

4. No controlo muy bien esta emoción.

5. Controlo muy mal esta emoción.

Tal vez le resulte interesante que un amigo o un familiar, alguien que le conozca bien, complete este cuestionario en su lugar. La comparación de las opiniones puede resultar muy reveladora.

Fíjese en los valores resultantes. Le servirán para tener una guía aproximada de dónde pueden aparecer los desequilibrios y de qué Zangfu puede verse afectado por los factores internos.

¿Cómo controla sus emociones?
Todas, incluso la Alegría, pueden
constituir un desafío y deben ser tratadas
de una forma equilibrada o armoniosa.

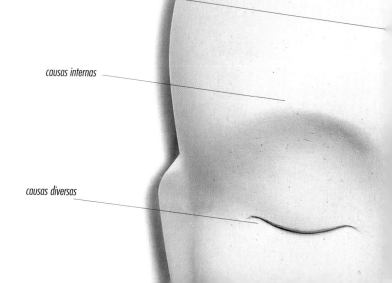

causas externas

causas internas

causas diversas

Los desequilibrios del cuerpo no son ni necesarios ni inevitables. Los factores externos se pueden controlar protegiéndonos de ellos, aunque no siempre se esté expuestos a ellos. Y tomando las medidas adecuadas –vigilando la dieta, haciendo el ejercicio adecuado que proporcione equilibrio mental y físico– contra los desequilibrios, se mantienen en armonía las fuerzas internas. La tradición taoísta pretendía buscar la longevidad junto con la salud y el bienestar. Vivir una vida plena y activa y morir de forma saludable requiere acción, no suerte.

FACTORES EXTERNOS	PUNTUACIÓN
Viento	
Frío	
Humedad	
Fuego/Calor	
Sequedad/Calor de verano	
Contaminación (especificar)	

FACTORES EXTERNOS

Piense en el entorno en el que vive y en el clima, en cualquier forma de contaminación que pueda ser epidémica, y complete la siguiente tabla:

1. Este factor externo nunca me afecta.

2. Este factor externo me afecta raramente.

3. Este factor externo me afecta a veces.

4. Este factor externo me afecta con bastante frecuencia.

5. Este factor externo me afecta con mucha frecuencia.

El resultado da una idea de los factores externos potenciales a los que puede ser susceptible y teniendo en cuenta la información aportada por este capítulo, podrá hacerse una idea de la clase de problemas que pueden surgir si no se cuida.

constitución

buen control de los factores

factores que crean desequilibrios

慨 診 治 前
念 斷 療

Conceptos básicos

Diagnósticos

Tratamientos

Información Complementaria

El MÉTODO
CHINO DE
DIAGNÓSTICO

OBSERVAR AL PACIENTE

OLER

Y ESCUCHAR

PREGUNTAR AL PACIENTE

PALPAR Y TOMAR EL PULSO

TÉCNICAS DE DIAGNÓSTICO

L ESPECIALISTA *en medicina china se enfrenta con el problema de intentar dar sentido a los numerosos procesos que ocurren dentro de la persona. La necesidad de disponer de una forma sistemática de organizar toda la información es de gran importancia para que los planes y estrategias del tratamiento puedan llevarse a cabo con éxito.*

En esta parte del libro, se tratan algunos aspectos generales del diagnóstico y se describen varios de los métodos más utilizados para organizar esta información. La reunión de datos fiables y completos es imprescindible en cualquier proceso de evaluación, tanto si el problema es una cañería rota, un aspirante a un empleo, un coche estropeado o una persona enferma. Sin esta información es imposible formular una hipótesis de lo que va mal y de lo que se puede hacer. En medicina china el proceso de diagnóstico se desarrolla desde cuatro perspectivas, llamadas los «cuatro reconocimientos». Y son: F examen visual F auscultación y examen olfativo (oler y escuchar) F historial F palpación.

Cada uno revela ciertos datos que contribuyen a la construcción de un cuadro completo. Invariablemente, en cualquier historial de diagnóstico se observan algunos indicadores que pueden aparecer en contradicción con lo que sugieren otros datos. En estos casos casi siempre vence el equilibrio de la probabilidad y hay que tomar las decisiones de acuerdo con un conjunto de indicios.

EXAMEN VISUAL

LO PRIMERO *que hacen los especialistas en medicina china es observar al paciente y anotar todo lo que pueda resultar significativo de su aspecto físico. Hasta cierto punto, es algo que siempre se hace cuando se está con otra persona, ya que se juzga de forma intuitiva su salud basándose en los datos observados. Por ejemplo: «Tienes un aspecto excelente», «¿Estás decaído?», etc. Se observa su aspecto general, el color de su tez, el estado de su pelo, sin pensar realmente en ello. La medicina china realiza esta observación de una forma más sistemática. A continuación, se exponen algunos de los rasgos más destacados del examen visual.*

EL ASPECTO DEL CUERPO

N CUERPO fuerte y saludable tiene probablemente un sistema orgánico interno resistente y por tanto menos propenso a padecer estados deficitarios. Las personas muy delgadas son propensas a padecer deficiencias de Sangre y Yin, mientras que las más obesas suelen padecer deficiencias de Qi y Humedad interna. La forma como se mueve una persona ofrece información muy útil: si es rápida y nerviosa, sugiere excesos o Calor, mientras que si es lenta y deliberada, indica carencias o Frío.

El aspecto del pelo ofrece información sobre el estado de los Pulmones. Una calvicie y encanecimiento prematuros indican deficiencias de Sangre y del Jing del Riñón.

El color y el aspecto general del rostro y de la piel también son muy importantes. Los rasgos más significativos son los siguientes:

▶ Una cara pálida y arrugada indica problemas de deficiencia crónicos.

- Una cara blanca e hinchada indica deficiencia de Qi y posiblemente de Yang.

- Una cara enrojecida evidencia Calor interno o externo.

- Las bolsas bajo los ojos indican que hay un desequilibrio del Riñón.

- Los labios violáceos o azulados indican un estancamiento de Sangre y un grave desequilibrio.

El estado de la piel también puede ser importante:

- Una piel seca sugiere deficiencia de Sangre.

- La piel pica: indica Viento interno del Hígado.

- Una piel hinchada (edema) indica estancamiento del Qi o deficiencia del Yang del Riñón.

LA LENGUA

LA OBSERVACIÓN de la lengua es un aspecto básico de la medicina china. No es posible aquí describir este aspecto tan importante del examen visual con detalle, pero se pueden estudiar algunos rasgos generales.

La «geografía» de la lengua se considera muy importante, ya que hay zonas que se relacionan con órganos internos específicos, y cuando se observa el estado de la lengua en cada una de esas zonas, se reúne información referente al estado del órgano correspondiente.

La lengua es fundamental para el diagnóstico. El terapeuta examina su color y su estado general.

Cada área de la lengua representa una parte del cuerpo. Una forma o color anormal en cualquier zona apunta a un problema interno.

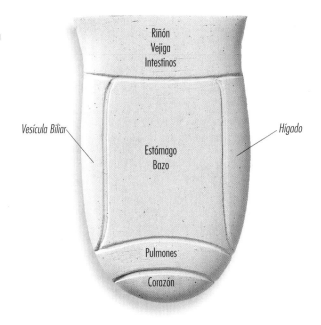

Riñón
Vejiga
Intestinos

Vesícula Biliar

Hígado

Estómago
Bazo

Pulmones

Corazón

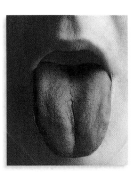

Lengua roja pálida
Normal

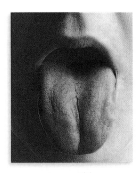

Lengua pálida
Estado de deficiencia

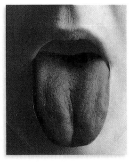

Lengua roja
Calor interno

Lengua violácea
Estancamiento de Sangre

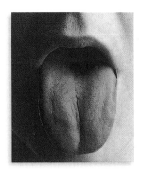

Lengua azul/negra
Frío interno

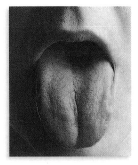

Lengua delgada
Estado de deficiencia

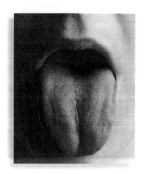

Lengua hinchada
Presencia de Humedad

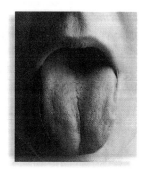

Lengua rígida o desviada
Presencia de Viento

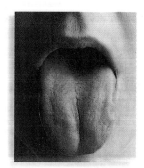

Lengua temblorosa
Deficiencia de Qi

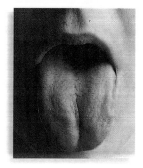

Grietas cortas horizontales
Deficiencia de Qi

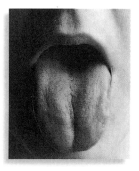

Marcas laterales de dientes
Deficiencia del Qi del Bazo

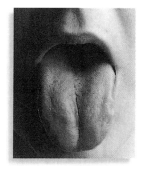

Grieta central superficial
(sin llegar a la punta)
Deficiencia del Estómago

Grieta central larga y profunda
(hasta la punta)
Problema del Corazón

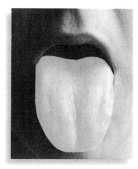

Recubrimiento largo fino
Normal

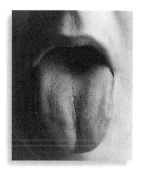

Recubrimiento grueso
Influencia patógena

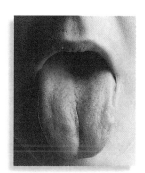

Sin recubrimiento,
lengua pelada
Deficiencia del Yin

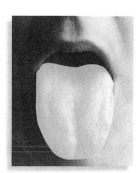

Recubrimiento blanco
*Presencia de Frío (normal
cuando es delgada)*

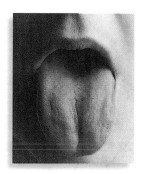

Recubrimiento amarillo
Presencia de Calor

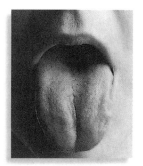

Ligeramente húmeda
Normal

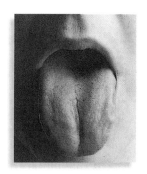

Lengua húmeda
Presencia de Humedad

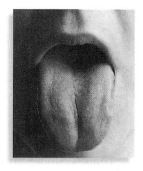

Recubrimiento pegajoso
Presencia de flema

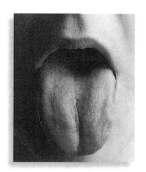

Lengua seca
Presencia de Calor

OLER Y ESCUCHAR

ESCUCHAR *la voz del paciente puede resultar útil. Una voz fuerte y penetrante sugiere un estado de exceso, mientras que una voz baja indica una deficiencia. Hablar demasiado puede ser indicio de Calor, mientras que una persona callada indica presencia de Frío. De forma similar, el sonido de la respiración puede sugerir un estado de exceso o deficiencia.*

El grado en que los especialistas se involucran activamente en el examen olfativo de sus pacientes tiene algunos límites, especialmente en las culturas occidentales, pero se pueden establecer algunas pautas generales. La presencia de un olor fuerte y desagradable sugiere la presencia de Calor, mientras que la ausencia de olor indica Frío. Si la orina y las heces son malolientes, esta fetidez suele ser síntoma de una presencia de Calor y posiblemente también de Humedad.

HISTORIAL

UNA EXCELENTE *forma de reunir información consiste en formular al paciente una serie de preguntas sobre distintos aspectos y considerar las respuestas de acuerdo con los principios de la medicina china. Al principio de la consulta los pacientes pueden mostrarse sorprendidos por la longitud de la entrevista y la aparente irrelevancia de muchas de las preguntas. Sin embargo, incluso los síntomas menos relacionados con el problema del paciente y su estilo de vida pueden ofrecer pistas acerca de la causa del problema y el tipo de tratamiento necesario.*

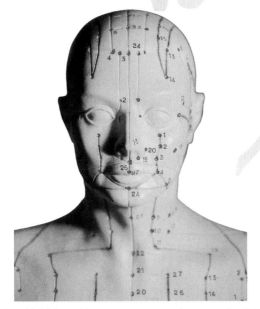

La cualidad de la voz del paciente, sus respuestas a las preguntas formuladas y los olores corporales pueden sugerir un determinado desequilibrio.

LOS OÍDOS

Los oídos están relacionados con los Riñones y los problemas con la audición suelen indicar un desequilibrio en este órgano. Los oídos dependen del Jing del Riñón para su nutrición, y el dolor de cabeza, los zumbidos o una mala audición indican que les está llegando un Jing del Riñón insuficiente.

Esto explica por qué tales problemas suelen ser una característica de la vejez, cuando el Jing se suele debilitar.

RIÑONES

Los zumbidos pueden ser también por un desequilibrio del Hígado o del Riñón: un tono alto será un desequilibrio del Hígado; un tono bajo, un desequilibrio del Riñón.

HÍGADO

LOS OJOS

SE DICE que el Hígado se abre en los ojos y el estado de los ojos indica con frecuencia la salud del Hígado. Una deficiencia de la Sangre del Hígado puede causar problemas oculares, mientras que unos ojos limpios y brillantes nos hablan de un Hígado sano, así como del Corazón, con el que está muy relacionado. El dolor en los ojos indica un desequilibrio del Corazón o del Hígado o una invasión externa de Viento. Los «puntos brillantes» y la visión borrosa sugieren deficiencia de Sangre . La presión ocular y la sequedad indican un desequilibrio del Riñón, que se caracteriza con frecuencia por los estados secos.

CORAZÓN

HÍGADO

RIÑONES

LA NARIZ, LA GARGANTA Y EL PECHO

LOS PULMONES se abren en la nariz y son los que controlan la energía y la respiración; por tanto, su funcionamiento está relacionado con la zona del pecho. Los problemas de la nariz, garganta y pecho generalmente se relacionan más directamente con los Pulmones, pero también con el Corazón, que influye en los Pulmones al regir el flujo de Sangre. El dolor de pecho puede sugerir estancamiento de la Sangre o invasión de Viento-Calor si está asociado a tos y flema amarillenta. La obstrucción crónica nasal y la congestión se asocian a la Humedad y a la Flema.

PULMONES

CORAZÓN

LA CABEZA

EN MEDICINA china se considera que en la cabeza confluyen todos los canales Yang. Si hay un exceso de energía Yang en la cabeza, pueden aparecer problemas, como dolores de cabeza y vértigos. La deficiencia de Yang provoca mareos y una posible pérdida de conocimiento. Está fuera del alcance de este libro una descripción detallada de las diferencias de la influencia de los canales y del Zangfu, pero baste decir que la información detallada acerca de los desequilibrios de la cabeza es muy importante en medicina china.

EL TRONCO Y EL ABDOMEN

LA CAUSA de cualquier dolor o molestia en el tronco o abdomen depende en parte de la localización exacta del problema, ya que pueden estar implicados varios órganos Zang. El dolor o la molestia en la zona del hipocondrio, justo debajo de las costillas, en el costado, se relaciona con frecuencia con las enfermedades renales y de la Vesícula Biliar. Los problemas en la zona del epigastrio (la boca del Estómago) suelen estar relacionados con el Estómago y el Bazo. Los problemas de la parte inferior del abdomen pueden indicar un desequilibrio de la Vejiga o los Riñones.

BAZO

RIÑONES

ESTÓMAGO

HÍGADO

診斷

LA DIGESTIÓN

La DESCRIPCIÓN *del paciente de cualquier problema o particularidad respecto a su digestión constituye a menudo una buena guía para conocer el estado de su Bazo y Estómago. Como ejemplos extremos, la falta de apetito sugiere una deficiencia del Bazo, mientras que el hambre constante indica Calor en el Estómago. Otras particularidades pueden estar ligadas también a otros órganos. Por ejemplo, un mal sabor de boca puede apuntar a una serie de posibles desequilibrios, generalmente del Bazo y el Estómago, pero también de los Riñones y el Hígado.*

BAZO

RIÑONES

ESTÓMAGO

LOS INTESTINOS

La NATURALEZA *de los movimientos intestinales es un indicador importante de posibles desajustes en el cuerpo. La adquisición de una información detallada y exacta de los movimientos intestinales es muy importante en medicina china. Los principales órganos implicados son el Bazo y el Estómago. Las deficiencias de su funcionamiento y los excesos de Frío o Humedad pueden afectar a este aspecto del aparato digestivo. Los Riñones y el Hígado también pueden estar implicados. El estreñimiento indica Calor, Frío, deficiencia de Sangre o un desequilibrio relacionado con el Hígado. La diarrea sugiere desequilibrios de Calor y trastornos de Bazo, Riñones e Hígado.*

RIÑONES

HÍGADO

BAZO

BEBIDA Y FLUIDOS

La SED *o falta de sed, el tipo de líquidos que le gustan al paciente e incluso la forma de beber son todos ellos aspectos relevantes para el diagnóstico. Lo que debe considerar el terapeuta es el tipo y la cantidad de fluidos que se beben. Por lo general, una preferencia por los líquidos Fríos sugiere un cuadro de Calor y una preferencia por los líquidos calientes indica un cuadro de Frío. La ausencia de sed sugiere un desequilibrio del Bazo con Frío. La sed pero sin ganas de beber indica Humedad y Calor. Sorber despacio apunta a una deficiencia de Yin.*

BAZO

LA VEJIGA

Las CARACTERÍSTICAS *de la orina también son de gran importancia y pueden ser interpretadas por el terapeuta como parte de un cuadro de desequilibrios. El terapeuta observa en particular el color de la orina. Si es clara, indica Frío y si es oscura, indica Calor; la Humedad viene indicada por una orina turbia. Además, la forma del tránsito de la orina es también un indicador útil: una micción difícil sugiere un desequilibrio del Riñón o de la Vejiga y una micción frecuente indica una deficiencia del Qi del Riñón. Un exceso de orina o una orina demasiado escasa también indican un desequilibrio del Riñón. El dolor al orinar es señal de un estancamiento o Calor; el dolor después de orinar sugiere un problema de deficiencia.*

RIÑONES

PAUTAS DE SUEÑO Y ENERGÍA

LAS PAUTAS *de sueño y energía del paciente son indicadoras de la salud del Qi, de la Sangre y del Yin del cuerpo. Los pacientes no descansan cuando duermen, no pueden dormir o son incapaces de mantenerse despiertos. Todo puede estar relacionado con la dieta y el estilo de vida, así como indicar deficiencias o desequilibrios de los Zangfu. La naturaleza del insomnio sugiere un cuadro concreto de desequilibrio: la dificultad para quedarse dormido está relacionada con una deficiencia de Sangre; la interrupción continua del sueño indica un desequilibrio de los Riñones; el sueño agitado, un desequilibrio del Riñón o el Hígado; quedarse dormido durante el día o un letargo general acompañado de falta de energía sugieren un trastorno del Bazo, o quizás un desequilibrio en el Riñón si el problema es muy grave.*

CORAZÓN

HÍGADO

RIÑONES

EL SUDOR

LAS CARACTERÍSTICAS *de cualquier cuadro de sudoración, tal como las describe el paciente, pueden ser muy útiles para determinar los desequilibrios. Esto se puede corroborar en la siguiente etapa del diagnóstico, cuando el especialista comprueba el estado de la piel del paciente. Hay varios factores importantes, que incluyen especialmente la zona del cuerpo afectada, el momento del día y el tipo de sudor. La Sangre del Corazón puede estar implicada en una forma anormal de sudoración; por ejemplo, un olor fétido y nervioso señala al Corazón; sudar sólo en la zona de la cabeza indica Calor en el Estómago, y el sudor de las plantas de los pies, las palmas de las manos o el pecho («Sudor de las cinco palmas») indica una deficiencia del Yin. En cuanto al momento del día, el sudor diurno señala deficiencia de Yang y el nocturno, deficiencia del Yin.*

ESTÓMAGO

EL DOLOR

COMO es sabido, hay distintos tipos de dolor. El paciente puede sentir un dolor persistente o un dolor intermitente. Siempre es importante indagar la localización, duración y naturaleza de cualquier dolor que pueda estar padeciendo el paciente. De nuevo, una descripción de todas las características diferenciales del dolor supera el alcance de este libro, pero se pueden indicar algunos aspectos importantes.

El dolor agudo, repentino y específico indica un estado de exceso. Puede estar causado por una invasión de factores externos, como Viento, Frío, Calor o Humedad; Frío o Calor Interno; estancamiento del Qi, Sangre o flema debido a una lesión externa o a un desequilibrio del Zangfu. El dolor sordo, agudo, crónico y más generalizado suele indicar un estado de deficiencia. Puede estar causado por una deficiencia de Qi o de Sangre. La localización del dolor ofrece indicaciones sobre los canales afectados y puede ser de gran importancia para tratar los desequilibrios tanto internos como externos.

FACTORES CLIMÁTICOS

ESTA PARTE *del historial del paciente está relacionada con los factores climáticos a los que está sometido y su forma de responder al Calor, al Frío, a la Humedad y al Viento. Las respuestas difieren de una persona a otra y constituyen una excelente guía para comprender cualquier desequilibrio interno del paciente. La aversión al Frío y un gusto por el Calor indican Frío o una deficiencia de Yang (más común en las personas ancianas); y la aversión al Calor y el gusto por el Frío sugieren Calor o una deficiencia de Yin. Una reacción adversa a la Humedad indica tendencia a padecer Humedad Interna, y una aversión al Frío, señala un desequilibrio del Hígado, en particular en relación con el Viento del Hígado.*

HÍGADO

CARACTERÍSTICAS EMOCIONALES

SIEMPRE *es importante averiguar cualquier desequilibrio que pueda estar asociado al estado emocional del paciente. En medicina china las siete emociones constituyen un aspecto fundamental para saber cómo ocurren los desequilibrios. La comprensión de la respuesta emocional del paciente puede indicar el área potencial de desequilibrio y el sistema de Zangfu que pueda estar implicado. En concreto, la ansiedad sugiere Calor y un trastorno del Shen; la depresión indica un desequilibrio de los Pulmones o del Corazón; la ira y la frustración, un desequilibrio del Hígado; la falta de concentración es síntoma de falta de armonía del Bazo, y el miedo indica un desequilibrio de los Riñones.*

CORAZÓN   **PULMONES**

ESTILO DE VIDA

ES EL ÁREA *donde la medicina china y la moderna medicina occidental tienen más en común. La mayor parte de la opinión médica resalta la importancia de la práctica regular de ejercicio, de una dieta equilibrada y de un consumo moderado de alcohol; pero la medicina china lleva estos consejos un poco más lejos y se apoya en su filosofía. El especialista en medicina china pregunta al paciente sobre su estilo de vida y reúne información acerca de su dieta, si consume drogas o medicamentos (recetados o ilegales), si fuma, si bebe, si hace ejercicio, y sobre sus antecedentes familiares, ocupaciones y aficiones. Todo esto le ayuda a explicar la naturaleza de los desequilibrios que conducen a las molestias del paciente.*

CARACTERÍSTICAS GINECOLÓGICAS

EN EL CASO *de las mujeres, para conseguir un diagnóstico completo es importante explorar la menstruación y cualquier síntoma que la acompañe. De nuevo, hay que decir que es un tema muy amplio que se aleja del objetivo de este libro. Los aspectos generales que deben estudiarse incluyen la regularidad del ciclo menstrual, la cantidad de Sangre que se pierde durante el período, el color y la consistencia de la Sangre y la naturaleza del flujo, si hay dolor menstrual y si hay cualquier otro síntoma premenstrual, como edema, cambios del estado de ánimo, dolores de cabeza, ansias de comer, etc. También puede ser relevante la existencia de cualquier problema vaginal (como la leucorrea).*

MEDICINA CHINA

96

PALPACIÓN

EL ÚLTIMO *aspecto de los cuatro exámenes implica la exploración directa del paciente por parte del especialista. Hay dos aspectos de esta exploración que deben tenerse en cuenta: el reconocimiento táctil del cuerpo y la toma del pulso. La toma del pulso es tan importante en la medicina china que se ha desarrollado un cierto misterio alrededor de esta técnica, elevándola al nivel de arte. A continuación, se considerarán los dos aspectos de la palpación.*

EXPLORACIÓN TÁCTIL

Esta exploración se basa en el reconocimiento sistemático del cuerpo para descubrir cualquier desequilibrio interno o externo. Hay tres aspectos fundamentales que se deben observar.

Temperatura corporal

Puede ser útil comparar la información que ofrece el paciente sobre la sensación de calor o frío con la sensación que transmite la piel.

▶ Si la piel está fría, indica un desequilibrio de Frío.

▶ Si la piel está caliente al tacto, indica una invasión de Calor externo.

▶ Si la piel se calienta después de tocarla, puede indicar un Calor interno, posiblemente debido a una deficiencia de Yin.

Humedad corporal

De nuevo, puede resultar útil comparar el informe del paciente con lo que se siente en la piel.

▶ La piel húmeda indica desequilibrio de los Pulmones.

▶ La piel seca sugiere una deficiencia de Sangre o de Fluidos Corporales.

Dolor

Se puede obtener información importante sobre las zonas de estancamiento palpando con cuidado en los meridianos en busca de puntos débiles, conocidos en medicina china como puntos «Ashi».

Pueden indicar un problema local en el canal o un desequilibrio más profundo del Zangfu.

Debería recordarse que muchos puntos de acupuntura son débiles por naturaleza cuando se palpan con fuerza y por tanto no indican un desequilibrio. La información obtenida en la palpación se debe considerar en relación con los demás aspectos del diagnóstico.

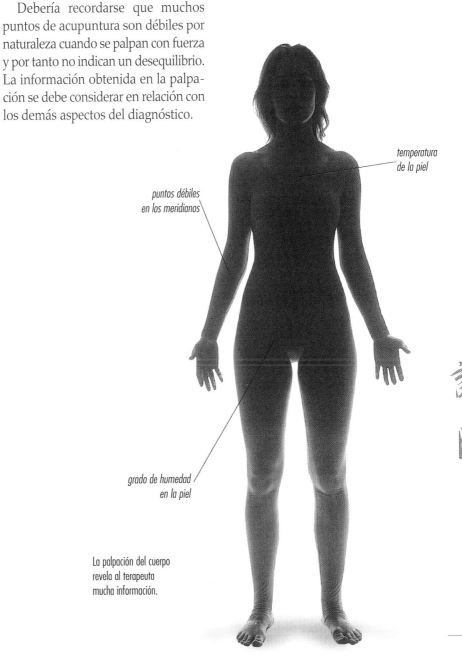

temperatura
de la piel

puntos débiles
en los meridianos

grado de humedad
en la piel

La palpación del cuerpo
revela al terapeuta
mucha información.

El pulso

TOMAR el pulso está considerado en medicina china la técnica principal de diagnóstico. Se hace mucho hincapié en el tipo de pulso según la posición de la muñeca y se sabe que hay unos veintiocho tipos de pulso diferentes, que se pueden sentir en tres posiciones distintas y a tres profundidades en la muñeca de cada mano, cada una con su propio matiz de interpretación.

Evidentemente, el conocimiento total de la naturaleza y significado de los pulsos en la medicina china se aleja del objetivo de este libro. Cualquier terapeuta principiante aprende muy pronto que sentir y comprender los pulsos es algo más que un arte y requiere mucha experiencia práctica bajo la guía de un terapeuta cualificado.

Con este importante preámbulo en mente, se verán a continuación algunos aspectos básicos del pulso en medicina china.

POSICIÓN DEL PULSO

Hay tres posiciones en la arteria radial cerca de cada muñeca. Cada posición está relacionada con un aspecto específico de los órganos Zang. Estas posiciones se muestran en el diagrama adjunto.

PROFUNDIDAD DEL PULSO

La profundidad en la que se puede sentir el pulso también se considera muy importante. Hay tres niveles y cada uno de ellos requiere una presión ligeramente mayor. Estos niveles son: el nivel superficial, cerca de la piel; el nivel medio, y el nivel profundo, cerca ya del hueso.

VELOCIDAD DEL PULSO

Al igual que ocurre en la medicina occidental, la velocidad del pulso se mide y se compara con el promedio de 68-75 latidos por minuto.

AMPLITUD DEL PULSO

La amplitud del pulso se detecta entre los dedos.

FUERZA DEL PULSO

La fuerza del pulso es un indicador importante de un desequilibrio a consecuencia de un exceso o de una deficiencia.

CALIDAD DEL PULSO

Se observa una gran variedad de características en la «sensación» del pulso, que se consideran indicadoras de un cuadro particular de desequilibrios.

RITMO DEL PULSO

El ritmo del flujo del pulso y la naturaleza de cualquier anomalía son también importantes.

Las principales características de los pulsos más comunes se muestran en el cuadro de la página siguiente. De nuevo, hay que recordar que esta descripción es sólo un resumen de un tema mucho más complejo. La tabla únicamente menciona los pulsos más habituales aunque existen otros muchos. También debe observarse que el pulso de una persona puede mostrar características diferentes en posiciones y profundidades distintas, y que un diagnóstico completo implica la consideración de las características observadas en relación con el órgano concreto definido por la posición.

Se dice que algunos médicos chinos son capaces de diagnosticar el cuadro completo de desequilibrios de una persona con sólo tomarle el pulso. Sin embargo, para la mayoría de los especialistas el pulso se considera una pieza muy importante de un rompecabezas general que conforma el diagnóstico médico chino.

POSICIÓN	MUÑECA IZQUIERDA	MUÑECA DERECHA	ENERGÍA
Primera	Corazón	Pulmón	Qi
Segunda	Hígado	Bazo	Sangre
Tercera	Yin del Riñón	Yang del Riñón	Yin

El pulso se toma a tres profundidades y en tres posiciones.

CARACTERÍSTICAS DEL PULSO

PULSO	CARACTERÍSTICAS	SIGNIFICADO
flotante o superficial	más evidente en la superficie, desaparece en los niveles medio y profundo	*invasión de un factor externo: Frío, Viento, etc.*
profundo	más evidente a un nivel profundo; desaparece en el nivel superficial	*desequilibrio interno*
rápido	pulso rápido, significativamente por encima de la mediapulso lento, significativamente por debajo de la media	*Calor interno*
lento	se siente como un hilo muy fino bajo los dedos; se distingue bastante	*Frío interno*
filamentoso/ delgado	se siente amplio, pero se distingue bajo los dedos	*deficiencia de Sangre*
fuerte/amplio	se siente amplio, pero se distingue bajo los dedos	*estado de exceso*
débil	similar al pulso fuerte, pero no se distingue	*deficiencia de Sangre y de Qi*
lleno	similar al pulso fuerte, muy potente en todos los niveles	*estado de exceso*
nervioso	se siente duro y se distingue bien debajo de los dedos, como una cuerda de guitarra	*desequilibrio del Hígado*
escurridizo	«se escurre» bajo los dedos, como un líquido viscoso	*Humedad interna; desequilibrio del Bazo*
agitado	se siente irregular, como dedos sobre la superficie del mar	*deficiencia de Sangre*
tirante	similar al pulso nervioso, pero se siente como una cuerda que vibra	*estado de exceso, estancamiento*
irregular/ nudoso	lento, puede saltar algún latido de forma intermitente	*desequilibrio de la Sangre del Corazón*
intermitente	saltan latidos regularmente	*desequilibrio del Corazón (grave)*

診
斷

YIN

Se considera una amalgama de características de Interior, Frío y Deficiencia.

YANG

Se considera una amalgama de características de Exterior, Calor y Exceso.

INTERIOR

Síntomas en todo el cuerpo; problemas crónicos; afecta al sistema Zangfu.

EXTERIOR

Comienzo repentino; trastorno agudo; invasión de influencias patógenas externas (Calor, Frío, Humedad, etc.); problemas de los canales; pulso flotante; síntomas en la cabeza y cuello y no en todo el cuerpo.

FRÍO

Palidez; aversión al Frío; movimientos lentos y deliberados; el Calor empeora el problema; introversión; orina clara; tendencia a la diarrea; lengua pálida, recubrimiento blanquecino; pulso lento.

CALOR

Cansancio y letargo; movimientos débiles e inexpresivos; respiración débil; voz débil; la presión puede aliviar el malestar; falta de apetito; lengua pálida; pulso vacío.

Tez enrojecida; fiebre; movimientos y habla rápidos; aversión al Calor; el Frío empeora el problema; orina oscura; tendencia al estreñimiento; lengua enrojecida, saburral; pulso rápido.

DEFICIENCIA

Movimiento pesado; voz y respiración fuertes; la presión agrava el malestar; lengua espesa; pulso amplio.

EXCESO

CUADROS DE DESEQUILIBRIO

NAVEZ *reunido el exhaustivo conjunto de información recogido durante el proceso de diagnóstico, el especialista en medicina china necesita una forma de organizarlo que le permita adquirir una clara comprensión de las energías y los desequilibrios observados. En medicina china se pueden aplicar varios métodos de organización diferentes. Los más utilizados son: los «Ocho Principios» aplicados al sistema Zangfu, el cuadro de los Cinco Elementos y, especialmente con dolencias externas relativamente simples, el cuadro de los Canales. En esta parte del libro se tratará el cuadro de los Ocho Principios y cómo se pueden aplicar al sistema Zangfu para describir de la forma más exacta posible la naturaleza de los desequilibrios internos. Cada uno de los cuatro aspectos del diagnóstico revela qué par de los cuatro pares de principios es el que se aplica al paciente, con objeto de establecer una imagen general.*

Un grupo de síntomas puede interpretarse como un síndrome.

Bastantes acupuntores utilizan el sistema de los Cinco Elementos para organizar su diagnóstico, pero este sistema no se describe con detalle en este libro. El método de los Ocho Principios, tal como se aplica al sistema Zangfu, parece ser el modelo dominante usado en China que cada vez se utiliza más en Occidente.

CUADROS DE DIAGNÓSTICO

Cuadro de los Ocho Principios
Cuadro de los Zangfu
Cuadro de los Cinco Elementos
Cuadro de los Canales
Cuadro de las Seis Etapas
Cuadro de los Cuatro Niveles

LOS OCHO PRINCIPIOS

EL MÉTODO *de diagnóstico de los «Ocho Principios», basado en cualidades bipolares, debe mucho a la filosofía del Yin y Yang. Estos ocho principios constan de cuatro parejas de características interdependientes: Yin y Yang, Interior y Exterior, Frío y Calor, Deficiencia y Exceso. Para ser exactos, este sistema considera que el Yin y Yang son cualidades superiores que engloban a los otros tres pares (véase a la derecha). Las distintas características generales se asocian con cada uno de los Ocho Principios.*

Yin	Yang
Interior	**Exterior**
Frío	Calor
Deficiencia	**Exceso**

Características asociadas a los Ocho Principios.

CUADROS DE DIAGNÓSTICO

LA FILOSOFÍA *de la medicina china ofrece muchas perspectivas alternativas desde las que se pueden diagnosticar y tratar los desequilibrios. El cuadro de los Ocho Principios sólo proporciona una forma sistemática de organizar toda la información recogida acerca de un sistema energético muy dinámico: el cuerpo humano. Siempre es posible una combinación de cuadros cambiantes.*

Por ejemplo, un paciente puede presentar indicios de invasión por Viento-Frío, que es un cuadro exterior/exceso, con predominio de Frío. Si no se trata, el Viento-Frío se convertirá en Viento-Calor (la parte del Yin que se convierte en Yang), lo que ocasiona un cuadro de exterior/exceso, con predominio de Calor. El estado exterior puede pasar a interior y afectar a los Pulmones, debilitándolos y causando una deficiencia del Qi. Por tanto, este problema se convertirá en un cuadro interior/deficiencia, en el que el aspecto Yin se vuelve dominante sobre el Yang.

Aunque hay combinaciones de cuadros bastante comunes, también fluctúan y se intercambian a lo largo del tiempo. Por tanto es vital que el terapeuta en medicina china utilice el cuadro de los Ocho Principios de una forma flexible para rastrear el modelo cambiante de equilibrios y desequilibrios energéticos.

Algunas de las combinaciones de cuadros observadas con más frecuencia se describen mejor en las páginas 104-105. En cada caso, el cuadro de síntomas refleja las características de la combinación, condicionadas por el predominio del Yin o del Yang en el cuadro. Hay que recordar que en cualquier persona es perfectamente posible que coexistan combinaciones de cuadros aparentemente opuestos. Cuando se ha pensado y puesto en marcha un programa de tratamiento, hay que aplicarlo sin perder de vista la completa, y a veces contradictoria, naturaleza cambiante de esos cuadros de energía corporales.

Cada persona posee su cuadro particular
de desequilibrios, aunque hay ciertas
combinaciones que son más habituales.

中藥

MEDICINA CHINA

DESEQUILIBRIOS COMUNES

LA INTERACCIÓN de cuadros patógenos externos y de cuadros emocionales internos puede conducir al desarrollo de una serie compleja de desequilibrios interactivos en el sistema Zangfu. Las causas externas, como Viento, Frío, Calor, Calor de Verano y Humedad, pueden entrar por los canales de la superficie del cuerpo y afectar externamente a los Pulmones, los órganos más «externos» de los Zangfu. Pero la exposición prolongada a estos factores hace que se introduzcan más profundamente: por ejemplo, el Frío y la Humedad pueden penetrar incluso hasta los Riñones. La Ira y la Frustración, factores causales internos, pueden causar un estancamiento del Qi del Hígado.

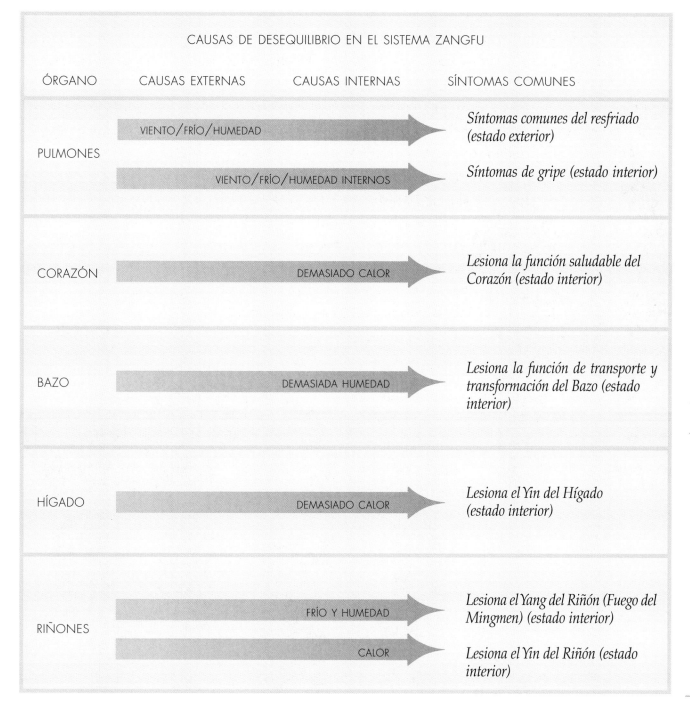

CAUSAS DE DESEQUILIBRIO EN EL SISTEMA ZANGFU

ÓRGANO	CAUSAS EXTERNAS	CAUSAS INTERNAS	SÍNTOMAS COMUNES
PULMONES	VIENTO/FRÍO/HUMEDAD		*Síntomas comunes del resfriado (estado exterior)*
		VIENTO/FRÍO/HUMEDAD INTERNOS	*Síntomas de gripe (estado interior)*
CORAZÓN		DEMASIADO CALOR	*Lesiona la función saludable del Corazón (estado interior)*
BAZO	DEMASIADA HUMEDAD		*Lesiona la función de transporte y transformación del Bazo (estado interior)*
HÍGADO	DEMASIADO CALOR		*Lesiona el Yin del Hígado (estado interior)*
RIÑONES		FRÍO Y HUMEDAD	*Lesiona el Yang del Riñón (Fuego del Mingmen) (estado interior)*
		CALOR	*Lesiona el Yin del Riñón (estado interior)*

FRÍO EXTERIOR (EXCESO)

Es una combinación de un cuadro Yang y uno Yin, y por tanto las dos fuerzas se influyen mutuamente. Los síntomas resultantes combinados no serán demasiado extremos.

Antonio se despierta con escalofríos y dolor en el cuerpo. Su nariz está congestionada y emite mucosidades claras y líquidas. Decide que es mejor quedarse en la cama.

Este cuadro tiene una naturaleza de exceso, pero ea veces puede haber un elemento de deficiencia de Wei Qi que puede parecerse más a un cuadro de exterior deficiencia. En tal caso, suele darse una situación donde los síntomas son quizá más crónicos pero menos graves. Si, por ejemplo, Antonio fuera propenso a la deficiencia, podría sentir que estos síntomas van y vienen constantemente y que en ocasiones se agudizan. Ésta es la clase de persona que afirma que «no se siente bien» y que es susceptible de padecer todo tipo de dolencias leves. Por consiguiente, incluso en un cuadro combinado que se vea bastante claro, pueden aparecer otros cuadros que contribuyen al cambio del panorama general y que hay que considerar de forma global.

Los primeros síntomas de un resfriado.

CALOR EXTERIOR (EXCESO)

Es una combinación de dos cuadros Yang y el resultado es un marcado cuadro Yang. Los síntomas son mucho más pronunciados y predominan las características Yang.

A pesar de quedarse en cama todo el día, Antonio comienza a notar un fuerte dolor de garganta y además tiene fiebre. Está sudando y expulsa una flema espesa y amarillenta. Su pulso es rápido. Se siente muy mal y sigue en cama.

Al igual que en el primer elemento, la probabilidad de que el Viento-Frío se convierta en Viento-Calor también puede ser una función del cuadro de deficiencia propio de la persona.

El paciente tiene fiebre.

FRÍO, EXCESO

Es una combinación de un cuadro Yin y Yang que influyen en el cuadro general. Si aparece dolor, el cuadro de exceso que resulta comienza a ser muy intenso y sensible al tacto.

Daniel ha asaltado la nevera de su madre y se ha comido un gran bloque de helado. Ahora, se queja de unos fuertes retortijones en el abdomen, además de tener que ir al servicio con una fuerte diarrea. La paciencia de su madre ha llegado al límite.

El Calor provoca el deseo de algo frío.

Es probable que el Frío intenso del helado haya invadido el Estómago y el Bazo ocasionando un cuadro de exceso y Frío. Daniel se recuperará con bastante rapidez y, con suerte, no volverá a atacar la nevera de su madre.

FRÍO, DEFICIENCIA

Es UNA combinación de dos cuadros Yin y el cuadro resultante presenta un Yin de naturaleza intensa. En la práctica clínica se suele interpretar como una característica de deficiencia crónica del Yang, que afecta al Bazo o a los Riñones y ocasiona un exceso relativo del Yin en el cuerpo. También puede ocurrir en cuadros del Corazón y los Pulmones.

Alicia tiene 79 años y vive sola. Constantemente se está quejando de frío, incluso en la época de mejor tiempo, y casi no tiene energías para hacer nada. Come y bebe muy poco y sufre de diarrea crónica, especialmente por las mañanas. Sus tobillos están hinchados y siente su espalda fría y dolorida.

La escasez de Yang causa Frío.

Éste es un ejemplo clásico de la deficiencia de energía del Yang del Riñón, típico del proceso de envejecimiento, agravado aún más por la dieta deficiente y la falta de calefacción. En casos extremos, y a edades avanzadas, esta deficiencia puede conducir a la muerte por hipotermia.

CALOR, EXCESO

LOS DOS CUADROS son Yang por naturaleza, por tanto el cuadro resultante de la combinación es marcadamente Yang. Presentan por lo general indicios de Calor clásicos y conductas muy dominantes.

Guillermo siempre se siente furioso cuando las cosas no salen como él quiere. Sufre ataques extremos de mal humor, en los que la cara se le pone muy roja y siempre se queja de dolores de cabeza insoportables. Se estaba medicando para tratar una hipertensión y su médico le había advertido que si no se relajaba podría acabar sufriendo una apoplejía.

La ira de Guillermo estaba provocando un estancamiento del Qi del Hígado. Esto genera un Calor interno en el Hígado que se acumula y que a veces asciende a la cabeza como fuego del Hígado. Guillermo murió de una apoplejía fulminante a los 51 años.

Un exceso de Calor provoca típicas manifestaciones de conducta.

CALOR, DEFICIENCIA

Es UNA COMBINACIÓN de un cuadro Yin y uno Yang, y cada uno influye en el otro en el cuadro combinado. Es el cuadro que suele aparecer como resultado de una deficiencia de la energía Yin, que ocasiona un exceso relativo de Yang; se conoce como «Calor Vacío» y se caracteriza por los «Sudor de las Cinco Palmas», sudores nocturnos y una agitación mental generalizada.

Paulina está pasando la menopausia y tiene grandes problemas con los sofocos y los sudores nocturnos. Se queja de un constante y persistente dolor lumbar y se siente continuamente «al límite», con deseos de lanzarse al cuello de todo el mundo sin ninguna razón aparente. Llora con frecuencia, se siente deprimida y duerme mal.

Una característica de la menopausia es la deficiencia del Yin del Riñón, que da lugar a la aparición de los síntomas de «Calor vacío» que siente Paulina y que invaden el Corazón y molestan al Shen, causando inquietud y otros síntomas.

Sudores nocturnos y alteraciones del sueño.

AUTORREFLEXIÓN

A CONTINUACIÓN *se plantean algunos ejemplos sencillos para que el lector pueda asimilar el concepto del cuadro de los Ocho Principios. Para cada ejemplo, hay que pensar en la información que se ofrece acerca del desequilibrio y decidir si el problema es de naturaleza exterior o interior, caliente o fría y deficiente o excesiva. Con esta información, juzgue si el desequilibrio es de naturaleza predominantemente Yin o de naturaleza predominantemente Yang.*

1 Ha acudido a un partido de fútbol. El tiempo es frío y húmedo y ha permanecido en la parte del estadio que está poco cubierta. A la mañana siguiente, se levanta con escalofríos y una ligera fiebre. Estornuda y expulsa una mucosidad clara y líquida por la nariz, y nota una profunda pesadez en la cabeza.

Los desequilibrios pueden ser muy complejos.

RESPUESTA
En este caso, el problema es un exceso de Frío que ha invadido el exterior del cuerpo. Aunque el Frío es de naturaleza esencialmente Yin, el comienzo repentino de un factor de exceso exterior indica una energía predominantemente Yang.

2 Se siente usted muy cansado y letárgico. Su cara está pálida, su piel seca y su pelo aparece seco y sin cuerpo. Desde los últimos meses no se encuentra muy bien y ahora se siente un poco mareado y observa que en sus dedos nota un ligero cosquilleo.

RESPUESTA
En este caso, se observa claramente un problema duradero que conduce a un cuadro interior de deficiencia. La información resulta insuficiente para saber si es debida a Calor o Frío y también resulta poco claro si el desequilibrio energético es de naturaleza esencialmente Yin o esencialmente Yang.

3 Su médico le dice que tiene un problema de hipertensión y que debe relajarse un poco. Para usted esto es muy difícil, ya que cuando se siente frustrado en el trabajo o en casa se pone rojo, se siente muy acalorado y molesto y con frecuencia termina con un punzante dolor de cabeza.

RESPUESTA
En este caso, sí parece haber un síntoma de Calor generado por un desequilibrio interior. La aparición repentina de estos ataques sugiere un estado de exceso que se acumula rápidamente en el interior del cuerpo. El problema de la hipertensión indica un estado crónico que se ha acumulado a lo largo del tiempo y que probablemente es el resultado de un estado previo de deficiencia. Es posible que en este caso sean aspectos tanto del Yin como del Yang.

Piense cómo ha planteado los posibles diagnósticos. Sin embargo, como se puede comprobar, el diagnóstico en la vida real casi nunca es tan sencillo como elegir entre una cosa u otra.

Si pensamos en ejemplos para este cuadro de los Ocho Principios, podremos comprender cómo y por qué el terapeuta de medicina china comienza a analizar los desequilibrios de su paciente.

Calor o Frío interno

síntomas externos

Las respuestas emocionales y conductuales, los síntomas internos y externos son todos importantes.

CUADROS ZANGFU

CUANDO *los terapeutas de medicina china emplean el cuadro de los Ocho Principios como guía para comprender la naturaleza de los desequilibrios del paciente, normalmente representan los cuadros en sistemas Zangfu particulares. Así, por ejemplo, son capaces de indicar un caso de deficiencia o de exceso que afecta predominantemente al sistema del Bazo.*

Por tanto, el diagnóstico se realiza combinando las observaciones realizadas basándose en los Ocho Principios con el conocimiento de las funciones de los sistemas Zangfu particulares. En realidad, es probable que coexistan una serie de desequilibrios que afecten a los sistemas Zangfu de formas distintas, pero para ilustrar la naturaleza del proceso general, es útil considerar cómo se organizan los indicios y los síntomas para ilustrar un desequilibrio en sólo un sistema

Zangfu a la vez. Cada uno de los siguientes casos explica un cuadro Zangfu particular. Para cada uno, se describe lo que puede estar ocurriendo en el cuerpo para que muestre dichos síntomas y se deduce lo que ha podido haber causado el problema. Se valora además qué clase de tratamiento ofrece la medicina china. Todos los tratamientos se describen con más detalle en las páginas 125-161.

CUADROS DE LOS ÓRGANOS ZANG

SE CONSIDERA que los órganos Zang dominan en el sistema Zangfu y que el terapeuta debe buscar primero los posibles desequilibrios de órganos Zang para un correcto diagnóstico y tratamiento. Se pueden diagnosticar varios síntomas juntos, pero no resulta útil considerarlos como un «síndrome» que tiene un nombre y se convierte en «algo» que tiene el paciente. El especialista en medicina china sabe que la enfermedad es un proceso dinámico; por este motivo, considerarla como un «cuadro» es mucho más práctico. Algunos síntomas están relacionados con el órgano Zang correspondiente (falta de respiración, con los Pulmones; dolor persistente de pecho, con el Corazón); otros, no tanto (irritabilidad y depresión, con el Hígado; edema o inflamación por retención de líquidos, con los Riñones), aunque la relación se reconoce tanto en Occidente como en la medicina china.

LOS PULMONES

NTRE las funciones del sistema pulmonar en la medicina china se encuentra controlar la formación del Qi en el cuerpo, dispersar y hacer bajar el Qi por todo el cuerpo, regular el tránsito del agua (a través del enlace con el Intestino grueso) y apoyar a los Riñones. Por tanto, supongamos que alguien dice que experimenta los siguientes indicios y síntomas. Se analizan primero sus desequilibrios, comenzando con la comprensión del cuadro de los Ocho Principios y la función de los Pulmones.

A Juan le falta la respiración, especialmente cuando ha estado haciendo ejercicio, y cuando habla se observa que su voz es débil y en cierto modo monótona. Tiene una tos crónica y con frecuencia expulsa algunos esputos acuosos. Además suda fácilmente, sobre todo durante el día.

Juan se queja de falta de energía y de que se siente cansado todo el tiempo. Está pálido y parece letárgico. Su lengua es pálida, con un ligero recubrimiento blanquecino, y su pulso es profundo y algo débil.

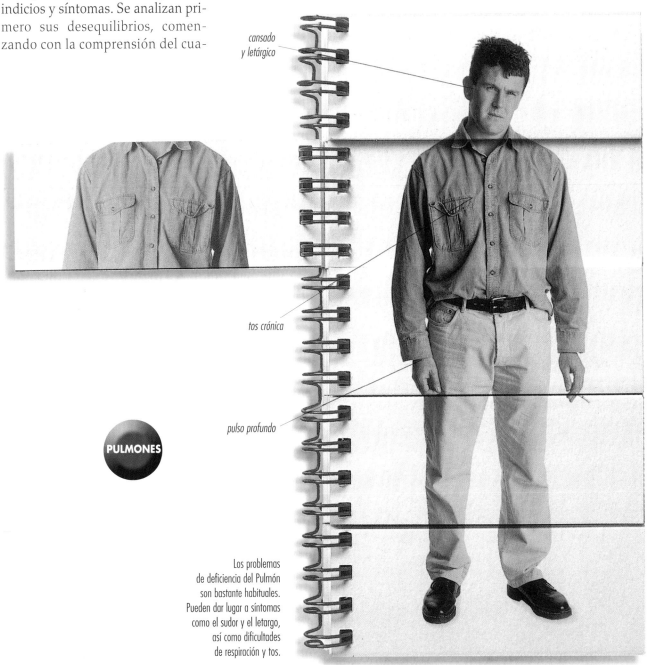

cansado y letárgico

tos crónica

pulso profundo

PULMONES

Los problemas de deficiencia del Pulmón son bastante habituales. Pueden dar lugar a síntomas como el sudor y el letargo, así como dificultades de respiración y tos.

¿QUÉ LE PASA A JUAN?

A PARTIR de la información recogida, es evidente que el problema de Juan es una deficiencia. Como es algo que ocurre desde hace tiempo, se ha convertido en un desequilibrio interno, que ha dado como resultado la aparición de problemas con las funciones pulmonares.

Cuando el Qi es deficiente, los Pulmones no pueden regular la respiración, lo que provoca falta de aire y debilidad en la voz. Un Qi del Pulmón deficiente no desciende de forma adecuada y provoca una tos crónica. Además, como los Pulmones no pueden regular el tránsito del agua, se forman esputos acuosos, que ascienden con la ayuda de la tos crónica. Los Pulmones tienen la función de extender el Qi defensivo (o Wei Qi) por todo el cuerpo, pero cuando aparece una deficiencia, es más fácil que los Fluidos Corporales tiendan a perderse y en consecuencia se suda con el mínimo esfuerzo. Esto también significa que Juan es más propenso a las influencias patógenas externas y que puede enfermar a menudo de dolencias menores. Su sistema energético se ve reducido y esto le provoca cansancio y letargo crónico.

Estos indicios y síntomas pueden considerarse un ejemplo de un cuadro de desequilibrio del Zang: la manifestación de la deficiencia del Qi del Pulmón.

¿QUÉ PUEDE HABER CAUSADO EL PROBLEMA DE JUAN?

H AY una serie de factores que pueden haber contribuido al desarrollo de este desequilibrio del Qi del Pulmón. Es posible que intervenga una debilidad congénita o Anterior al Cielo que hace vulnerables a los Pulmones. Además, al ser el más exterior de los órganos Zang «internos», es especialmente susceptible a la invasión de influencias patógenas externas, como el Viento, el Frío y la Humedad. Si el cuerpo no es lo suficientemente resistente para eliminar por completo estas influencias externas, los Pulmones resultan lesionados y esto provoca una deficiencia del Qi. Cuando este ciclo se estabiliza, se desarrolla un círculo vicioso que reduce aún más el Wei Qi, provoca más invasiones de Frío, Viento o Humedad y agrava el problema.

Como Juan tiene un trabajo sedentario, el flujo del Qi hacia los Pulmones se ve restringido por una mala postura, lo que puede causar una deficiencia del Qi del Pulmón. Fumar o tomar antibióticos para tratar las infecciones del pecho también puede agravar la deficiencia del Qi del Pulmón.

¿QUÉ PUEDE HACER LA MEDICINA CHINA PARA AYUDAR A JUAN?

E L PRINCIPIO de tratamiento consiste en tonificar el Qi del Pulmón y se puede realizar a través de la acupuntura, la moxibustión o la fitoterapia. También puede ser recomendable aconsejar a Juan que abandone cualquier hábito que pueda agravar el problema así como que refuerce los hábitos que puedan mejorarlo. Dejar de fumar es esencial y puede resultar útil aconsejarle que tome clases de Qigong, que ayuda a fortalecer el Qi del pecho.

OTROS CUADROS QUE PRESENTAN LOS PULMONES

A menudo se observan también los siguientes cuadros de desequilibrio en los Pulmones:

◆ Deficiencia del Yin del Pulmón

◆ Sequedad del Pulmón

◆ Invasión de Viento-Frío en los Pulmones

◆ Invasión de Calor del Pulmón en los Pulmones

◆ Invasión de Viento-Humedad en los Pulmones

◆ Obstrucción de los Pulmones por Calor-flema

◆ Obstrucción de los Pulmones por Humedad-flema

◆ Obstrucción de los Pulmones por Fluidos de flema

EL CORAZÓN

N MEDICINA china, se considera que el Corazón rige la Sangre, controla los vasos sanguíneos y alberga el Shen, además del estado de ánimo y las emociones.

Para ilustrar cómo se manifiesta un desequilibrio típico del Corazón según el cuadro de los Ocho Principios, veamos un ejemplo. En él se muestran los síntomas de un problema de Corazón causado por la emoción así como por un esfuerzo físico combinado con la ausencia de la práctica de un ejercicio saludable.

David es un ejecutivo de 50 años. A menudo se queja de palpitaciones y de un dolor persistente en el pecho que se va extendiendo hacia el interior de su brazo derecho.

Los síntomas empeoran después de hacer un esfuerzo físico y también cuando se siente abrumado emocionalmente, algo que sucede con frecuencia, tanto en el hogar como en el trabajo. A veces le falta la respiración. Sus manos suelen estar frías e incluso húmedas al tacto. Su lengua está amoratada, con algunos puntos oscuros. Su pulso es tirante y nervioso.

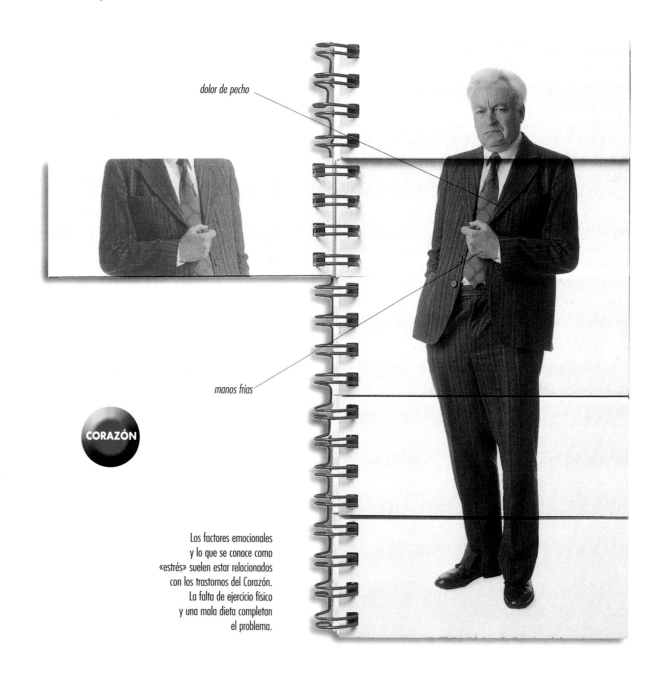

dolor de pecho

manos frías

CORAZÓN

Los factores emocionales y lo que se conoce como «estrés» suelen estar relacionados con los trastornos del Corazón. La falta de ejercicio físico y una mala dieta completan el problema.

中藥

MEDICINA CHINA

¿QUÉ LE PASA A DAVID?

LOS SÍNTOMAS que experimenta David son los clásicos de un trastorno conocido en la medicina occidental como angina de pecho. Con frecuencia es el antecedente o la consecuencia de un proceso más grave: un ataque al corazón. Pero, ¿cómo considera este trastorno la medicina china?

En este caso, es evidente una deficiencia del Yang del Corazón, lo que da como resultado que la función del Corazón de regir la Sangre se vea afectada. Cuando la energía del Yang resulta insuficiente para mover la Sangre, aparece un estancamiento del flujo de este fluido, que provoca los síntomas descritos. El estancamiento se considera aquí un cuadro de exceso interno, causado por una deficiencia inicial. Como la energía del Yang es insuficiente, aparece el Frío, especialmente en las extremidades. También hay indicios de que el Corazón no está albergando adecuadamente el Shen, dada la tendencia a los trastornos emocionales que se han mencionado.

En resumen, el problema de David es un ejemplo de una deficiencia combinada con un cuadro de exceso que afecta al Zang interno del Corazón, con indicios de Frío también presentes. Estos indicios y síntomas son los clásicos ejemplos de un desequilibrio del cuadro Zang: el estancamiento de la Sangre del Corazón.

¿QUÉ PUEDE HABER CAUSADO EL PROBLEMA DE DAVID?

ES PROBABLE que el estrés y un estilo de vida sedentario hayan jugado un papel importante en este tipo de problemas. Con el tiempo, los factores emocionales reducen el Qi del Corazón y esto provoca una deficiencia de Sangre y del Yang del Corazón. En medicina china se suele decir que la ansiedad «se almacena en el pecho», y el Yang deficiente conduce al estancamiento de la Sangre. Ese estancamiento es el que produce el dolor clásico de un ataque de angina de pecho y la radiación hacia el brazo suele seguir el camino del canal del Corazón o el del Pericardio.

Es evidente que un estilo de vida sedentario con ausencia de ejercicio físico también tiende a reducir el Qi, lo que conduce a agravar aún más el problema del Corazón.

¿PUEDE LA MEDICINA CHINA AYUDAR A DAVID?

EL PRINCIPIO de tratamiento en medicina china dependerá de si David experimenta un fuerte dolor debido al estancamiento o si la dolencia es menos grave. En el primer caso, el objetivo consiste en mover el estancamiento de la Sangre y posibilitar su circulación por el pecho. En este caso, se puede utilizar la acupuntura y la fitoterapia. En la etapa menos aguda, estos tratamientos se combinan con la moxibustión para ayudar a tonificar el Yang del Corazón deficiente. Los ejercicios de Qigong también ayudan, así como una buena dieta y un régimen supervisado de ejercicios.

Observación: En una situación más grave que implique enfermedades cardíacas, como por ejemplo, un estrechamiento a gran escala de las arterias coronarias (infarto de miocardio), es más apropiado el método de urgencia occidental, aunque la acupuntura puede resultar útil como tratamiento de primeros auxilios.

OTROS CUADROS QUE PRESENTA EL CORAZÓN

Los siguientes son otros cuadros del Corazón que se observan habitualmente:

◆ Deficiencia del Qi del Corazón

◆ Deficiencia del Yang del Corazón

◆ Colapso del Yang del Corazón

◆ Deficiencia de la Sangre del Corazón

◆ Deficiencia del Yi del Corazón

◆ Llamarada del Fuego del Corazón

◆ El Fuego de la flema agita el Corazón

◆ La flema empaña el Corazón

CUADROS DE DESEQUILIBRIO

111

EL BAZO

LAS FUNCIONES más importantes del Bazo son las de transporte y transformación. El Bazo es esencial para la extracción y transformación del Qi vital de la Sangre y de los líquidos, y para distribuir este Qi nutritivo por todo el cuerpo. Cuando la función del Bazo se ve afectada, aparecen distintos desequilibrios.

El siguiente caso nos ofrece un ejemplo para considerar, desde la perspectiva del cuadro de los Ocho Principios, cómo puede verse afectada la función del Bazo.

Elena se siente cansada y letárgica desde hace algún tiempo. Se queja de una sensación de pesadez en su pecho y de una hinchazón en la parte inferior de su abdomen. Está cursando su último año de Medicina y tiene que estudiar mucho para los exámenes, pero siente que le falta concentración. Admite que no se ha preocupado de su dieta durante los últimos meses. Su lengua tiene un color rosa claro, con marcas en los lados y un recubrimiento ligeramente graso; también se observan grietas transversales. Su pulso es marcadamente débil y escurridizo.

BAZO

falta de concentración

pulso débil

abdomen hinchado

Una dieta desequilibrada puede afectar al funcionamiento del Bazo. La indigestión, el cansancio y una baja energía mental forman parte del cuadro.

¿CUÁL ES EL PROBLEMA DE ELENA?

TODO el cuadro indica una deficiencia. Elena ha estado estudiando demasiado sin descansar lo suficiente y, además, su dieta es claramente desequilibrada. Es probable que todo esto se haya combinado para afectar a la función de su Bazo, que ha visto reducida su capacidad de transformar y transportar los alimentos húmedos y grasos, lo que deriva en una sensación de distensión abdominal. Esta situación puede conducir a un cuadro de diarrea si persiste mucho tiempo. El recubrimiento graso de la lengua, el pulso escurridizo y la sensación de pesadez en el pecho sugieren que Elena está reteniendo Humedad, lo que afecta aún más a la función del Bazo. El Bazo es incapaz de enviar el Qi de los alimentos a los Pulmones, lo que afecta al Qi general del cuerpo, y por este motivo se siente letárgica y cansada.

El cuadro de desequilibrio de Elena es un claro ejemplo de deficiencia del Qi del Bazo.

¿CUÁL ES LA CAUSA DEL PROBLEMA DE ELENA?

COMO se ha podido deducir, es probable que la combinación de una dieta mala, irregular y desequilibrada, junto con una intensa actividad mental, sean los responsables de este trastorno de la función del Bazo de Elena. Puede que en este caso esté agravado por la falta de ejercicio físico.

¿PUEDE LA MEDICINA CHINA AYUDAR A ELENA?

EL PRINCIPIO de tratamiento en este caso es limpiar la Humedad y tonificar el Qi del Bazo. Se pueden utilizar la acupuntura y la moxibustión e incluso tratar con fitoterapia. Es muy importante convencer a Elena de que adopte una dieta regular y equilibrada, y que equilibre sus esfuerzos mentales con descanso suficiente y una actividad física regular. También es recomendable que abandone los alimentos energéticamente húmedos y fríos.

En China, los estudiantes se suelen someter a un tratamiento para fortalecer su Bazo antes de exámenes importantes, cuando saben que se van a encontrar sumidos en una gran actividad mental.

OTROS CUADROS QUE PRESENTA EL BAZO

En la práctica clínica se observan también los siguientes cuadros de desequilibrios del Bazo:

- ✦ Deficiencia del Yang del Bazo
- ✦ Hundimiento del Qi del Bazo
- ✦ Incapacidad del Bazo de controlar la Sangre
- ✦ Invasión del Bazo por Frío-Humedad
- ✦ Invasión del Bazo por Humedad-Calor

診斷

EL HÍGADO

EN MEDICINA china, el Hígado es el órgano Zang responsable de favorecer el flujo uniforme del Qi y de la Sangre por todo el cuerpo. Si este flujo se ve afectado por algún motivo, prácticamente todos los sistemas corporales son susceptibles de tener problemas.

Andrea acude a la clínica quejándose de una tensión premenstrual muy molesta. La semana anterior al período menstrual experimenta una desagradable hinchazón abdominal y dolor en el pecho, y se suele sentir malhumorada y muy sensible, además de enfurecerse por nada. Andrea *ha tenido una discusión muy desagradable con su novio, lo que ha empeorado las cosas. Además se siente enfadada y frustrada en su trabajo porque cree que la han marginado injustamente para un ascenso. Su lengua es normal y su pulso muy nervioso.*

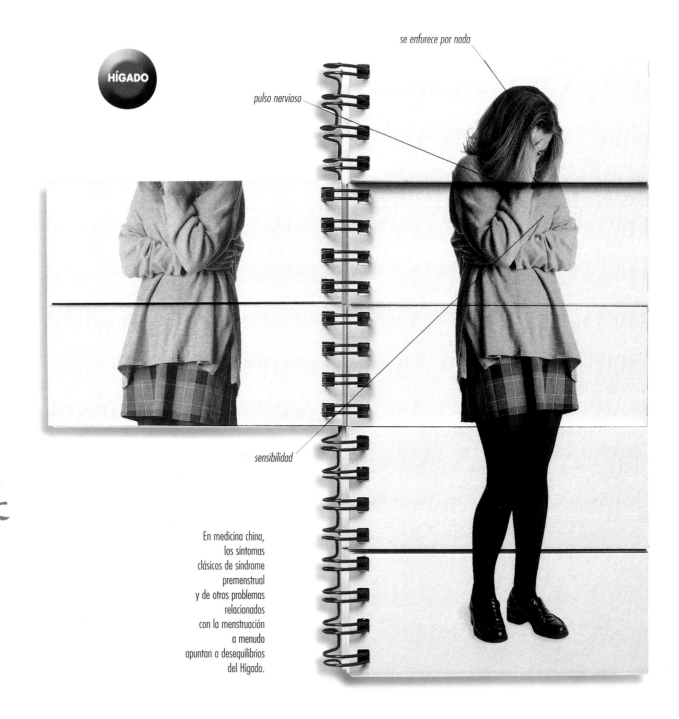

HÍGADO

se enfurece por nada

pulso nervioso

sensibilidad

En medicina china, los síntomas clásicos de síndrome premenstrual y de otros problemas relacionados con la menstruación a menudo apuntan a desequilibrios del Hígado.

中藥

¿QUÉ LE SUCEDE A ANDREA?

ANDREA está mostrando las características de un estado de exceso en el cual la capacidad del Hígado de favorecer el flujo constante del Qi se está viendo seriamente afectada. La hinchazón y el dolor del pecho sugieren un estancamiento del Qi, que no está fluyendo uniformemente. La tendencia a sufrir estallidos emocionales indica un desplazamiento repentino y descontrolado del Qi, que se suele presentar como una reacción emocional y no física.

Esta situación es parecida a una olla a presión que, cuando alcanza su punto máximo, «hace estallar» su exceso de energía en forma de vapor.

Estos indicios y síntomas sugieren un cuadro de exceso de un estancamiento del Qi del Hígado.

¿QUÉ HA CAUSADO EL PROBLEMA DE ANDREA?

SIN DUDA, el principal factor que contribuye a su problema está relacionado con los desórdenes emocionales de Andrea. Existe una clara evidencia de ira y resentimiento reprimidos tanto en su vida privada como en la laboral. El órgano Zang asociado con la ira es el Hígado y cuando la ira no se controla bien, se acumula y afecta a la función de regulación del Hígado. Por tanto, el Qi del Hígado se estanca y provoca los síntomas que Andrea está experimentando.

Estos problemas son más evidentes durante los días previos al período menstrual, pues es la parte del ciclo donde se requiere que el Qi mueva obligatoriamente la Sangre menstrual.

¿PUEDE LA MEDICINA CHINA AYUDAR A ANDREA?

LO PRIMERO que hay que tener presente es que la medicina china no puede eliminar las fuentes de ira, frustración y resentimiento de la vida de Andrea. Si ella no puede solucionar de forma eficaz esos problemas, lo más probable es que sus dolencias se repitan. Sin embargo, no hay duda de que tanto la acupuntura como la fitoterapia pueden favorecer de forma significativa la regulación del Qi del Hígado. Además, la digitopuntura también resulta muy beneficiosa.

OTROS CUADROS QUE PRESENTA EL HÍGADO

Otros cuadros de desequilibrios del Hígado que pueden observarse en la práctica clínica son:

◆ Deficiencia del Yin y la Sangre del Hígado

◆ Estancamiento de la Sangre del Hígado

◆ Ascenso del Fuego del Hígado

◆ Crecimiento del Yang del Hígado

◆ Viento del Hígado

◆ Estancamiento de Frío en el canal del Hígado

◆ Humedad-Calor en el Hígado y la Vesícula Biliar

LOS RIÑONES

OS RIÑONES son un órgano muy importante en la medicina china. Se consideran la fuente fundamental de energía Yin y Yang de todo el cuerpo. Si aparece un desequilibrio en los Riñones, inevitablemente ocasionará otros en los demás sistemas Zangfu. Los Riñones no sólo conservan el Calor esencial del cuerpo, sino que también controlan los procesos reproductivos, regulan el equilibrio de fluidos en el Jiao inferior y ayudan a los Pulmones a asegurar una respiración saludable.

El siguiente ejemplo es, en cierto modo, muy habitual en las personas mayores.

Tomás, de 66 años, se queja de que nunca tiene calor, incluso cuando el tiempo es muy caluroso. Siente frío especialmente en la zona inferior de la espalda y alrededor de las rodillas. Sus movimientos son lentos y rígidos y está muy pálido.

Tomás ha sido siempre un hombre muy activo, pero ahora afirma que no le queda energía para casi nada. Se queja de una abundante micción y de diarrea, sobre todo a primeras horas de la mañana. Su lengua está pálida y húmeda, sus tobillos suelen estar un poco hinchados y siente siempre que su pulso es muy débil.

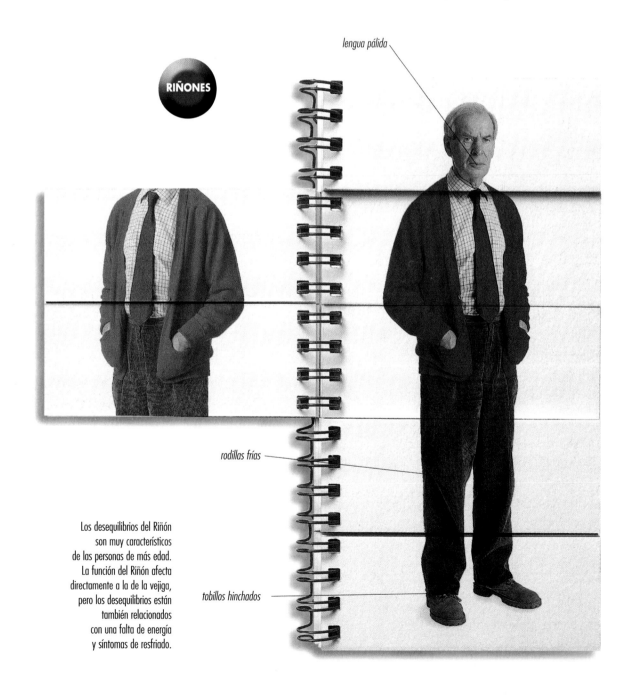

RIÑONES

lengua pálida

rodillas frías

tobillos hinchados

Los desequilibrios del Riñón son muy característicos de las personas de más edad. La función del Riñón afecta directamente a la de la vejiga, pero los desequilibrios están también relacionados con una falta de energía y síntomas de resfriado.

¿No es esto lo que le sucede a todo el mundo cuando envejece?

PUEDE que pensemos que el estado de Tomás es el resultado habitual del envejecimiento, pero es interesante conocer cómo lo considera la medicina china. Cuando se envejece, la energía del Riñón se reduce y, al final, el Yang del Riñón carece de la energía suficiente para generar el «Fuego de Mingmen», que es la fuente calorífica del cuerpo. Los Riñones también desempeñan un valioso papel fortaleciendo los huesos y cualquier debilidad se siente sobre todo en la parte inferior de la espalda.

Si la energía del Yang del Riñón es deficiente, no será capaz de mover los Fluidos Corporales por todo el cuerpo, lo que da lugar a una orina clara y abundante y a la acumulación de fluidos bajo la piel. De ahí el problema del edema en los tobillos.

La energía del Yang del Riñón es insuficiente para ayudar al Bazo y, por tanto, la energía del Bazo tiende a descender en lugar de a subir, dando lugar a un problema de diarrea. Este trastorno suele aparecer a primeras horas de la mañana, cuando el ritmo natural del ciclo de energía universal se encuentra en su momento de Yin máximo y de Yang mínimo.

Estos indicios y síntomas físicos indican que Tomás está experimentando una deficiencia crónica del Yang del Riñón.

¿Qué es lo que causa el problema de Tomás?

ES PROBABLE que el caso de Tomás sea un rasgo característico del envejecimiento general; sin embargo, el desequilibrio se ve agravado por una enfermedad de larga duración que ha agotado las energías del cuerpo. También se cree que un exceso de actividad sexual puede agotar el Qi del Riñón y ocasionar una deficiencia del Yang.

Una dieta pobre y desequilibrada perjudica al Bazo y, con el tiempo, podría dar lugar a una acumulación de Humedad interna. Esta situación provoca cambios que debilitan la energía Yang del Riñón.

¿Puede la medicina china ayudar a Tomás?

LA MEDICINA china no puede cambiar el proceso natural de envejecimiento, pero con los cambios adecuados en el estilo de vida, asegura que este proceso ocurrirá de forma natural.

Tomás se puede beneficiar de la acupuntura, la moxibustión y las preparaciones herbales que tonifican el Yang. Además, hay que aconsejarle que ingiera alimentos calientes y nutritivos y que evite los factores externos, como las corrientes de aire y los ambientes húmedos y fríos.

Con esta combinación apropiada de factores, se puede esperar, sin lugar a dudas, que, incluso a su edad, Tomás vea mejorados de forma significativa su bienestar y calidad de vida.

OTROS CUADROS QUE PRESENTA EL RIÑÓN

La medicina china considera los problemas de los Riñones como problemas de deficiencia, aunque también puede darse algún problema de exceso. Los desequilibrios del Riñón más frecuentes son los siguientes:

- ✦ Deficiencia del Yin del Riñón
- ✦ Carencia de firmeza del Qi del Riñón
- ✦ Incapacidad de los Riñones de apoyar al Qi
- ✦ Deficiencia del Jing del Riñón
- ✦ Deficiencia del Yin del Riñón con el Fuego Vacío
- ✦ Deficiencia del Yang del Riñón con inundación de Agua en los Pulmones o Corazón

診斷

CUADROS DE LOS ÓRGANOS FU

E HA VISTO ya cómo los órganos Fu están asociados a la recepción, separación y distribución de las sustancias. Por tanto, tienen un aspecto principalmente Yang, ya que el movimiento suele caracterizar su función. Como cada órgano Fu está emparejado con su órgano Zang equivalente, en muchos contextos clínicos es probable que exista una relación dinámica entre un desequilibrio Zang y el órgano Fu asociado, y viceversa. Por ejemplo, un des-

equilibrio del Hígado puede implicar también un desequilibrio de la Vesícula Biliar. Sin embargo, hay otros problemas que se consideran estrechamente relacionados con los sistemas Fu.

EL ESTÓMAGO

Roberto llegó a la clínica quejándose de una fuerte sensación de ardor en su área epigástrica (abdomen superior), acompañado de una regurgitación ácida en la boca. Confesó que tenía hambre casi todo el tiempo

y que bebía muchas bebidas frías. El historial reveló que la dieta de Roberto consistía principalmente en comidas rápidas y que le encantaban los alimentos fritos y muy condimentados.

Tenía halitosis (mal aliento) y sus encías sangraban regularmente, sobre todo cuando se cepillaba los dientes. Su lengua estaba roja con un recubrimiento amarillento y seco, y su pulso era rápido.

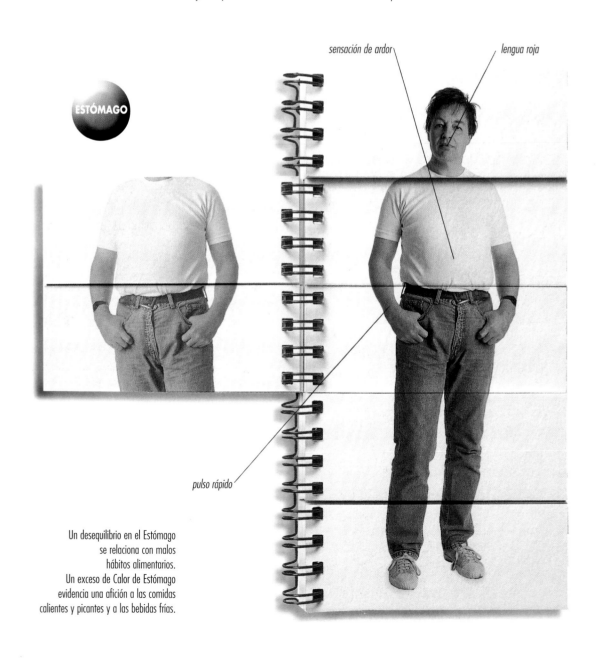

ESTÓMAGO

sensación de ardor

lengua roja

pulso rápido

Un desequilibrio en el Estómago se relaciona con malos hábitos alimentarios. Un exceso de Calor de Estómago evidencia una afición a las comidas calientes y picantes y a las bebidas frías.

中藥

¿QUÉ LE OCURRE A ROBERTO?

ROBERTO evidencia un estado de exceso que implica una gran cantidad de Calor interno. El sistema del órgano Fu afectado es el Estómago, que es el que recibe el alimento ingerido. El Calor se acumula y consume los fluidos del Estómago. Este Calor interno interfiere con la función natural del Estómago de hacer descender el Qi y, como resultado, los fluidos ácidos del Estómago se regurgitan. A veces, esta situación provoca náuseas y vómitos. El Calor también aumenta en la línea del canal del Estómago hacia la boca, lo que hace que las encías sangren. La lengua seca y enrojecida con el recubrimiento amarillento, junto con el pulso rápido, sugiere la presencia de un Calor interno patológico.

Roberto padece un desequilibrio interno de exceso del sistema Fu: el Fuego del Estómago.

¿QUÉ HA CAUSADO EL PROBLEMA DE ROBERTO?

LOS HÁBITOS alimentarios que tiene Roberto constituyen el principal factor que contribuye a ese desequilibrio del Fuego del Estómago. El consumo de alimentos energéticamente grasos y calientes lleva el Calor directamente al Estómago. Hay que tener en cuenta otros factores, como la regularidad de las comidas y el estado emocional cuando se come, además de la forma de comer y el contexto en que se come: ¿se engulle el alimento rápidamente si se están haciendo otras cosas al mismo tiempo o los alimentos se ingieren masticando de forma lenta y sentado relajadamente en la mesa?

Es probable que cuando aparece un desequilibrio como éste la persona experimente también presiones externas, en el trabajo o en las relaciones personales. Estas presiones aportan un intenso componente emocional a la situación. Igualmente, es posible que en esta situación se evidencie también un desequilibrio del Bazo. E incluso puede que contribuyan los desequilibrios de otros sistemas Zangfu.

¿QUÉ PUEDE HACER LA MEDICINA CHINA PARA AYUDAR A ROBERTO?

LO MÁS IMPORTANTE en un estado de exceso de Calor es eliminar ese exceso lo más rápidamente posible. La acupuntura se emplea para aliviar el Calor y estimular la natural función de descenso del Estómago; también se pueden recetar algunas hierbas medicinales.

Además de este tratamiento directo para limpiar el exceso de Calor y regular el Estómago, Roberto tiene que modificar sus hábitos alimentarios urgentemente. Si no lo hace, ese estado se repetirá y posiblemente empeorará, afectando gravemente a otros sistemas Zangfu.

El caso de Roberto es un ejemplo de desequilibrio que afecta directamente al sistema Fu; sin embargo hay otros muchos. No es necesario que se traten todos con detalle. Baste decir que los desequilibrios no se limitan a los cinco órganos Yin principales del Zang.

OTROS CUADROS FU

Existe una serie de cuadros relacionados con el sistema de órganos Fu, que se vinculan a su sistema de órganos Zang correspondiente.

- ✦ El Estómago puede estar relacionado con el Bazo
- ✦ La Vejiga puede estar relacionada con el Riñón
- ✦ El Intestino Grueso puede estar relacionado con el Pulmón
- ✦ El Intestino Delgado puede estar relacionado con el Calor
- ✦ La Vesícula Biliar puede estar relacionada con el Hígado

CUADROS DE DESEQUILIBRIO

CONCLUSIÓN

LOS CASOS *que se han descrito ofrecen una panorámica detallada de cómo se pueden afinar los cuadros de los Principios para relacionar los cuadros Zangfu de desequilibrio. Sólo se han ofrecido unos pocos ejemplos para ilustrar el tipo de procedimiento que un especialista en medicina china debe seguir si quiere estudiar los indicios y síntomas que presenta el paciente.*

Además del espectro completo de los desequilibrios del Fu, hay otras combinaciones de cuadros que no se han mencionado aquí. En estas combinaciones se observan relaciones características entre los desequilibrios de ciertos órganos. Por ejemplo, las deficiencias del Yin del Riñón y del Pulmón suelen presentarse al mismo tiempo y reforzarse mutuamente.

También merece la pena recordar que cualquier paciente puede presentar varios cuadros de desequilibrio al mismo tiempo. El terapeuta tiene que ser capaz de identificarlos, sean cuadros de exceso o de deficiencia, y planificar en consecuencia un programa de tratamiento.

¿QUÉ CUADROS SE PUEDEN ENCONTRAR?

PUEDE que sea útil finalizar esta parte del libro ofreciendo al lector la oportunidad de intentar identificar los cuadros que pueden estar presentes en un ejemplo determinado. Hay que recordar que este libro no pretende ser una guía para la práctica de la medicina china, sino que su intención es ayudar a pensar con los esquemas mentales de un terapeuta que practica esa medicina.

En primer lugar lea el siguiente caso e intente determinar cuál es el origen del problema. Anote cuidadosamente cualquier indicio o síntoma que pueda identificar y clasifíquelos en las categorías de los ocho principios:

Yin	Yang
Interior	**Exterior**
Frío	Calor
Deficiencia	**Exceso**

Determine si el trastorno es de naturaleza predominantemente Yin o Yang. Finalmente, ¿cree que el cuadro que ha identificado puede asociarse a algún cuadro Zangfu?

María es una enfermera de 32 años. Está inmersa en un proceso de divorcio y lucha con su ex marido por la custodia de sus dos hijos. Además, hace poco la han ascendido en el trabajo y está sometida a una gran presión para satisfacer las exigencias de su nuevo cargo.

Se queja de una sensación de distensión abdominal, peso en el pecho y una constricción en la garganta. Afirma que no tiene nada de energía y que sus piernas parecen de plomo. Le resulta difícil trabajar con sus pacientes. Estos síntomas se agravan unos días antes de la menstruación y durante estos días está de muy mal humor e irritable con sus hijos y con sus compañeros de trabajo.

Dice que su dieta es equilibrada, pero admite estar algo obsesionada con su peso y a veces se atiborra de ensaladas para luego darse atracones de «comida basura», especialmente cuando se siente muy tensa. Como ella dice: «Siempre que tengo que hablar con mi marido, mi dieta se va al garete».

Su lengua tiene un color rosáceo normal con ligeras marcas de dientes en los lados. Su pulso es nervioso.

¿Qué cree que le puede estar pasando a María? Compare sus conclusiones con mis sugerencias.

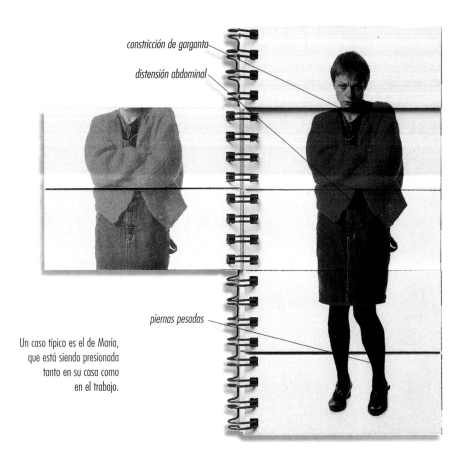

constricción de garganta

distensión abdominal

piernas pesadas

Un caso típico es el de María, que está siendo presionada tanto en su casa como en el trabajo.

TRATAMIENTO

El tratamiento consistiría en favorecer la regularidad del flujo del Qi del Hígado y tonificar el Bazo. María debería adoptar hábitos alimentarios más equilibrados y acudir a alguna terapia de asesoramiento para que la ayude a enfrentarse a su ruptura matrimonial. Por lo que respecta a la medicina china, la acupuntura y la fitoterapia son tratamientos muy adecuados.

CONSIDERACIONES GENERALES

Merece la pena mencionar varios factores acerca de la situación general:

1. *María es enfermera y probablemente realice de vez en cuando algún esfuerzo físico.*
2. *Ocupa un puesto de responsabilidad en su trabajo y está sometida a mucha presión.*
3. *Se encuentra bajo una situación estresante como resultado de su ruptura matrimonial.*
4. *Sus hábitos alimentarios no son los adecuados.*
5. *Emocionalmente, es muy inestable e irritable.*

¿QUÉ LE PASA A MARÍA?

Es probable que el problema sea la tensión en el trabajo y en su vida familiar. Esta situación ha provocado un estancamiento del Qi del Hígado, lo que se deduce del cuadro de estallidos emocionales (que empeoran antes de la menstruación), la constricción de la garganta y el pulso nervioso.

Posiblemente este desequilibrio del Hígado haya invadido también el Bazo, que ya de por sí es deficiente debido a unos irregulares e inconsistentes hábitos alimentarios. Esta situación produce síntomas de deficiencia de Qi, como la sensación de estar hinchada, piernas pesadas y letargo generalizado. Las ligeras marcas de dientes en la lengua indican asimismo una deficiencia del Qi del Bazo. Por tanto, el diagnóstico es estancamiento del Qi del Hígado (cuadro de exceso) y deficiencia del Qi del Hígado (cuadro de deficiencia).

慨 診 治 前
念 斷 療

Conceptos básicos Diagnósticos Tratamientos Información Complementaria

El MÉTODO
CHINO DE
TRATAMIENTO

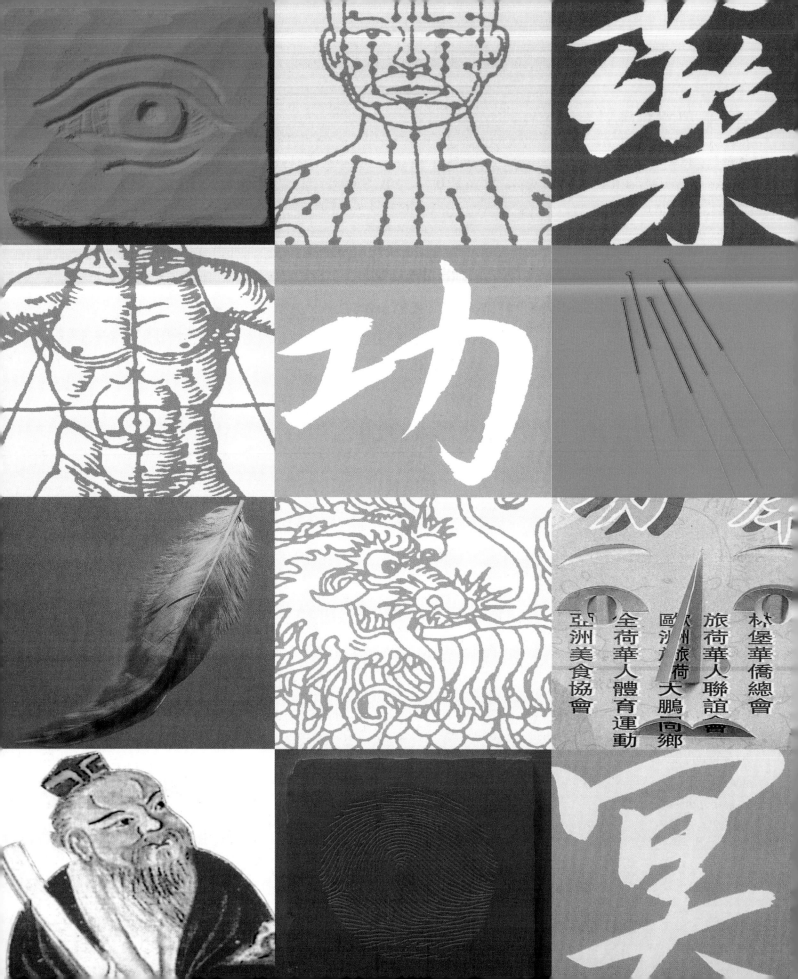

藥

功

林堡華僑總會
旅荷華人聯誼會
歐洲旅荷大鵬同鄉
區旅荷
全荷華人體育運動
亞洲美食協會

LAS MODALIDADES

UNA VEZ establecidos los principios básicos de la concepción china del cuerpo humano y sus disfunciones, se pueden describir los diversos métodos (o modalidades) que se han desarrollado para tratar los desequilibrios y facilitar el regreso del paciente a una buena salud. Esos métodos son: la acupuntura, la fitoterapia, la moxibustión, las ventosas (cupping), el masaje de digitopuntura, el Qigong, la dieta y los factores relacionados con el estilo de vida (incluido el Feng Shui).

La medicina surge de la necesidad de evitar el dolor y mantener alejada la enfermedad, así como del deseo de una vida sana y plena. El objetivo de las distintas filosofías, principios y teorías es idear formas de tratamiento que funcionen.

Como se ha podido comprobar anteriormente, la medicina china cuenta con un trasfondo filosófico y teórico tan rico como la misma experiencia humana. Pero lo que en verdad está enraizado en múltiples generaciones es el hecho de que ha desarrollado métodos de tratamiento prácticos capaces de aliviar el sufrimiento humano.

El objetivo de este libro es desvelar a los lectores cómo la medicina china les puede ayudar a abordar sus preocupaciones sobre la enfermedad y la salud. Sin embargo, no enseña a «practicarla». Lo que pretende es desmitificar el proceso, no dar trucos de «cómo hacerlo usted mismo». Desde los primeros capítulos, se ha podido ver que la medicina china, aunque lógica, elegante, sutil y holística, no es en absoluto sencilla. En este libro se describen algunos ejercicios y técnicas que se pueden realizar en casa y se dan algunos consejos útiles; pero el mensaje general es bastante claro: si lo que se desea es solucionar problemas de salud específicos con la ayuda de la medicina china, se debe acudir a un profesional experto y cualificado.

Por tanto, si en este apartado se explican los distintos métodos es para esbozar simplemente las relaciones entre los tratamientos en general y los principios básicos de la medicina china. Sin embargo, no se da la localización de ningún punto de acupuntura ni se da información alguna sobre qué plantas medicinales se deben usar para tratar un desequilibrio concreto, ni se describen los ejercicios Qigong específicos. Todos los tratamientos en medicina china requieren de una formación profesional adecuada y en los libros, por muy rigurosos o bien escritos que estén, sólo pueden ser abordados de una manera muy superficial.

Al menos desde el año 200, se ha defendido el ejercicio terapéutico para sostener y restaurar la armonía.

La hierba Si Di Huang. Las primeras referencias de fitoterapia china se remontan al 300 a.C.

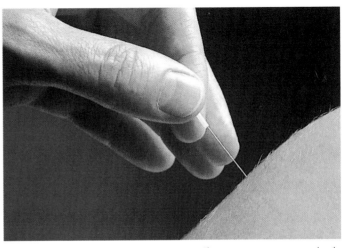

El tratamiento por acupuntura se describe en el *Neijing*, un importante texto médico chino que data del 200 a.C.

TRATAMIENTOS

ODOS *los tratamientos tienen objetivos y propósitos comunes. Los principios que subyacen en todas las formas de tratamiento proceden del cuadro de los Ocho Principios, desarrollados en el tratamiento de los desequilibrios del Zangfu. Una excelente analogía la constituye una olla a presión, un ejemplo que ayuda a comprender los objetivos de cualquier forma de tratamiento.*

Cuando la olla funciona correctamente, la presión que hay dentro se mantiene a un nivel óptimo para cocinar el alimento. Esto se consigue elevando la olla a la temperatura apropiada y manteniendo su nivel por medio de una sencilla válvula. Todo el sistema se encuentra en un equilibrio dinámico y la energía se utiliza para conseguir el fin para el que fue diseñado el sistema. Sin embargo, pueden surgir problemas.

EXCESO

Si la válvula se obstruye y la presión que hay en el interior de la olla supera el nivel óptimo, todo el sistema se volverá inestable. A no ser que se tome alguna medida inmediata, la olla a presión puede explotar. Se puede decir que la olla ha sufrido un problema de exceso, que debe ser reducido para restablecer el equilibrio.

DEFICIENCIA

Si la válvula es defectuosa y la presión se pierde con más rapidez que se acumula, la olla puede tardar una eternidad en cocer el alimento, o quizá ni lo cueza si la presión se pierde totalmente. En este caso, la olla sufre un problema de deficiencia. El sistema necesita ser tonificado para que la presión adquiera el nivel máximo necesario para conseguir el equilibrio.

TRATAMIENTO

Cuando en el desequilibrio se observa un problema de exceso, el tratamiento debe centrarse en primer lugar en la reducción del estrés y en deshacerse de los factores que han originado ese exceso. Si se da un desequilibrio por deficiencia, es necesario que el tratamiento se centre en tonificar la deficiencia y en asegurarse de que la energía se mantenga a un nivel apropiado para asegurar la salud y el bienestar.

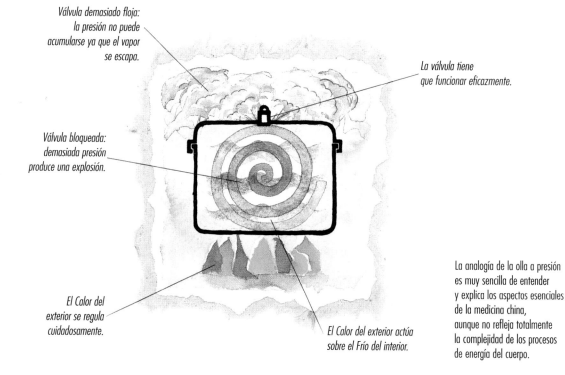

Válvula demasiado floja: la presión no puede acumularse ya que el vapor se escapa.

La válvula tiene que funcionar eficazmente.

Válvula bloqueada: demasiada presión produce una explosión.

El Calor del exterior se regula cuidadosamente.

El Calor del exterior actúa sobre el Frío del interior.

La analogía de la olla a presión es muy sencilla de entender y explica los aspectos esenciales de la medicina china, aunque no refleja totalmente la complejidad de los procesos de energía del cuerpo.

PRINCIPIOS DE CALOR Y FRÍO

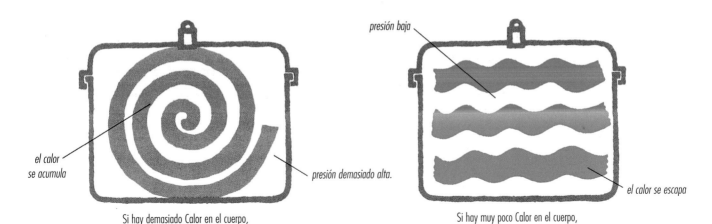

el calor se acumula

presión demasiado alta.

Si hay demasiado Calor en el cuerpo, debe ser expulsado.

presión baja

el calor se escapa

Si hay muy poco Calor en el cuerpo, hay que calentarlo.

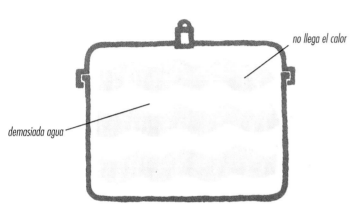

no llega el calor

demasiada agua

Si hay demasiada agua (Humedad) en el cuerpo, se puede convertir en Flema por la acción del Calor interno. Esa Humedad necesita ser drenada (o corregida), al igual que en la olla hay que eliminar el exceso de agua.

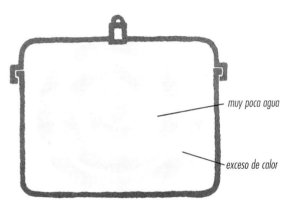

muy poca agua

exceso de calor

La insuficiencia de Fluidos Corporales hace que el cuerpo aparezca seco y escamoso. Hay que favorecer la producción de fluidos y equilibrar el Calor (algo similar a la olla, en que se añade agua y se ajusta el calor).

La analogía de la olla a presión puede demostrar también los Principios de Calor y Frío. La olla requiere cierta cantidad de Calor para funcionar correctamente. De forma similar, el cuerpo requiere un nivel óptimo de Calor para que funcione de forma eficaz: demasiado Calor ocasiona un problema de exceso, mientras que muy poco puede causar un problema de deficiencia. Si se presenta demasiado Frío, también se produce un estado de exceso, de la misma forma que si la olla a presión se expone a un Frío extremo, sus fluidos se congelan, se dilatan y pueden causar un gran daño.

ASPECTOS ESENCIALES DE TRATAMIENTO

▶ *Cuando existe una deficiencia, la energía debe ser tonificada.*

▶ *Cuando existe un exceso, la energía debe ser reducida.*

▶ *En caso de demasiado Calor, éste debe eliminarse o enfriarse.*

▶ *En caso de demasiado Frío, éste debe eliminarse o calentarse.*

▶ *En caso de Humedad, ésta debe reducirse.*

▶ *En caso de Flema, ésta debe reducirse.*

LAS MODALIDADES

DIAGNÓSTICOS

N PROBLEMA *que surge cuando estamos buscando ayuda de la medicina china es que hay muy pocos terapeutas o prácticas que ofrezcan todas las modalidades. Por ejemplo, un número cada vez mayor de profesionales están formados y cualificados en acupuntura, pero un número mucho más pequeño está formado también en fitoterapia china. Mientras que en la medicina convencional existe una red muy desarrollada de especialidades y de sistemas para enviar a los pacientes a un especialista, en medicina china los pacientes tienen que tomar sus propias decisiones acerca de dónde buscar ayuda. Recuerde que es esencial consultar a un terapeuta cualificado, ya que está poniendo su salud en las manos de otra persona.*

Para descubrir qué modalidad de la medicina china es la que más le conviene, es necesario pedir consejo a un profesional. Sin embargo, el siguiente método jerárquico puede ofrecer algunos consejos generales:

La medicina china ofrece muchas formas para sentirse bien.

Se encuentra muy bien pero desea utilizar los principios y los métodos de la medicina china para seguir estando bien y saludable.

✦ Piense en una dieta adecuada y en los principios generales del estilo de vida.

✦ Considere asistir a clase de Tai chi y de Qigong.

✦ Puede ser apropiado recibir un masaje de digitopuntura que le relaje y tonifique.

Padece un dolor o molestia leve, posiblemente como resultado de una lesión. El problema es agudo y superficial, generalmente a nivel de los canales.

✦ El masaje de digitopuntura resulta útil.

✦ Puede ser conveniente la autoestimulación de los puntos de acupuntura con la presión de los dedos.

✦ Pueden ayudar los ejercicios de Qigong.

Tiene un problema menor no resuelto.

✦ Consulte con un terapeuta profesional; la acupuntura es a veces más eficaz para tratar los problemas de estancamiento resistentes en los canales y colaterales.

✦ Puede probar la digitopuntura y la moxibustión. A veces se emplean como parte de un régimen de auto-ayuda (sometido al consejo del especialista).

No se siente muy bien, ya sea por un problema agudo reciente o por un problema crónico de hace tiempo.

✦ Consulte con un terapeuta profesional de acupuntura o con un fitoterapeuta.

No se siente muy bien; su vida está desequilibrada y se nota vulnerable. Le resulta difícil concretar qué es lo que le pasa.

✦ Consulte con un profesional para aclarar la naturaleza de cualquier cuadro de desequilibrio.

✦ Puede consultar con un especialista en Feng Shui para analizar la dinámica de la energía de su hogar o su lugar de trabajo (las energías ambientales pueden interferir con sus propias energías biológicas).

中藥

PREVENCIÓN

EL OBJETIVO *ideal de cualquier sistema de medicina es evitar que aparezcan las enfermedades y los desequilibrios. Por este motivo, las modalidades de la medicina china pueden tener algo que ofrecer a todas esas personas que desean cuidarse mejor y a la vez seguir en forma y gozando de un excelente estado de salud.*

En general, la acupuntura y la fitoterapia siguen siendo el coto vedado de los terapeutas profesionales y es muy probable que ambas modalidades se consideren cuando surge algún desequilibrio. Sin embargo, es posible utilizar ambas también con un papel preventivo.

FITOTERAPIA

Ciertas preparaciones herbales patentadas se emplean para tonificar el Qi y la Sangre, con lo que se favorece el funcionamiento correcto del sistema energético del cuerpo. Pero ningún producto basado en hierbas chinas se puede identificar con un elixir de la buena salud. Además, ciertos remedios tomados sin asesoramiento resultan contraproducentes (el ginseng –Ren Shen–, por ejemplo). Lo mejor es consultar a un fitoterapeuta antes de automedicarse, aunque sólo sea con un propósito preventivo.

ACUPUNTURA

La acupuntura también se puede utilizar de una manera preventiva. Un cerebro que trabaja en exceso puede dañar el Bazo y causar una deficiencia del Qi. La acupuntura, empleada habitualmente para tonificar el Bazo, es útil en esas situaciones que requieren una intensa actividad mental, como por ejemplo cuando se está estudiando mucho para un examen.

ESTILO DE VIDA

Para conservar una buena salud, la medicina china resulta absolutamente beneficiosa en lo que respecta a las prácticas relacionadas con el estilo de vida. La mayoría de los consejos sobre dieta,

hábitos y ejercicio físico no son exclusivos de la medicina china, sino que forman parte del patrimonio del sentido común, pero algunas de las ideas relacionadas con los hábitos alimentarios pueden desafiar ciertos «principios sagrados» (comer una gran cantidad de alimentos crudos y fríos, como ensaladas, puede considerarse muy perjudicial desde el punto de vista de la medicina china).

Aprender Qigong o Tai chi es una excelente forma de mantener una buena salud, pero es importante encontrar un profesor experto y de renombre. Una consulta de Feng Shui aplicada a las energías del hogar o lugar de trabajo provoca cambios que mejoran muchos aspectos de nuestra vida, pero, de nuevo, lo importante es pedir consejo a un profesional fiable.

La práctica de la medicina china puede convertirse en una parte importante de un estilo de vida saludable. En los siguientes capítulos, se considerará la relevancia que puede tener en la vida diaria.

Si se está en las manos de un profesional experimentado, cada modalidad puede ayudar a tonificar el cuerpo para evitar las enfermedades.

ACUPUNTURA

L<small>A IMAGEN</small> *del cuerpo humano atravesado por finas agujas de forma aparentemente aleatoria es quizá la más estereotipada de la medicina china. En honor a la verdad, es difícil imaginar cómo este tipo de terapia resulta beneficiosa para el tratamiento de* problemas particulares. *Para la mayoría de las personas de Occidente, la medicina china comienza y termina con esa imagen en cierto modo misteriosa, extraña y cuestionada o temida. Pero los chinos han estado usando y perfeccionando las técnicas de la acupuntura desde hace más de 3.000 años, y con notables resultados.*

Las primeras «agujas» de acupuntura están bastante alejadas del instrumental refinado que se emplea actualmente.

Hay que recordar, sin embargo, que la acupuntura ha evolucionado como ciencia esencialmente empírica; en otras palabras, es un cuerpo de conocimiento que se ha desarrollado a partir de la observación continua y sistemática del efecto de la inserción de agujas en zonas y puntos específicos del cuerpo. Inicialmente, se utilizaron agujas rudimentarias, fabricadas con piedras, bambú o huesos de animales afilados, para «eliminar las obstrucciones de los canales y regular el flujo de la Sangre y del Qi». Esta cita, fechada en algún momento entre el 200 a.C. y el 100 d.C., sugiere que la teoría de la acupuntura ya llevaba siglos asentada. Con el tiempo, esta práctica inicial de insertar agujas en los puntos «ashi» (donde se siente el dolor) se desarrolló de forma sistemática; se articuló el modelo energético del Qi, del Jing, de la Sangre y de los Fluidos, y los flujos de energía se representaron mediante los meridianos del cuerpo. Se identificaron los puntos específicos y se registraron sus acciones. Todavía en la actualidad, la teoría de la acupuntura continúa desarrollándose y perfeccionándose.

En la práctica clínica, la acupuntura está muy lejos de esos primeros tanteos, pero las teorías y los principios siguen siendo los mismos.

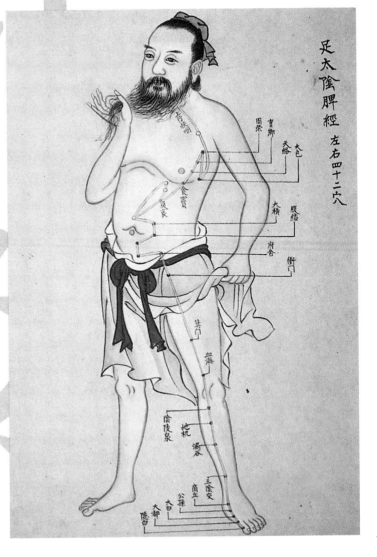

La acupuntura siempre
ha ido precedida
por un prolongado
← diagnóstico.

Los puntos de acupuntura
(«ashi») están exhaustivamente
documentados a lo largo
de los siglos.

ACUPUNTURA

131

CÓMO AYUDA LA ACUPUNTURA

EN MEDICINA china puede surgir un desequilibrio debido a una multitud de factores, entre ellos:

▶ *Una deficiencia o un exceso de la energía Yin o Yang del cuerpo.*

▶ *Una invasión de un factor patógeno externo, que puede ser superficial en el exterior del cuerpo o penetrar más profundamente en el interior.*

▶ *Un problema al nivel de los canales o de los colaterales, que puede afectar al funcionamiento del sistema Zangfu interno del cuerpo.*

▶ *Por Calor o Frío asociados con el desequilibrio.*

El diagnóstico del desequilibrio del paciente siguiendo el cuadro de los Ocho Principios permite comprender lo que el tratamiento desea conseguir. La acupuntura actúa abordando los principios de tratamiento identificados. Por ejemplo, cuando se ha identificado un cuadro de deficiencia, se usa la acupuntura para tonificar el sistema energético apropiado del cuerpo. Como la medicina china considera que toda enfermedad es un proceso de desequilibrio energético que la acupuntura puede ayudar a restablecer, no hay trastornos para los que esta forma de tratamiento sea inapropiada. Los trastornos en los que la acupuntura puede ayudar, así como la forma de hacerlo, se resumen en la tabla adjunta.

Hay muy pocas situaciones en las que esté contraindicado el uso de la acupuntura. Las más comunes son las siguientes:

▶ Cuando el paciente sufre de hemofilia.

▶ Cuando la paciente está embarazada (ciertos puntos y manipulaciones de la aguja están contraindicados durante el embarazo).

▶ Cuando el paciente sufre de un grave trastorno psicótico o ha consumido recietemente drogas o alcohol. Aunque la acupuntura suele estar contraindicada en estas circunstancias, resulta muy útil en los tratamientos de rehabilitación que se realizan por abuso de drogas o alcohol.

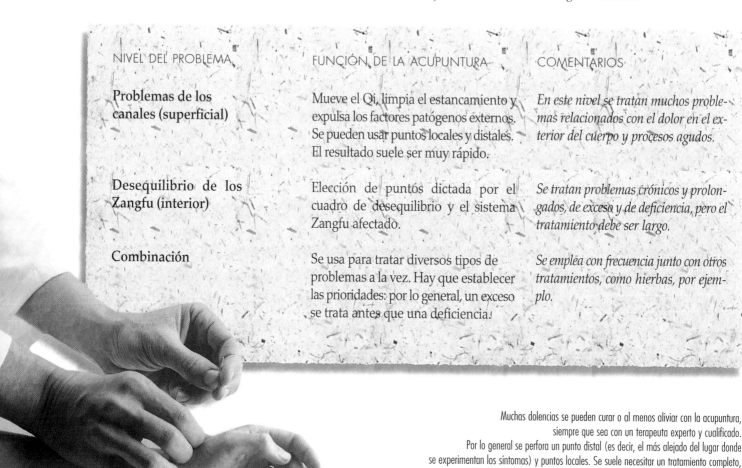

NIVEL DEL PROBLEMA	FUNCIÓN DE LA ACUPUNTURA	COMENTARIOS
Problemas de los canales (superficial)	Mueve el Qi, limpia el estancamiento y expulsa los factores patógenos externos. Se pueden usar puntos locales y distales. El resultado suele ser muy rápido.	*En este nivel se tratan muchos problemas relacionados con el dolor en el exterior del cuerpo y procesos agudos.*
Desequilibrio de los Zangfu (interior)	Elección de puntos dictada por el cuadro de desequilibrio y el sistema Zangfu afectado.	*Se tratan problemas crónicos y prolongados, de exceso y de deficiencia, pero el tratamiento debe ser largo.*
Combinación	Se usa para tratar diversos tipos de problemas a la vez. Hay que establecer las prioridades: por lo general, un exceso se trata antes que una deficiencia.	*Se emplea con frecuencia junto con otros tratamientos, como hierbas, por ejemplo.*

Muchas dolencias se pueden curar o al menos aliviar con la acupuntura, siempre que sea con un terapeuta experto y cualificado. Por lo general se perfora un punto distal (es decir, el más alejado del lugar donde se experimentan los síntomas) y puntos locales. Se suele necesitar un tratamiento completo, aunque a veces los resultados son inmediatos y espectaculares.

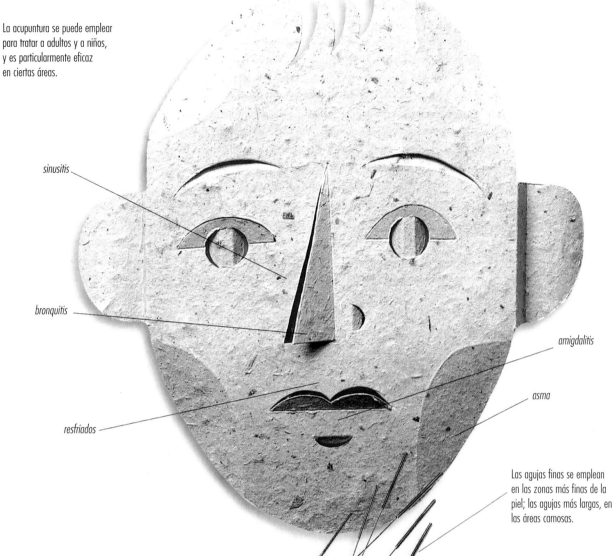

La acupuntura se puede emplear para tratar a adultos y a niños, y es particularmente eficaz en ciertas áreas.

sinusitis

bronquitis

resfriados

amigdalitis

asma

Las agujas finas se emplean en las zonas más finas de la piel; las agujas más largas, en las áreas carnosas.

No existen contraindicaciones para el uso de la acupuntura en pacientes con trastornos relacionados con el VIH, aunque deben realizarse rigurosas prácticas de higiene. Dada la naturaleza energética de la mayoría de esos trastornos, la acupuntura resulta muy útil en pacientes que padecen sida, ya que trata un desequilibrio particular de forma muy específica y con frecuencia de forma más eficaz que los medicamentos. La acupuntura no ofrece una curación para el sida, pero puede ayudar a soportar los diversos síntomas relacionados con esta enfermedad.

En algunos procesos, como la psoriasis o el eczema, la acupuntura tiene un éxito limitado, pero puede resultar eficaz si se combina con otros tratamientos, como los remedios herbales.

En Occidente, el problema de muchos acupuntores es que la mayoría de sus pacientes sufre de largas enfermedades crónicas. Para ellos, la acupuntura suele ser su último recurso. En tales situaciones es probable que el progreso sea lento y requiera un gran número de tratamientos. Por supuesto, éste no siempre es el caso; a veces la acupuntura produce resultados rápidos y espectaculares. Además, en Occidente, cada vez más pacientes eligen este tratamiento como primera opción para su salud y las enfermedades que están siendo tratadas satisfactoriamente con la acupuntura no dejan de aumentar.

Lo primero que deben hacer esos pacientes que piensan someterse a un tratamiento de acupuntura es convencerse de que esta técnica ayudará a su enfermedad. Después, y suponiendo que consultan a un terapeuta experto y preparado, podrán tratar con detalle lo que la acupuntura es capaz de hacer por su problema concreto.

ACUPUNTURA

HERRAMIENTAS Y TÉCNICAS

AGUJAS

Las primeras agujas se fabricaron de piedra, bambú y huesos de animales afilados y, a lo largo de los siglos, las técnicas se perfeccionaron para producir agujas de acero muy finas. Inicialmente, las agujas se esterilizaban y se volvían a reutilizar, y esta práctica continúa vigente en China. Las normas de esterilización ahora son muy estrictas y los terapeutas deben adoptar medidas muy rigurosas al respecto. Si un terapeuta reutiliza las agujas, el paciente debe preguntar qué tipo de procedimiento de esterilización está utilizando. (A causa del VIH y de los trastornos relacionados, ni los pacientes ni los terapeutas pueden permitirse no ser escrupulosos en la limpieza de la aguja.)

Sin embargo, la práctica más habitual en Occidente es el uso de agujas desechables, fabricadas y empaquetadas en condiciones estériles en paquetes plastificados o en paquetes con tubos guía. Los diferentes fabricantes adoptan métodos de empaquetado distintos, pero el principio (un solo uso) sigue siendo el mismo. Las agujas usadas se recogen en una caja especial y después se incineran.

Las agujas están disponibles en varias longitudes y grosores. La elección de la aguja que se va a utilizar se deja a juicio del especialista, pero generalmente está regida por el punto que se va a perforar y el efecto que el terapeuta está buscando. Las agujas más utilizadas varían entre los 12 y los 76 mm. Las más largas se utilizan de forma esporádica; por ejemplo, las agujas muy lar-

Las agujas se presentan en paquetes estériles.

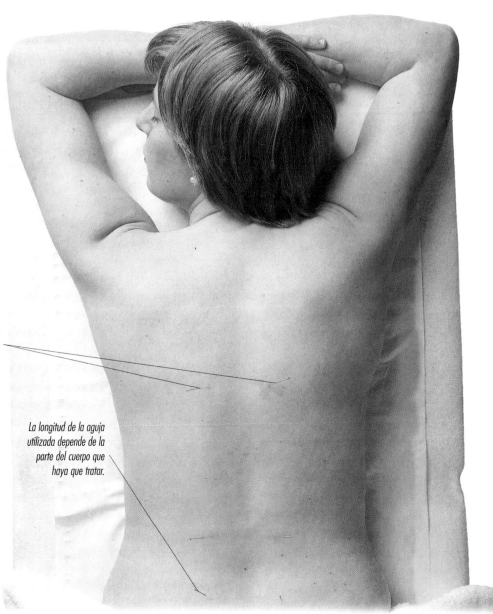

Las agujas se insertan en pares sobre puntos emparejados del canal de la Vejiga.

La longitud de la aguja utilizada depende de la parte del cuerpo que haya que tratar.

Esta paciente con un dolor lumbar tiene agujas insertadas en los puntos ashi de la espalda para dispersar la energía estancada de los músculos.

Las zonas óseas, como la frente,
se perforan superficialmente,
con la aguja insertada en ángulo.

En áreas carnosas, como
las nalgas, las agujas se suelen
insertar verticalmente.

gas y finas se emplean a veces para seguir la línea de los meridianos alrededor del cuero cabelludo, justo debajo de la piel.

Las agujas que se introducen más a fondo se emplean para extraer pequeñas cantidades de sangre de ciertos puntos de acupuntura; por ejemplo, la sangre se puede extraer del punto en el canal de los Pulmones, situado en el borde exterior del dedo pulgar, con objeto de expulsar un exceso de Calor de los Pulmones. Este tratamiento es también muy eficaz para combatir el dolor de garganta causado por una invasión de Viento-Frío que se ha convertido en Viento-Calor. La aguja tipo «flor de ciruelo» consiste en un pequeño martillito sobre un mango flexible. Se usan hasta doce agujas muy pequeñas y afiladas sobre la cabeza del martillo para golpear suavemente la piel con objeto de estimular el flujo del Qi y de la Sangre en la zona. Generalmente produce un enrojecimiento de la piel y a veces provoca una pequeña hemorragia local y superficial. Estas técnicas están indicadas clínicamente para tratar diversos estados y el especialista debe decidir qué técnica resulta más apropiada después de hablar con el paciente.

La auriculopuntura consiste en insertar agujas en los puntos del oído que se corresponden con las distintas partes del cuerpo, así como con los sistemas Zangfu. Se suelen utilizar agujas convencionales, pero a veces hay que dejar las agujas en esos puntos durante un largo período de tiempo (una semana o más) y entonces, es mejor utilizar agujas de «presión» especiales. Éstas son muy pequeñas y se mantienen en su sitio gracias a un pequeño parche de cinta adhesiva. En algunos casos, estas agujas se reemplazan por pequeñas semillas que se mantienen sin moverse contra el punto del oído y que actúan como una forma de digitopuntura suave sobre el punto en cuestión.

AGUJAS DE ACUPUNTURA

Hoy en día, en acupuntura se utiliza una gran variedad de agujas, que dependen de la zona del cuerpo que sea necesario perforar y del efecto terapéutico deseado.

AGUJA DE ACERO INOXIDABLE

Estas agujas varían de tamaño desde los 7 mm a los 50 mm.

MANGOS RECUBIERTOS DE COBRE

La moxa se quema en el extremo de estas agujas.

PRISMÁTICA

Esta aguja se emplea para sacar sangre.

AURICULAR

Las agujas de presión para auriculopuntura.

«FLOR DE CEREZO»

La aguja «flor de cerezo» (a la derecha) para dar golpecitos sobre la piel.

治療

TÉCNICAS DE INSERCIÓN DE AGUJAS

Puede que el paciente piense que una vez que se ha insertado una aguja en el punto adecuado, no sucede nada más hasta que se retira.

Sin embargo, esta idea está lejos de ser cierta. La sutileza y la habilidad del acupuntor implican mucho más que localizar el punto exacto sobre el cuerpo; la aguja debe ser insertada y manipulada correctamente para conseguir el deseado efecto terapéutico. En todos los casos, el terapeuta pretende acceder con la aguja al flujo del Qi del paciente. La sensación de alcanzar el Qi se llama *deqi*, que literalmente significa «adquirir el Qi», y lo pueden sentir tanto el paciente como el terapeuta. El paciente puede sentir el deqi como un cosquilleo o una sensación de entumecimiento. En ocasiones, la sensación se puede extender incluso por toda la línea del canal. Es muy difícil describir la experiencia, pues difiere de forma considerable de la sensación de cuando nos ponen una inyección, por ejemplo.

Sin embargo, cuando se siente, el deqi no se olvida nunca y el paciente llega incluso a indicar al terapeuta cuándo ha alcanzado la aguja el punto correcto. El terapeuta experto y sensible también puede sentir cuándo se alcanza el deqi aunque le resulta bastante difícil describirlo.

Los terapeutas que adoptan el método de los Cinco Elementos suelen insertar la aguja muy superficialmente y la retiran tan pronto como se alcanza el deqi. Los especialistas en medicina tradicional china, la práctica

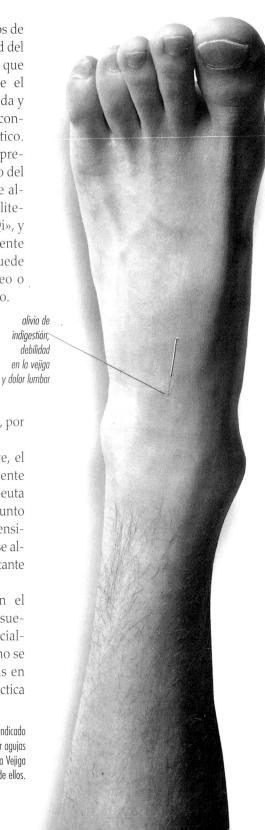

alivio de indigestión, debilidad en la vejiga y dolor lumbar

En este caso, la lectura del pulso ha indicado la necesidad de insertar agujas en los canales del Estómago y de la Vejiga para acumular el Qi en cada uno de ellos.

más habitual en China y en Occidente, insertan la aguja a un nivel mucho más profundo para conseguir el deqi y luego mantienen las agujas insertadas en ese mismo punto entre diez minutos y una hora aproximadamente, dependiendo del estado y el efecto requerido por el tratamiento.

Como se ha observado previamente, hay estados en los que el Qi es deficiente y estados en los que hay un exceso. Si se identifica un estado de deficiencia, el tratamiento debe potenciar la tonificación, mientras que en un estado de exceso, debe enfatizar la reducción.

Por lo general se adoptan tres tipos de técnicas de inserción de agujas:

▶ *La técnica de refuerzo: cuando se pretende reforzar una deficiencia.*

▶ *La técnica de reducción: cuando se pretende reducir un exceso.*

▶ *La técnica uniforme: cuando no hay razón aparente para reforzar o reducir abiertamente.*

Estas técnicas consisten en aflojar y presionar la aguja en el punto elegido, rotar la aguja de una forma determinada cuando se haya alcanzado el deqi y, a veces, golpear y manipular el mango de la aguja con el dedo. La técnica específica adoptada suele ser cuestión de elección o preferencia personal del terapeuta, aunque sea cual sea debe ser realizada por un experto acupuntor. Hay otras técnicas de inserción de agujas más complejas que se emplean en circunstancias muy específicas.

Dependiendo de los principios terapéuticos seguidos, el especialista puede utilizar diferentes técnicas de inserción de agujas en puntos distin-

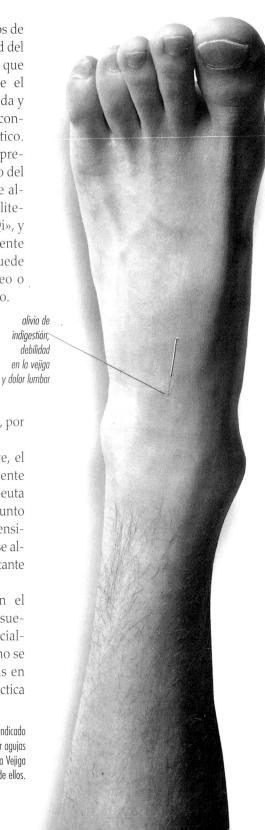

中藥

Se puede golpear ligeramente la aguja
para mejorar la calidad del Qi.

tos; pero en todos los casos la disposición mental del especialista es tan importante como la manipulación física de la aguja. Se dice en medicina china que el Qi sigue a la disposición mental, y si la mente está distraída, el Qi se dispersa. Por tanto, hay que destacar que el verdadero terapeuta siempre será consciente de lo que el paciente desea conseguir con cada aguja que inserta. Una técnica de inserción de agujas eficaz no puede compensar una mente descentrada y con un propósito poco claro de lo que se requiere.

La forma de insertar la aguja viene dictada por el área del cuerpo que tiene que ser tratada. En extensas zonas carnosas, como las nalgas y ciertas partes del tronco, la inserción puede ser profunda y la manipulación de las agujas bastante vigorosa. En la cara, donde la piel es fina, la inserción debe ser muy superficial y con frecuencia la aguja se inserta de forma transversal bajo la piel y sobre el hueso. La manipulación de la aguja en estos casos suele ser bastante

menos agresiva. Hay otros factores que influyen en la inserción de las agujas y son los siguientes:

▶ La morfología del paciente. Los cuerpos grandes que están bien dotados dezonascarnosas se tratan de forma ligeramentediferente que los cuerpos delgados y nervudos, donde hay poca carne libre.

▶ Los pacientes ancianos o muy débiles. Las técnicas de inserción son menos agresivas en estos pacientes que en jóvenes y fuertes.

▶ Los bebés y los niños pequeños. Estos pacientes suelen tener sistemas energéticos muy sensibles y la inserción de agujas debe ser más especializada. Consiste a menudo en una breve punción del punto apropiado y la inmediata retirada de la

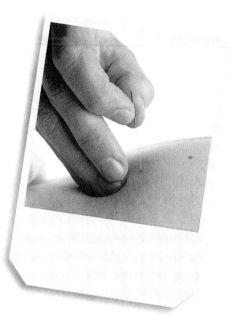

La rotación vigorosa de la aguja
remueve el estancamiento del Qi.

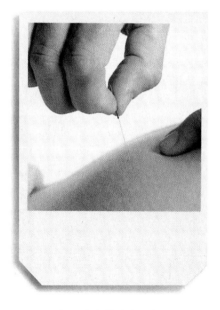

La manipulación de la aguja
puede reforzar el Qi en el meridiano.

aguja una vez que se sienta el deqi. La acupuntura pediátrica es una especialidad médica y los terapeutas suelen requerir una formación adicional para tratar eficazmente a los más pequeños.

TEORÍA Y PRÁCTICA

A pesar de que los meridianos no se pueden identificar físicamente, su existencia está demostrada por la observación del efecto de la estimulación en diversos puntos de presión. La teoría y la práctica de la acupuntura se desarrollaron de común acuerdo cuando los terapeutas observaban los efectos de las diferentes clases de inserción en distintas zonas específicas del cuerpo.

ACUPUNTURA

137

¿QUÉ SUCEDE EN UNA SESIÓN DE ACUPUNTURA?

LA MAYORÍA de los pacientes se muestran ansiosos e indecisos cuando deciden someterse por primera vez a un tratamiento de acupuntura. Para aliviar algunos de estos miedos, las siguientes páginas describen una sesión habitual. Por supuesto, puede haber variaciones entre los distintos profesionales, pero todos ellos comparten ciertos elementos genéricos.

Antes del primer tratamiento, el paciente se puede sentir un poco nervioso.

¿ES SEGURA LA ACUPUNTURA?

Un motivo de ansiedad muy habitual y comprensible en los nuevos pacientes es si es seguro que el cuerpo esté punzado por agujas. Si el especialista no sabe lo que está haciendo, podría causar daños con una aguja de acupuntura. Sin embargo, el experto sabe cómo usar las agujas de forma segura y eficaz, y sabe además cómo evitar cualquier zona «peligrosa». Hay que tener un cuidado especial en el área de los pulmones que se encuentra en la parte superior de la espalda, donde la inserción vertical directa de una aguja podría provocar un neumotórax (o punción del pulmón). Lo que está claro es que si se emplean las técnicas de inserción correctas, no existe ningún peligro. Por ello es tan importante contactar con un profesional especializado. En manos de estos especialistas, la acupuntura es una forma eficaz y segura de tratamiento.

LA ENTREVISTA

LA ACUPUNTURA no es diferente a cualquier otra forma de interacción humana en la que tenga lugar un proceso terapéutico; un requisito muy importante para conseguir un tratamiento satisfactorio es establecer una corriente de simpatía entre el terapeuta y el paciente. Como la acupuntura es un proceso en el que las energías del terapeuta interactúan con las del paciente por medio de las agujas, la importancia de una relación confiada, abierta y confidencial no debe ser pasada por alto.

El tratamiento por acupuntura no sólo es un proceso mecánico en el cual una persona inserta agujas de acero en otra. Es en realidad un proceso físico, psicológico y espiritual combinado, y debería respetarse como tal.

El terapeuta registra el historial básico del paciente y le pide que describa el problema para el que pide ayuda. El especialista organiza entonces esta información de una forma coherente dentro del marco de la medicina china. Como ya se ha descrito antes, se consigue mediante los cuatro exámenes: ✦ Examen visual ✦ Auscultación y examen olfativo (escuchar y oler) ✦ Historial ✦ Palpación.

La información obtenida por cada una de estas cuatro áreas se sintetiza en una imagen general. «El examen visual» consiste en observar el aspecto físico del paciente, incluyendo la observación de la lengua. «La auscultación y examen olfativo» puede revelar datos importantes acerca de si el problema es de exceso o de deficiencia, aunque es justo decir que los terapeutas occidentales se marcan un límite en lo que a oler activamente a sus pacientes se refiere. Incluso la medicina china debe adaptarse a las normas y costumbres culturales que perviven en Occidente. «El historial» permite al terapeuta explorar una serie de aspectos que conformarán una imagen más completa del desequilibrio del pa...

Al finalizar este proceso de diagnóstico, que puede llevarle de media hora a una hora, el terapeuta habrá recopilado una gran cantidad de información que organizará en relación con el cuadro de los Ocho Principios de Yin/Yang, Interior/Exterior, Frío/Calor, Deficiencia/Exceso. Esta información le posibilita identificar la naturaleza del desequilibrio y de cualquier sistema Zangfu que puede estar directamente afectado. En la mayoría de los casos, los cuadros son interacciones complejas y se requiere el sentido común para identificar los desequilibrios principales y los secundarios, y para establecer prioridades en un plan de tratamiento consecuente. Como es bastante improbable que todos los componentes de la entrevista apunten sin ambigüedades a la misma dirección, el terapeuta debe buscar el modelo «que mejor se adapte» a partir de la información que ha reunido.

DISCUSIÓN CONTRACTUAL

Una vez que el terapeuta ha finalizado la entrevista, formula un diagnóstico teniendo en mente una estrategia de tratamiento. En este momento es importante que comparta la información con el paciente.

El terapeuta debe explicar al paciente la naturaleza del problema y el tratamiento sugerido de la forma más clara posible y que el paciente pueda comprender. El terapeuta está obligado a compartir su opinión con el paciente y el paciente no debería esperar ni aceptar menos.

En casi todos los casos, es bastante improbable que una única sesión de acupuntura sea suficiente para resolver el problema. Con mucha más frecuencia, sobre todo en caso de procesos prolongados y crónicos, serán necesarias varias sesiones, a lo largo de varias semanas o meses. El terapeuta debe aclarar al paciente en qué medida puede esperar que la acupuntura ayude a solucionar su problema; y le debería ex-

Antes de determinar el tratamiento que va a aplicar, el acupuntor entrevista al paciente para formarse una idea completa del caso. Se toman los pulsos y se examina la lengua del paciente.

plicar cuántos tratamientos aproximadamente le conviene recibir, y durante cuánto tiempo. Ciertos factores, como la forma de responder el paciente a la acupuntura, pueden determinar el grado de progreso y el número de sesiones que se requieren, pero, obviamente, esto no se puede saber antes de que comience el tratamiento. La mayoría de los terapeutas están de acuerdo en que hay que comenzar con cinco a diez sesiones, después de las cuales se valora el progreso y se alcanza un acuerdo posterior. El aspecto central es que, en todas las etapas del proceso, los pacientes deben tener muy claro lo que han pactado o no han pactado con respecto al programa del tratamiento. Algunos pacientes insisten en la firma de un acuerdo con el terapeuta, aunque es bastante infrecuente. Una claridad meridiana entre el terapeuta y el cliente no sólo es importante en términos profesionales y éticos sino también para fijar el programa del tratamiento a un nivel sutil de interacción energética entre el paciente y el terapeuta.

¿QUÉ SE SIENTE EN UN TRATAMIENTO DE ACUPUNTURA?

LA POSICIÓN para el tratamiento está dictada por las agujas que se van a insertar y por otras consideraciones clínicas. Por lo general se usa una camilla de tratamiento donde el paciente se acuesta boca arriba, boca abajo o de lado. En algunos casos puede ser conveniente que se siente en una silla, e incluso habrá veces que se tenga que cambiar de posición en la mitad de un tratamiento para que se puedan insertar agujas en diferentes puntos.

Lo primero que intenta el acupuntor al insertar la aguja es localizar el Qi en el meridiano. Cuando llega (deqi), tanto el terapeuta como el paciente experimentan una sensación, que va desde un dolor sordo y continuo hasta un calambre. Puede que la zona donde se ha insertado la aguja empiece a sentirse pe-

sada y que la sensación experimentada en el punto de la inserción recorra toda la línea del meridiano. Algunas personas son más sensibles a la inserción que otras y experimentan las sensaciones y el malestar en un grado mucho mayor. Sin embargo, una respuesta a la inserción de las agujas no es en sí misma indicativo de que el tratamiento funciona y los pacientes que no experimentan ninguna sensación o que la experimentan en grado muy leve no deberían creer que la acupuntura no está actuando en ellos. Dependiendo del principio de tratamiento, el acupuntor puede ofrecer o no una estimulación posterior a la aguja una

Cuando se insertan las agujas, se experimentan distintas sensaciones leves.

vez que está colocada, con lo que la sensación experimentada por la inserción de la aguja se repite.

Las agujas se suelen dejar insertadas desde unos minutos hasta una hora, aunque veinte minutos es la media.

TRATAMIENTOS ADICIONALES

DURANTE una sesión de acupuntura pueden aplicarse también otras técnicas.

ELECTROACUPUNTURA

En ciertos procesos resulta apropiado estimular el flujo del Qi conectando un par de agujas a una pequeña pila eléctrica de un estimulador electroacupuntor diseñado para ello. Se pueden conectar al mismo tiempo varios pares de agujas y la frecuencia e intensidad del pulso eléctrico varían según el efecto que se pretenda.

MOXIBUSTIÓN

Es bastante común combinar el tratamiento de acupuntura con la moxibustión, que puede ser directa o indirecta. A menudo se quema una moxa sobre el mango de la aguja que se inserta en un punto determinado. *(Véase la página 142 para conocer más detalles de la moxibustión.)*

VENTOSAS (CUPPING)

Las ventosas pueden preceder a un tratamiento de acupuntura en algunos procesos; en otras situaciones se puede situar una ventosa sobre la aguja y mantenerla allí durante algún tiempo. En algunos tratamientos especializados la ventosa puede situarse sobre un punto que ha sido sangrado deliberadamente, estimulando por tanto el flujo de sangre. *(Véase la página 145 para conocer más detalles sobre las ventosas.)*

AURICULOPUNTURA

A veces, durante una sesión de acupuntura, se perforan también los puntos del oído. Se disponen las agujas de presión o las semillas y se conservan allí en el resto de sesiones.

EFECTOS SECUNDARIOS

ALGUNOS pacientes se muestran muy preocupados por los posibles efectos secundarios y por lo que puedan sentir cuando se les retire las agujas. La mayoría de los pacientes no muestra ninguna reacción adversa. Sin embargo, un pequeño número reacciona de forma bastante espectacular a la perforación y sienten mareos, náuseas y vómitos, y en algunos casos pueden llegar incluso a desmayarse durante el tratamiento.

Estas reacciones extremas, conocidas como «shock de la aguja», son muy raras y se pueden aliviar fácilmente si se acuesta al paciente en la posición de recuperación y se retiran las agujas. La digitopuntura sobre puntos específicos puede hacer volver en sí a un paciente que se haya desvanecido. Una sensación ligera de mareo o de náuseas desaparece al cabo de unos pocos minutos.

Hay que tener presente que no es aconsejable someter a un tratamiento de acupuntura a cualquier persona que haya bebido alcohol más o menos una hora antes del tratamiento, o que haya estado consumiendo drogas.

Las mujeres deben informar al terapeuta si existe alguna posibilidad de que estén embarazadas, pues durante el embarazo hay ciertos puntos de acupuntura que se deben evitar. Por supuesto es responsabilidad del terapeuta preguntar a las pacientes si pueden estar embarazadas.

sensación de mareo

ligera náusea

Se pueden sentir las sensaciones a través de un meridiano. Pero las reacciones adversas son muy raras.

MOXIBUSTIÓN

L A MOXIBUSTIÓN *es el procedimiento por el cual una hierba seca llamada moxa, normalmente de la especie artemisa (Artemisa vulgaris), se aplica quemándola directamente en la piel o indirectamente a poca distancia, en puntos de acupuntura específicos. La artemisa se recoge durante el solsticio de verano y sus hojas se dejan secar. Después se trituran y se someten a varias cribas. La moxa más cribada consiste casi exclusivamente en la parte interior más vellosa de la hoja. Esta moxa se recomienda para su aplicación directa sobre la piel. La moxa menos refinada contiene una mezcla de la parte inferior de la hoja y de partes del cuerpo. Esta moxa menos cribada se suele emplear en la aplicación indirecta.*

Cuando se enciende, la moxa se quema despacio e introduce un calor intenso en los canales que influye en el flujo del Qi y de la Sangre. La moxa desprende un olor característico y produce mucho humo, según su grado de refinamiento. Algunos pacientes encuentran desagradable el olor y el humo, que suele impregnarse en la ropa y perdura en el pelo durante mucho tiempo después de la sesión del tratamiento. Existe una moxa que no desprende humo, pero es difícil de encender y no suele utilizarse.

La moxa también se vende suelta para preparar conos o se enrolla alrededor de una aguja de acupuntura. Otras veces se presenta empaquetada y enrollada en forma de cigarro largo, de unos 15-20 cm y de 1-2 cm de diámetro.

La artemisa, la planta
silvestre que se utiliza
en moxibustión, es común
en casi todo el mundo.

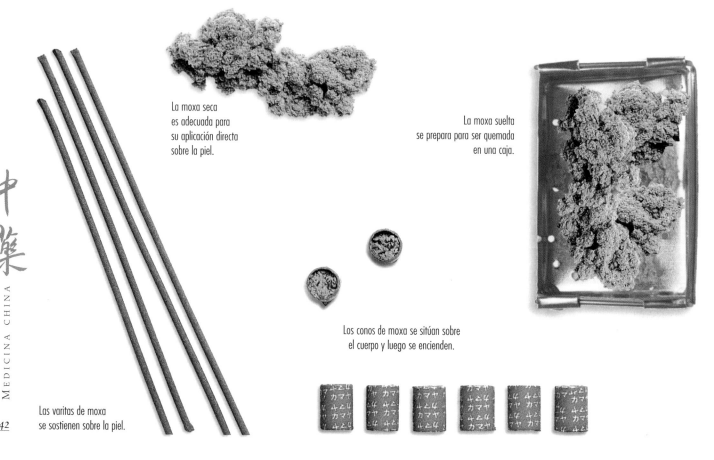

La moxa seca
es adecuada para
su aplicación directa
sobre la piel.

La moxa suelta
se prepara para ser quemada
en una caja.

Los conos de moxa se sitúan sobre
el cuerpo y luego se encienden.

中藥

Las varitas de moxa
se sostienen sobre la piel.

MOXIBUSTIÓN DIRECTA

CON la moxa se forman dos conos pequeños que se colocan y encienden sobre determinados puntos del cuerpo. El cono de moxa se deja arder hasta que la piel enrojece y entonces se retira y se añade otro cono, que también se enciende. Este procedimiento se repite hasta el final del tratamiento.

Si la moxa se quema directamente sobre la piel, puede dejar marcas. Aunque en los textos chinos se prefiere la moxibustión con quemadura, en Occidente nunca se practica. En esta técnica, el cono se quema sobre la piel, con lo que se forma una ampolla. La herida resultante puede tardar bastante tiempo en curar y el área debe ser lavada y desinfectada a diario. La sabiduría ancestral aconseja la formación de la ampolla por ser esencial si se desea la curación, pero los modernos terapeutas occidentales encuentran que la moxa puede ser igualmente eficaz sin llegar a producir una quemadura en el paciente.

La moxa se puede aplicar directamente sobre la piel (vigilando atentamente para que no la queme) o en el extremo de una aguja de acupuntura, tal como muestra la ilustración. El calor estimula la energía en aquellas zonas que están frías o doloridas debido al estancamiento o debilidad del Qi.

MOXIBUSTIÓN INDIRECTA

La moxa se quema indirectamente por encima de la piel o sobre otra superficie colocada entre la moxa y la piel. Las sustancias que se utilizan con más frecuencia como superficie son:

▸ sal: *se suele aplicar en el ombligo (punto de acupuntura Ren 8); la moxa se quema entonces sobre la capa de sal.*

▸ ajo: *un diente de ajo, con perforaciones, se sitúa sobre la piel y la moxa se quema sobre ella.*

▸ jengibre: *una rodaja de jengibre se utiliza de forma similar al ajo.*

La hierba Fu Zi (acónito), que posee excelentes propiedades energéticas, también se describe en los textos como elemento para colocar la moxa, pero apenas se usa en la práctica occidental. El Fu Zi es tóxico y su uso está prohibido en muchos países.

La elección de la superficie que separa la moxa de la piel depende de la afección y de la opinión profesional del terapeuta.

Una forma muy común de moxibustión indirecta consiste en el empleo de varas de moxa, que son como largos cigarros o varas de incienso. Se encienden y se sostienen sobre la zona o punto afectado, a una distancia de 2,5 cm. Generalmente se les da vueltas o se acercan y alejan de la piel. Con esta técnica, el tratamiento puede durar desde unos pocos minutos a un cuarto de hora. Hay que tener mucho cuidado para que la moxa que está ardiendo no toque la piel. Se pueden adquirir varitas de moxa muy pequeñas que se colocan sobre una pequeña base de cartón, que a su vez tiene una superficie adhesiva. Cuando se sitúa sobre la piel, estas pequeñas varitas producen una moxibustión indirecta, pero

El proceso de moxibustión está cuidadosamente controlado por el terapeuta.

la base de cartón actúa como un conductor más neutral que los elementos separadores descritos antes.

Las varitas de moxa se pueden cortar en trozos pequeños, de entre 1-3 cm, y se queman en el mango de una aguja de acero inoxidable, que se inserta entonces en un punto de acupuntura. De esta forma, el calor no sólo calienta la piel sino que penetra en el canal a través de la aguja. La moxa suelta también se ata alrededor de la aguja y se quema de la misma manera.

Otro método de aplicar la moxibustión indirecta consiste en usar una caja de moxa. Estas cajas se pueden adqui-

La caja de moxa permite que la moxa se queme sobre una zona más extensa.

rir con diversos diseños pero actúan sobre el mismo principio de permitir que el calor procedente de la moxa, en varita o suelta, se distribuya sobre una zona mayor. Por ejemplo, cuando el dolor está localizado en la zona lumbar debido a una deficiencia del Yang del Riñón, se quema la moxa en una caja colocada sobre la zona inferior de la espalda. Esto permite que el efecto calorífico de la moxa penetre en un área mayor.

Elegir cuándo y dónde aplicar la moxibustión, sola o combinada con acupuntura, depende del criterio profesional del terapeuta, pero siempre se debe consultar con el paciente.

VENTOSAS

EL MÉTODO *de las ventosas (o cupping) es una técnica especialmente útil en el tratamiento de problemas de los canales debido a un estancamiento de la Sangre o del Qi local. También puede ser eficaz para expulsar los factores patógenos externos del Viento-Frío que pueden invadir los Pulmones. Este método es una antigua técnica que utilizan todavía los terapeutas actuales. Es una forma de tratamiento que se considera una alternativa a la acupuntura: las ventosas se sitúan justo sobre los puntos de acupuntura aunque cubren una zona mayor del cuerpo.*

LAS VENTOSAS pueden ser de cristal grueso con el borde redondeado o de bambú. Se utilizan también otros materiales, pero los terapeutas occidentales suelen preferir las de cristal. (Advertencia: no se debe realizar esta técnica sobre uno mismo utilizando jarras o vasos. Las ventosas crean un fuerte vacío y un recipiente inadecuado puede llegar a estallar y lesionar la piel.)

En esta técnica, se enciende una vela durante un breve período de tiempo dentro de la ventosa, antes de colocarla boca abajo sobre la zona seleccionada. Como la llama de la vela consume todo el oxígeno, se crea el vacío, lo que hace que la ventosa se fije a la piel y succione la piel que está debajo. Su finalidad consiste en favorecer el flujo del Qi y de la Sangre en esa zona. De esta forma, el estancamiento local comienza a descongestionarse.

La intensidad del vacío depende de la cantidad de oxígeno que el terapeuta haya quemado en la ventosa y de la rapidez con la que la haya situado en la posición adecuada. En algunos casos, la ventosa se mantiene en la misma posición; en otros se retira rápidamente y se coloca en otro lugar del cuerpo. Por ejemplo, si la ventosa se utiliza para expulsar el Viento-Frío de los Pulmones, se colocan varias ventosas sobre la zona de los pulmones en la espalda, se retiran poco a poco y se reemplazan hasta que toda la zona quede completamente cubierta.

Existe una variante, las «ventosas en movimiento» (*moving cupping*), en la cual una zona del cuerpo se impregna ligeramente con aceite o jabón, lo que permite que la ventosa se deslice y mantenga el vacío, potenciando aún más el movimiento del Qi y la Sangre en esa zona.

La ventosa succiona la sangre y la conduce a los capilares externos del cuerpo. Como resultado, pueden quedar magulladuras y cardenales. Si las ventosas permanecen bastante tiempo en una zona, las señales pueden ser importantes. Cuando el terapeuta decida utilizar este sistema, debe explicar las posibles consecuencias del tratamiento.

El algodón absorbente empapado en alcohol se quema dentro de la ventosa.

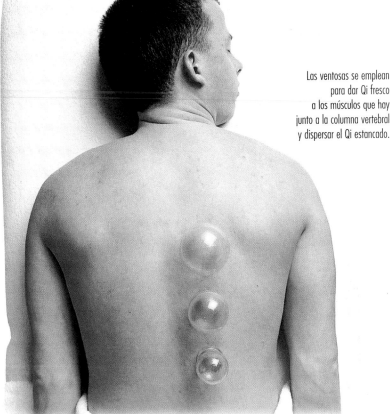

Las ventosas se emplean para dar Qi fresco a los músculos que hay junto a la columna vertebral y dispersar el Qi estancado.

¿CÓMO ME SENTIRÉ DESPUÉS DEL TRATAMIENTO?

ESPUÉS del tratamiento, algunos pacientes dejan la camilla y continúan con su vida diaria como si nada hubiera pasado. Otros pueden experimentar una reacción residual.

La reacción más habitual es que los pacientes se sientan cansados y agotados durante varias horas. Si el tratamiento se realiza por la tarde, no suele aparecer este problema, pero si se realiza en las primeras horas del día, hay que advertir a los pacientes de esta posibilidad. En algunas ocasiones, los pacientes llegan a sentirse incluso estimulados.

Otro aspecto que hay que tener en cuenta es un posible agravamiento de los síntomas después del tratamiento. Es algo que no suele durar mucho y que va seguido de una mejoría de la dolencia. Al principio, puede suceder que, tras una visita al acupuntor, el paciente pase por un período de empeoramiento y después tenga otro más estable.

Todas estas reacciones a la acupuntura y al tratamiento relacionado debería comentarlas el terapeuta con su paciente como parte de la discusión contractual antes de que dé comienzo el tratamiento.

Después del tratamiento, el paciente se puede sentir cansado, aunque tranquilo.

En la mayoría de los casos, los cambios debidos al tratamiento de acupuntura son graduales, aunque a veces pueden ser inmediatos y espectaculares. El paciente y el terapeuta deben tratar el progreso regularmente, y el terapeuta ha de reconsiderar la información extraída en la entrevista de diagnóstico para comprobar los cambios. Juntos deben hablar sobre el progreso del programa de tratamiento.

Las sesiones de tratamiento finalizan en el momento que se considere adecuado, pero los pacientes se suelen decantar por disminuir la frecuencia de las visitas. Ningún terapeuta profesional sigue tratando a un paciente más tiempo que el verdaderamente necesario.

ELEGIR A UN TERAPEUTA

La formación, la acreditación y el registro varían de un país a otro. Sin embargo, éstos son algunos aspectos generales que se deben tener en cuenta:

✦ Los terapeutas registrados en medicina ortodoxa que ofrecen tratamientos de acupuntura no necesariamente tienen preparación en medicina china. Aunque sean capaces de utilizar la acupuntura para tratar problemas menores, como un dolor local de un canal, no podrán diagnosticar y tratar según los principios y teorías de la medicina china.

✦ Los terapeutas de acupuntura registrados han completado unos estudios reconocidos en la práctica de la medicina china. También poseen amplios conocimientos de anatomía, fisiología y patología occidentales. Por tanto, cuentan con un conocimiento del paciente desde la perspectiva de la medicina ortodoxa, aunque no ofrecen ningún tratamiento bajo esa modalidad. Estos terapeutas se han adherido a un código profesional de conducta y a las normas éticas generales, y han suscrito además un seguro de indemnización profesional general.

Es aconsejable comprobar el registro del terapeuta en algún organismo profesional del estado o del país si se desea estar bien seguro de que está registrado actualmente.

中藥

MEDICINA CHINA

EJEMPLO PRÁCTICO

DIANA tiene 29 años y se queja de lo que ella denomina depresión. Comenzó hace dos años cuando repentinamente se sintió desfallecer en el trabajo y tuvo que marcharse a casa. Sufría una profunda depresión nerviosa y desde entonces no ha sido capaz de volver a trabajar. Ha estado acudiendo a la consulta de un psiquiatra, que le ha recetado diversos medicamentos, pero estos medicamentos sólo aliviaban los síntomas durante un tiempo, después volvían a aparecer.

Diana se nota ansiosa y agitada. Siente calor casi todo el tiempo. Antes solía tener mucha energía pero ahora confiesa que está constantemente cansada. Aunque se duerme con facilidad, siempre se despierta entre la 1 y las 3 de la madrugada y le cuesta conciliar el sueño de nuevo. Sufre palpitaciones cuando está en la cama por la noche y últimamente también durante el día. Siente mucho calor y suda profusamente en la cama, a veces incluso se despierta con el cuerpo completamente mojado. Tiene la piel muy seca y las uñas arqueadas y se queja de tener el pelo demasiado fino. El estreñimiento ha comenzado a ser un problema, aunque sostiene que su apetito es bueno y que sigue una dieta equilibrada (a excepción de las quince tazas de café que bebe al día). Su orina es bastante oscura. Se queja de zumbidos en los oídos y de una repentina sensación de sordera, que suele pasar al cabo de unos minutos. Sus menstruaciones son normales, pero el flujo de sangre es bastante escaso. El esporádico dolor de espalda que sentía durante la menstruación ahora lo sufre todos los días. Aunque está soltera, tiene parejas sexuales regulares y variadas, pero ninguna parece convertirse en una relación duradera. Le gustaría tener un hijo y desea quedarse embarazada. Tiene el pulso rápido y, en cierto modo, superficial, y la lengua bastante seca y roja, con una punta muy roja.

¿QUÉ TRATA LA ACUPUNTURA?

Con mucha frecuencia, constituye el último recurso para un problema crónico. El acupuntor adopta un método holístico y se da cuenta de que los factores emocionales y los síntomas que no se han explicado, o que han sido ignorados, están relacionados con el problema «principal». Una gran variedad de problemas de salud y emocionales se resuelven también durante el tratamiento.

zumbidos en los oídos

piel seca

palpitaciones

Los síntomas de Diana encajan en un cuadro muy evidente.

¿QUÉ LE PASA A DIANA?

PUEDE ser útil considerar sus síntomas con relación al cuadro de los Ocho Principios. Lo más obvio son las distintas señales de Calor: sentir calor, sudores, pulso rápido, lengua roja, orina oscura.

En segundo lugar, los indicios de Calor parecen ser los de un Calor vacío. Lo que sugiere que el Calor está causado por una deficiencia de Yin. Es un problema crónico que afecta al sistema Zangfu y que claramente refleja un desequilibrio interno. Por consiguiente, según el cuadro de los Ocho Principios, se sugiere lo siguiente:

◆ *Calor* ◆ *Deficiencia* ◆ *Interno* ◆ *Yin.*

El siguiente paso es considerar qué Zangfu está implicado. Parece que hay desequilibrios que afectan a los Riñones, al Hígado y al Corazón.

▶ *Deficiencia del Yin del Riñón:* sudores nocturnos, dolor lumbar, sordera, pulso rápido, estreñimiento, orina oscura, zumbidos en oídos.

▶ *Deficiencia de la Sangre del Hígado:* indicada por una piel seca, uñas curvadas, poca energía, pelo fino, escaso flujo menstrual, insomnio entre 1 y 3 de la mañana (la hora del Hígado en el ciclo diario).

▶ *Deficiencia del Yin del Corazón:* sugerida por palpitaciones, pocas horas de sueño, punta de la lengua roja y signos de deficiencia del Yin.

Si hubiera que dar un diagnóstico según la medicina china, diríamos que Diana muestra un cuadro combinado de deficiencia de Yin del Riñón y del Corazón (que se conoce también como «Corazón y Riñón no armonizados»), junto con una deficiencia asociada de Sangre del Hígado.

¿CÓMO HAN APARECIDO ESTOS PROBLEMAS?

Diana ha tenido muchos problemas emocionales en su vida, con ansiedad y tristeza asociadas, y esta situación ha agotado el Yin del Corazón. La excesiva actividad sexual ha debilitado el Yin del Riñón. También tiene problemas emocionales con sus relaciones y en su deseo de tener un hijo. Es probable que esos factores se combinen para debilitar la energía del Yin del Riñón. El Yin del Riñón no es capaz de nutrir el Yin del Hígado, que está estrechamente relacionado con la Sangre del Hígado, y causa por tanto problemas de deficiencia de la Sangre. El Yin del Riñón tampoco es capaz de nutrir el Yin del Corazón, lo que causa que el Calor vacío estalle en el Corazón. Esta situación produce palpitaciones y una incapacidad del Corazón de albergar el Shen, de ahí los problemas con el sueño. Los zumbidos en los oídos y la sordera resultan de la incapacidad del Yin del Riñón de nutrir a los oídos.

¿CÓMO AYUDA LA ACUPUNTURA?

El tratamiento en el caso de Diana consistió en tonificar el Yin del Riñón y del Corazón, limpiar el Calor vacío, relajar el Shen y tonificar la Sangre del Hígado. Diana requirió sesiones de acupuntura continuadas y se le aconsejó que revisara ciertos aspectos de su estilo de vida, como su exagerado consumo de café y su excesiva actividad sexual.

La acupuntura resultó ser de gran ayuda para Diana. Al cabo de seis semanas de comenzar su tratamiento, regresó al trabajo, se sentía mucho más positiva acerca de la vida y con una relación estable. Prácticamente habían desaparecido todos los síntomas y, aunque experimentaba recaídas de vez en cuando, se sentía capaz de enfrentarse a ellas.

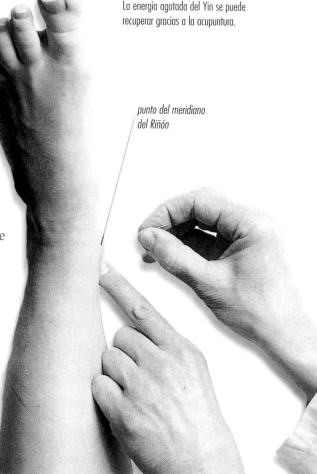

La energía agotada del Yin se puede recuperar gracias a la acupuntura.

punto del meridiano del Riñón

中藥

MEDICINA CHINA

DIGITOPUNTURA

EL MASAJE *es una técnica muy extendida y, como parte de la evolución de la medicina china, ha surgido una gran variedad de técnicas. El masaje de digitopuntura se aplica a amplias partes del cuerpo para favorecer la circulación del Qi y de la Sangre a través del sistema de meridianos. Puede usarse sola o con otros métodos de tratamiento. Por ejemplo, el masaje de digitopuntura se suele emplear antes del tratamiento de acupuntura.*

Una pregunta muy frecuente es: «¿Cuál es la diferencia entre acupuntura y digitopuntura?». Según la filosofía y los principios básicos no hay ninguna diferencia esencial, pero si se trata de sistemas de tratamiento, la digitopuntura obviamente es una técnica no invasiva.

El masaje de presión de cavidades se concentra en aplicar presión sobre puntos de acupuntura específicos para provocar cambios sistémicos en el cuerpo. Las diferentes formas de presión se aplican dependiendo de si se quiere tonificar, reducir o buscar un efecto calmante más neutral. La elección de los puntos utilizados se basa en el mismo tipo de diagnóstico diferencial que se utiliza en el tratamiento de acupuntura.

Se han desarrollado formas específicas del masaje de digitopuntura como parte del desarrollo general de la medicina china. La terapia Tui Na emplea la presión, manipulación y una serie de distintos métodos para favorecer el flujo del Qi y la Sangre, que a su vez ayuda a tratar una amplia gama de desequilibrios presentes. El desarrollo japonés del masaje de acupuntura está articulado con más claridad en la práctica del Shiatsu y, en la actualidad, numerosos terapeutas se forman y practican en este campo. En los últimos años, el sistema más especializado del Equilibrio Cero (desarrollado por Fritz

La digitopuntura es una forma específica de masaje terapéutico.

Smith) estimula la armonía energética del cuerpo a través de una secuencia de ejercicios bien definidos.

Cualquier persona que esté buscando ayuda profesional en el campo del masaje de digitopuntura debería acudir a un terapeuta registrado que esté cualificado en medicina china o en cualquiera de las terapias más especializadas, como Shiatsu y Equilibrio Cero (que necesitan un registro).

En la página 241 se pueden encontrar direcciones útiles donde acudir.

AUTOAYUDA

UNQUE *hay que acudir a un profesional siempre que sea posible, es bastante fácil aprender algunas técnicas sencillas de digitopuntura como medida de «primeros auxilios». Las siguientes técnicas se pueden aplicar en amigos y parientes, e incluso las más sencillas se las puede aplicar uno mismo. Se utilizan los dedos, los pulgares o toda la mano, como se describe en los ejemplos. Las afecciones que responden muy bien a esta digitopuntura de autoayuda son los dolores de cabeza tensionales y el mareo de viaje. La digitopuntura es segura, siempre que se observen las siguientes precauciones.*

PRECAUCIONES

UNQUE todas las técnicas descritas aquí son por lo general muy seguras y sencillas, es necesario hacer algunas advertencias.

▶ No hay que dar nunca un masaje de digitopuntura a alguien que padece alguna enfermedad infecciosa aguda.

▶ Hay que evitar el masaje o la presión en áreas donde haya un bulto o un tumor, y en las zonas inmediatamente circundantes.

▶ No hay que dar un masaje sobre áreas de la piel donde se observen lesiones o úlceras.

▶ Evitar dar un masaje en las áreas de la piel que estén agrietadas como resultado de alguna lesión o enfermedad.

▶ No hay que dar masaje en las áreas que tienen quemaduras o escaldaduras.

▶ No hay que dar masaje a pacientes con graves trastornos cardiovasculares o renales.

▶ Evitar el masaje en los pacientes que muestrentrastornos psicóticos o cualquier otra evidencia de enfermedad mental.

▶ Hay que tener mucho cuidado al practicar la digitopuntura si la paciente está embarazada. Ciertos puntos de acupuntura pueden provocar un aborto si se estimulan en exceso. (En las siguientes técnicas, se advertirá si hay algún punto claramente contraindicado durante el embarazo.)

▶ Hay que tener cuidado también de no dar masaje a pacientes con la menstruación.

▶ Cuando se da un masaje o se aplica la digitopuntura a personas mayores o pacientes enfermos, hay que tener mucho cuidado especialmente si están gravemente enfermos.

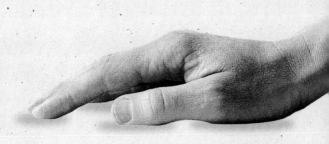

TÉCNICAS DE DIGITOPUNTURA
PARA UN TRATAMIENTO DE AUTOAYUDA

TÉCNICA UNIFORME (O CALMANTE)

Cuando el Qi es demasiado activo.
Usar la palma de la mano para frotar o golpear suavemente la zona afectada.

PRINCIPIOS GENERALES

CUANDO se da un masaje a uno mismo o a otra persona, hay que recordar, como regla general, que sea cual sea la técnica de masaje usada, se debe aplicar la presión durante dos o tres minutos en cada punto. Con los puntos de acupuntura bilaterales (situados a ambos lados del cuerpo), se aplica primero la presión en un lado, luego en el otro, durante el mismo tiempo en cada lado. Cada persona puede variar ligeramente este sistema para desarrollar su propia técnica.

Finalmente, es importante recordar que la disposición mental es crucial cuando se está aplicando un masaje de digitopuntura. Por ejemplo, cuando se da un masaje de refuerzo, la disposición debe estar concentrada en el «refuerzo». Si se aplican estas técnicas con las manos mientras la mente está en otro sitio, la eficacia del tratamiento se verá seriamente mermada e incluso podría ser perjudicial.

EL CIRCUITO ENERGÉTICO

Tan pronto como se toca a otra persona, se establece un circuito Qi entre las dos. Como el Qi sigue a la disposición de la mente, el estado mental al aplicar estas técnicas es absolutamente crucial. Las emociones o pensamientos inapropiados siempre afectan a la relación entre terapeuta y paciente y por tanto al tratamiento. Hay que asegurarse de que se está tranquilo y que la mente está concentrada en lo que se quiere hacer. Si es necesario, conviene tomarse cinco minutos para meditar y realizar ejercicios de respiración antes de comenzar.

Siempre que sea posible, las dos manos deben estar posadas sobre el receptor del masaje, aunque sólo una esté trabajando activamente. El uso de ambas manos asegura que el circuito energético está completo, incluso cuando una de ellas únicamente tiene el papel de sujetar.

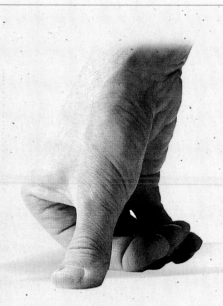

LA TÉCNICA DE REFUERZO

Se usa cuando hay una deficiencia de Qi.
Aplicar una presión firme y uniforme, con el pulgar o el dedo medio, en el punto elegido.

LA TÉCNICA DE REDUCCIÓN (O DISPERSIÓN)

Usado para tratar un exceso de Qi estancado o bloqueado.
Aplicar una presión firme; luego, desplazar la presión haciendo un pequeño movimiento de rotación con el pulgar o el dedo alrededor del punto (variando las direcciones) o presionando y soltando sobre el punto.

ACUPUNTURA

TÉCNICAS

EL MASAJE de digitopuntura se aplica en los meridianos, con especial atención en los puntos de acupuntura, que la persona que da el masaje puede sentir como nódulos bajo la piel y la que lo recibe generalmente los siente como puntos desencadenadores o puntos gatillo. La presión sobre esos puntos puede causar algo parecido al dolor, pero se siente como un dolor terapéutico que está ayudando a curar. Sin embargo, es mejor no dar el masaje si se siente otro tipo de dolor.

NOTA: En los siguientes ejercicios para tratar problemas específicos, es importante recordar que se presentan sólo como un sistema de primeros auxilios. Si el problema continúa o empeora, es importante que finalice el masaje y se busque la ayuda del profesional, ya sea de un terapeuta en medicina china o de un médico ortodoxo.

MASAJE GENERAL

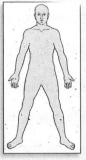

EL MASAJE general trabaja en la espalda los puntos Shu del canal de la Vejiga, que parte de la cabeza, se dirige a la parte posterior del cuerpo, pasa por las piernas y finaliza en la punta de los dedos de los pies. Los puntos de acupuntura Shu de la espalda están situados a unos 2,5-3,5 cm de cada lado de la columna vertebral. Recorriendo la espalda de arriba abajo, estos puntos enlazan con el sistema de órganos Zangfu. Por ejemplo, el punto Vejiga 10 (Tianzhu) está conectado con las funciones de los Pulmones, y el Vejiga 23 (Shenshu), con las funciones de los Riñones. Por el canal de la Vejiga, el Qi recorre el cuerpo; un masaje suave en los puntos Shu de la espalda de arriba abajo favorece por tanto el flujo uniforme del Qi y estimula el funcionamiento general de todo el sistema Zangfu interno.

Hay que comenzar sentándose o situándose de pie enfrente de la cabeza del paciente y aplicar una presión regular con los pulgares o con toda la mano, hacia abajo y a lo largo del canal de la Vejiga. Conviene utilizar un poco de aceite de masaje para suavizar el flujo. Este ejercicio se puede realizar en 3-5 minutos; no sólo es muy relajante, sino que además proporciona un estímulo general a todo el sistema.

Un masaje en el canal de la Vejiga posee por lo general un efecto relajante y estimulante.

DOLORES DE CABEZA

LOS DOLORES de cabeza leves son una molestia que todo el mundo experimenta en algún momento.
Las siguientes técnicas ayudan a aliviarlo.

REDUCCIÓN DE CORAZÓN 4 (HEGU)

*Este punto se encuentra en la membrana
entre el pulgar y el índice. Aplicar una
firme presión reductora sobre el Hegu
durante unos dos minutos y repetir luego
en la otra mano.*

REDUCCIÓN DE YINTANG

*El punto Yintang está localizado entre las
cejas, en medio de la frente. Aplicar
suavemente en este punto una presión
reductora con la punta del dedo. Esta
presión puede ayudar a aclarar la mente
así como a aliviar el dolor de cabeza.
Presionar durante dos o tres minutos.*

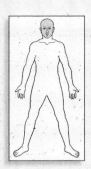

ADVERTENCIA
No se debe dar nunca
un masaje en el punto
Hegu a una mujer em-
barazada.

治療

ACUPUNTURA

NÁUSEAS/MAREO

ESTOS DOS ejercicios pueden aliviar los síntomas de náuseas o vómitos, especialmente cuando están causados por indigestión o por mareo debido a un viaje.

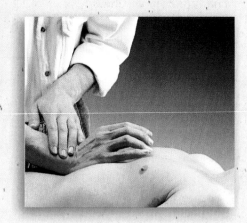

REDUCCIÓN SUAVE DE REN 12 (ZHONGWAN) E HÍGADO 13

REDUCCIÓN FUERTE DE PERICARDIO 6 (NEIGUAN)

Comer demasiado o demasiado deprisa puede causar problemas digestivos y estancamiento del Qi del Bazo y del Estómago. Estos trastornos producen una sensación de náusea; los vómitos aparecen si el Qi estancado se «rebela» hacia arriba contra la corriente natural. Este ejercicio se realiza mejor con el paciente acostado sobre la espalda. Sin embargo, no hay que acostarlo si existe alguna posibilidad de que vomite. Puede realizarse con el paciente sentado, aunque resulta un poco más difícil. Con el pulpejo de la mano, aplicar suavemente una presión reductora sobre el área de Zhongwan (en la línea media del cuerpo, a medias entre la parte inferior del esternón y el ombligo) y la zona alrededor del Zangmen (debajo de la undécima costilla de la caja torácica, en ambos lados del cuerpo). Continuar durante varios minutos hasta que pase la sensación de náusea.

Este punto es especialmente útil para tratar las náuseas, en particular cuando están asociadas con el movimiento (mareo del viaje, por ejemplo). Existen bandas especiales que se envuelven alrededor de la muñeca y que actúan sobre el principio de estimular el Neiguan. También se puede aplicar presión en este punto. Con el pulgar o el dedo medio, aplicar una reducción fuerte sobre el Neiguan (en el antebrazo, unos 5 cm desde el pliegue de la muñeca y entre los dos tendones que pueden sentirse allí).

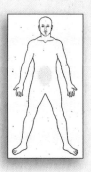

DOLORES Y MOLESTIAS

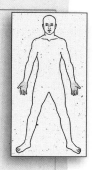

LOS PROBLEMAS musculares y de articulaciones son muy habituales, especialmente en las personas mayores o después de un accidente, y producen dolores y molestias locales que pueden ser muy graves. En caso de un trauma local, antes de emplear cualquier masaje de digitopuntura, es importante que se reduzca cualquier inflamación y asegurarse de que no hay traumas u otros problemas subyacentes, como una fractura.

MUÑECA/MANO

Aplicar una reducción suave en cualquiera de los siguientes puntos, según dónde esté el dolor.

REDUCCIÓN DE CORAZÓN 4 (HEGU)
Aplicar presión sobre la membrana entre el pulgar y el dedo índice. Advertencia: no aplicar esta presión en embarazadas.

REDUCCIÓN DE INTESTINO 3 (HOUXI)
Aplicar presión sobre el lateral de la mano en la cavidad que se encuentra debajo de la articulación del dedo meñique.

REDUCCIÓN DE CORAZÓN 15 (YANGXI)
Aplicar presión en la cavidad que se encuentra debajo del tendón donde se flexiona el pulgar.

REDUCCIÓN DE INTESTINO DELGADO 5 (YANG GU)
Aplicar presión en el exterior de la mano, en la cavidad que se encuentra antes de la articulación de la muñeca.

REDUCCIÓN DE SAN JIAO 4 (YANG QI)
Aplicar presión en la mitad de la muñeca, en la parte posterior de la mano.

CODO

Aplicar una reducción firme o suave, dependiendo del nivel de dolor, en los siguientes puntos:

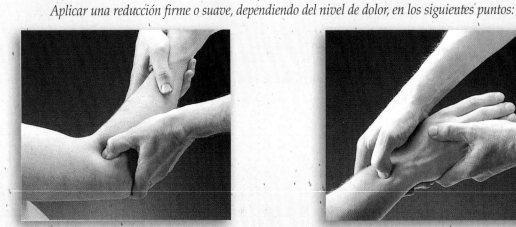

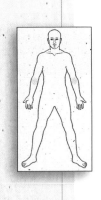

REDUCCIÓN DE CORAZÓN 11 (QUCHI)

Aplicar presión sobre la parte exterior del brazo a la altura del codo. Localizar el punto flexionando el brazo y seguir el pliegue formado desde el codo al extremo.

REDUCCIÓN DE SAN JIAO 5 (WAIGUAN)

Aplicar presión en la parte posterior del antebrazo, entre los tendones, a unos 3,5 cm sobre el pliegue de la muñeca.

HOMBRO

Aplicar una reducción firme o suave, según el nivel del dolor, en los siguientes puntos:

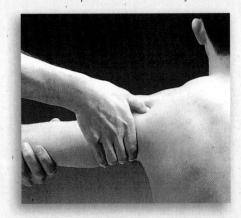
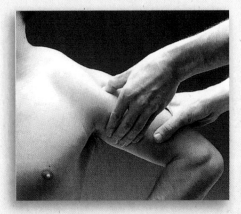

REDUCCIÓN DE SAN JIAO 14 (JIANLIAO)

Aplicar presión en la cavidad que hay bajo la articulación del hombro en la espalda.

REDUCCIÓN DE CORAZÓN 15 (JIANYU)

Aplicar presión en la cavidad que hay bajo la articulación del hombro en la parte frontal.

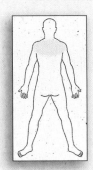

REDUCCIÓN DE INTESTINO DELGADO 12 (BINGFENG)

Aplicar presión en la zona muscular, a unos 12 mm de la columna en el omoplato.

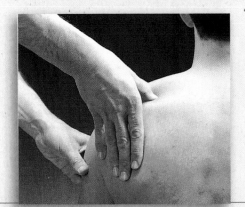

中
藥

MEDICINA CHINA

CUELLO

Aplicar una reducción firme o suave en uno o más de los siguientes puntos:

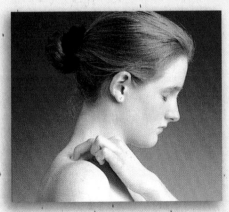

REDUCCIÓN DE INTESTINO DELGADO 12 (BINGFENG)

Aplicar presión en la zona muscular, a unos 12 mm de la columna en el omoplato.

REDUCCIÓN DE VESÍCULA BILIAR 20 (FENG CHI)

Aplicar presión en las cavidades que hay bajo el cráneo, a los dos lados de la línea media de la espalda.

REDUCCIÓN DE VESÍCULA BILIAR 21 (JIANJING)

Aplicar presión sobre el músculo que hay en la parte superior del hombro, a medio camino entre el hombro y el cuello.

ADVERTENCIA

No dar nunca un masaje en el punto Jianjing a una mujer embarazada.

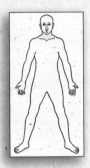

PARTE INFERIOR DE LA ESPALDA/ZONA LUMBAR

Aplicar una reducción firme en los siguiente puntos:

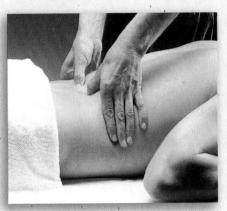

REDUCCIÓN DE VEJIGA 23 (SHEN SHU)

Aplicar presión a unos 3,5 cm de cada lado de la columna, en la parte inferior de la espalda.

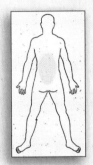

Aplicar una reducción firme o suave en los siguientes puntos:

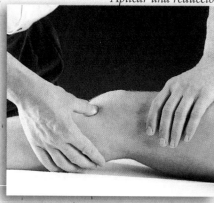

REDUCCIÓN DE ESTÓMAGO 35 (DUBI)

Aplicar presión en la cavidad de la rodilla, debajo de la rótula, en la parte externa.

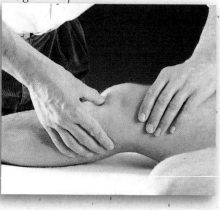

REDUCCIÓN DE XIXAN

Aplicar presión en el ojo de la rodilla debajo de la rótula, en la parte interna.

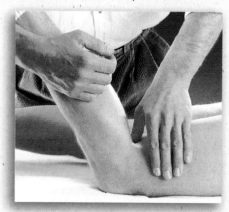

REDUCCIÓN DE VEJIGA 40 (WEI ZHONG)

Aplicar presión en la mitad de la rodilla, entre los tendones, en la parte posterior.

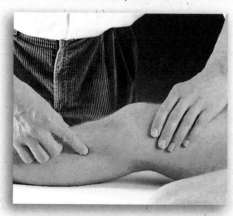

REDUCCIÓN DE BAZO 9 (YIN LING QUAN)

Aplicar presión en la cavidad que hay en la parte superior de la tibia, justo debajo de la rodilla, en el interior.

Los problemas en las caderas, piernas, rodillas y tobillos se pueden tratar con la digitopuntura.

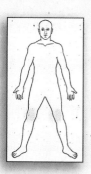

CIÁTICA

Aplicar una reducción firme en los siguientes puntos:

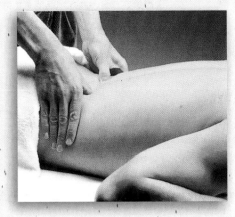

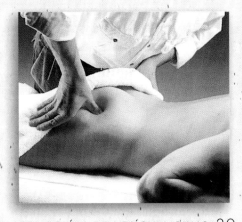

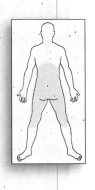

REDUCCIÓN DE VEJIGA 23 (SHEN SHU)

Aplicar presión en ambos lados de la columna, a unos 3,5 cm, en la parte inferior de la espalda.

REDUCCIÓN DE VESÍCULA BILIAR 30 (HUAN TIAO)

Aplicar presión en las nalgas, a un tercio de una línea que une la parte superior del fémur y la parte inferior de la columna.

TOBILLO

Aplicar una reducción, firme o suave, en uno de los siguientes puntos:

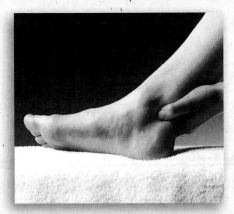

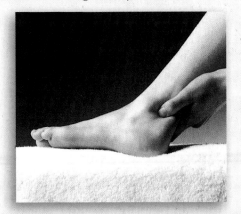

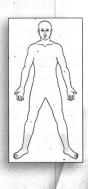

REDUCCIÓN DE RIÑÓN 3 (TAIXI)

Aplicar presión en la cavidad que hay entre el hueso del tobillo y el tendón de Aquiles, en el lado interno del tobillo.

REDUCCIÓN DE VEJIGA 60 (KUNLUN)

Aplicar presión en la cavidad que hay entre el hueso del tobillo y el tendón de Aquiles, en el lado externo del tobillo.

REDUCCIÓN DE ESTÓMAGO 41 (JIEXI)

Aplicar presión en la parte superior del pie, alineada con los huesos del tobillo, entre los tendones.

EJERCICIOS DE CUELLO SHEN DAO

STE EJERCICIO *lo realiza un terapeuta y pertenece a una forma más sutil de digitopuntura en la cual se potencia la energía del flujo del Qi entre el paciente y el terapeuta más que la presión física. Consiste exactamente en una manipulación muy ligera de una serie de puntos de acupuntura, en una secuencia predeterminada y requiere que la energía del terapeuta esté en su punto máximo. Es sumamente útil para aliviar toda la tensión física y emocional que se acumula a lo largo del día y puede relajar de una manera considerable a aquellos que lo reciben.*

INICIO

El terapeuta se sitúa detrás del paciente, que se sienta erguido en una silla vertical. Con las palmas reposando ligeramente en los hombros del paciente, el terapeuta debe concentrarse durante varios minutos –se recomienda la utilización de posturas sencillas de Qigong (véanse páginas 194-195). Cuando el terapeuta y el paciente ya se sientan relajados y dispuestos, la secuencia puede comenzar. Cada punto se presiona durante un minuto, más o menos.

POSICIÓN 1

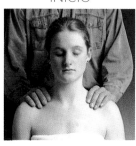

El terapeuta sitúa suavemente la punta del dedo índice de ambas manos –el punto de acupuntura Pericardio 9 (Zhong Chong)– sobre los puntos Corazón 15 (Jianyu), en el hombro del paciente.

POSICIÓN 2

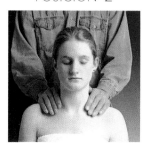

El terapeuta sitúa la palma en el hombro del paciente, alineando el punto en la palma –Pericardio 8 (Laogong)– con el punto en el hombro –Vesícula Biliar 21 (Jianjing).

POSICIÓN 3

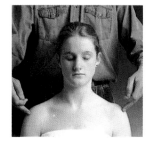

El terapeuta sitúa suavemente la punta de sus dedos medios a lo largo de la línea del canal de la Vejiga en cada lado del cuello del paciente.

POSICIÓN 4

El terapeuta sitúa suavemente el Zhong Chong sobre el paciente en el punto Vesícula Biliar 20 (Feng Chi).

POSICIÓN 5

El terapeuta sitúa suavemente el Zhong Chong de la mano izquierda en el Du 16 (Feng Fu) en el paciente, y el Zhong Chong de la mano derecha en el Du 20 (Baihui).

POSICIÓN 6

El terapeuta sitúa suavemente el punto Zhong Chong de la mano izquierda en el Baihui y el punto Zhong Chong de la mano derecha en el Yintang.

POSICIÓN 7

El terapeuta mantiene la mano izquierda en el Baihui y sitúa el punto Zhong Chong de la mano derecha en el punto del paciente Ren 17 (Tan Zhong).

POSICIÓN 8

El terapeuta coloca los puntos Zhong Chong de ambas manos en los puntos Taiyang del paciente.

POSICIÓN 9

El terapeuta finaliza la sesión posando las palmas de las manos sobre los hombros del paciente.

Al final de la sesión, tanto el paciente como el terapeuta se sienten relajados y tranquilos.

POSICIONES DE LOS PUNTOS

Pericardio 9 (Zhong Chong) en la punta del dedo medio.
Pericardio 8 (Laogong) en la mitad de la palma de la mano.
Du 16 (Feng Fu) en la línea media de la parte posterior del cuello, justo debajo del cráneo. Du 20 (Baihui) en la mitad de la parte superior del cráneo, en una línea que une las puntas de las orejas.
Ren 17 (Tan Zhong) en la mitad del esternón en la línea media, debajo de la cuarta costilla, alineado con los pezones.

治
療

ACUPUNTURA

FITOTERAPIA CHINA

LA FITOTERAPIA es, junto con la acupuntura, uno de los pilares más importantes de la medicina china. Las preparaciones herbales se han usado desde tiempos remotos en China y se sabe que ya en el 2000 a.C. una cultura chamánica había usado las sustancias herbales, minerales y animales para tratar enfermedades. A lo largo de los siglos, el uso de tales sustancias se fue refinando y desarrollando. Hasta que, hacia 659 a.C., comenzó a aparecer una materia medica, que enumeraba los componentes herbales y describía sus acciones y propiedades.

La acupuntura y la fitoterapia comparten los mismos principios básicos, pero la descripción de cómo actúan las hierbas tiene un sutil componente teórico. Las hierbas suelen ser bastante específicas en cuanto a la acción que producen y las fórmulas herbales contienen una serie de hierbas que no sólo poseen diferentes cualidades y propiedades sino que también están orientadas a tratar distintos aspectos del desequilibrio del paciente. Hay ciertas hierbas además que actúan sobre varias funciones diferentes al mismo tiempo. El fitoterapeuta tiene que sopesar muchos factores cuando prepara una fórmula, pero los beneficios que reciben los pacientes suelen ser sustanciales.

Los fitoterapeutas chinos solían preparar sus propios remedios. Sin embargo, en la actualidad las hierbas y otros ingredientes se adquieren generalmente a proveedores especializados.

Un fitoterapeuta tradicional chino con sus ingredientes ← y remedios.

PROPIEDADES DE LAS HIERBAS

LAS HIERBAS chinas se pueden clasificar según distintos criterios:

LAS CUATRO ENERGÍAS

Las cuatro cualidades energéticas esenciales de las hierbas, y sus acciones correspondientes, se relacionan con sus temperaturas percibidas.

Las hierbas frescas/frías alivian estados donde hay Calor en el cuerpo, mientras que las templadas/calientes alivian los de Frío. Algunas hierbas no son ni calientes ni frías, y en esencia describen una quinta energía, la de las hierbas neutrales. Por ejemplo: ◆ Sheng Di Huang (raíz de *Rehmannia* fresca), fresca/fría, alivia el Calor. ◆ Rou Gui (corteza de canela), templada/ caliente, alivia los síntomas de Frío. ◆ Fu Ling (poria) es neutral.

LOS CINCO SABORES

Las cinco cualidades de sabor de las hierbas están relacionadas con su acción sobre el Qi del cuerpo. Estos sabores describen el efecto terapéutico de las hierbas. Las hierbas acres dispersan y potencian el movimiento del Qi en el cuerpo y vigorizan la Sangre; las hierbas dulces tonifican y fortalecen el Qi y nutren la Sangre; las hierbas agrias/ astringentes absorben las sustancias corporales y controlan las funciones del Zangfu; las hierbas amargas reducen el exceso de Qi y secan el exceso de humedad; las hierbas saladas suavizan los bultos. Algunas hierbas «blandas» son relativamente neutrales. Por ejemplo: ◆ Hong Hua (cártamo), acre, vigoriza la Sangre. ◆ Ren Shen (raíz del ginseng), dulce, tonifica el Qi. ◆ Wu Wei Zi (fruto de la esquisandra), agria, alivia el sudor espontáneo. ◆ Huo Po (raíz de magnolia), amarga, seca y transforma la humedad. ◆ Mang Xiao (sal de Glauber), salada, alivia el estreñimiento.

Debido a sus diferentes propiedades, las hierbas tratan el Calor o el Frío e influyen sobre el sistema energético. Su forma de preparación afecta a su modo de actuar.

Frío
Fresco
Caliente
Templado

Las hierbas frescas tratan el Calor.

Rou Gui (corteza de canela) es templada; Fu Ling (poria) es neutral; Shen Di Huang (raíz de *Rehmannia*) es fresca.

ROU GUI

FU LING

SHENG DI HUANG

La clasificación de las cualidades de las hierbas basada en las energías y sabores muestra lo que cada hierba puede hacer. Sin embargo, estas cualidades no son absolutas; existen en un proceso. Las hierbas se pueden diferenciar según su posición en este proceso energético. Por ejemplo, una hierba puede ser algo templada, templada, muy templada, caliente, etc., y poseer el resto de cualidades de energía y sabor.

Agrio/astringente
Dulce
Amargo
Salado
Acre

EL «MOVIMIENTO» DE LAS HIERBAS

Como las hierbas se desplazan por el sistema energético del cuerpo, se pue-

MANG XIAO

HONG HUA

Hong Hua (cártamo) es acre; Mang Xiao (sal de Glauber) es salada; Wu Wei Zi (fruto de la esquisandra) es agria.

WU WEI ZI

中藥

MEDICINA CHINA

Las hierbas frías tratan el Calor.

DA HUANG

Da Huang (ruibarbo) es descendente; Huo Po (corteza de magnolia) es amarga; Jie Geng (raíz de flor globo) es ascendente; Ren Shen (ginseng) es dulce.

HUO PO

Las hierbas templadas tratan el Frío.

Las hierbas calientes tratan el Frío.

JIE GENG

REN SHEN

Asciende

Desciende

Flota

Se hunde

cia el interior, e influyen en la parte inferior e interior del cuerpo. Por ejemplo, Jie Geng (raíz de flor globo o campanilla china), ascendente, abre y dispersa el Qi del Pulmón; Da Huang (ruibarbo), descendente, alivia el estreñimiento.

En realidad esas tendencias funcionales implican interacciones complejas de las energías y gustos básicos. Además, la forma en que se procesan estas hierbas también influye en su función. Por ejemplo, freír una hierba potencia su efecto estimulante, mientras que prepararla con sal favorece una acción descendente.

LA ENTRADA EN LOS CANALES

Según la fitoterapia china, cada hierba «entra» en un canal o meridiano específico y por tanto está orientada al sistema Zangfu asociado con ese canal. Probablemente sea más exacto afirmar que ciertas hierbas específicas influyen en determinados sistemas Zangfu del cuerpo. Por ejemplo, cuando se dice que la hierba Da Zao (dátil chino) entra en los canales del Bazo y del Estómago, se sugiere que la función de la hierba está relacionada con la función de esos órganos según la teoría del Zangfu. Por tanto el Da Zao lo emplean los fitoterapeutas para tonificar el Bazo y aumentar el Qi.

El fitoterapeuta tiene que considerar cómo interactúan las cualidades energéticas de una hierba, según las Cuatro Energías y los Cinco Sabores, para determinar su función y acción y debe tener presente qué sistema Zangfu está siendo influido. Una preparación herbal china es un cóctel complejo de cualidades energéticas, funciones, direcciones y objetivos, y se requiere una gran habilidad para mezclar los ingredientes y dosificarlos en un nivel adecuado para abordar los síntomas del desequilibrio del paciente.

den utilizar hierbas específicas para tratar partes específicas del cuerpo o para facilitar el desplazamiento de otros ingredientes herbales activos. Los cuatro «movimientos» básicos son los siguientes:

Las hierbas que ascienden y flotan suelen moverse hacia arriba y hacia el exterior, por lo que influyen en la parte superior del cuerpo y en las extremidades. Las hierbas que descienden y se hunden se desplazan hacia abajo y ha-

No todas las hierbas son plantas

Los pacientes a menudo se sorprenden cuando se les explica que no toda sustancia de la *materia medica* tiene un origen vegetal. En Occidente, la tendencia a identificar el término «hierba» con algo que crece en el jardín lleva a confusiones cuando se habla de «hierbas» chinas. Realmente, la mayoría de los remedios herbales proceden de determinadas partes de las plantas, como raíces, tallo, corteza, hojas, frutos o semillas. Sin embargo, hay otras sustancias que tienen un origen animal o mineral, por ejemplo, el Shi Gao (yeso), una hierba mineral muy refrescante que se suele emplear para tratar estados donde hay un exceso de Calor.

El uso de partes de animales en fitoterapia es un tema bastante controvertido. Culturalmente, los chinos consideran el uso de animales de una forma mucho más pragmática que en Occidente. Nunca han evitado usar productos animales y han descubierto que muchos de ellos son realmente muy eficaces. Sin embargo, ciertos productos han sido objeto de controversia y escándalo cuando, en realidad, apenas se utilizan. Varias hierbas «animales» siguen siendo todavía un constituyente importante de muchas fórmulas habituales. Por ejemplo, el Chan Tui (caparazón de cigarra) se emplea para tratar problemas cutáneos ya que es muy eficaz para aliviar el picor asociado con esos trastornos.

Sin embargo, no hay nada que no se pueda solucionar. Algunos pacientes no se sienten muy felices al consumir productos animales, pero a otros no les importa. En caso de que exista algún problema en este aspecto, es importante comentarlo con el fitoterapeuta antes de que recete el tratamiento. Casi siempre es posible recetar otras sustancias.

Toxicidad

Una cuestión muy natural que suele surgir con respecto a las hierbas chinas es si resultan tóxicas o peligrosas cuando se ingieren. La respuesta es que ingerir hierbas es igual que ingerir cualquier otra sustancia. Una cantidad excesiva puede resultar dañina y en algunos casos hay que controlar estrictamente la dosis para asegurarse de que no producen indeseables efectos secundarios.

La mayoría de las hierbas son bastante seguras y no constituyen ningún peligro si se toman en la dosis especificada. El fitoterapeuta puede variar las dosis casi con todas las plantas para lograr que funcionen y, en algunos casos, es necesario que se limite su uso para evitar efectos secundarios. Sin embargo, hay unas pocas hierbas que se utilizan regularmente en China que no se recetan en Occidente. El ejemplo más notable es el Fu Zi (acónito), que tiene cualidades muy calientes. Pero no es difícil encontrar sustitutos de esta hierba en los herbolarios especializados.

Para evitar cualquier problema, el mejor consejo, como siempre, es asegurarse de que se consulta a un especialista experimentado y formado en fitoterapia china.

SHI GAO

Shi Gao (yeso) se emplea para la sed, el eritema solar y otros problemas causados por un exceso de Calor.

CHAN TUI

Para los problemas cutáneos es muy útil Chan Tui (caparazón de cigarra).

MU LI

Mu Li (conchas de ostras) se emplea para tratar la hipertensión, el vertigo, el dolor de cabeza y otros problemas.

¿A QUIÉN AYUDA LA FITOTERAPIA CHINA?

En fitoterapia china se emplean muchos ingredientes potentes. Los peligrosos, como el arsénico, sólo se pueden vender con receta médica.

SEGÚN los principios fundamentales, el método para utilizar las hierbas chinas es esencialmente el mismo que el que se ha tratado en acupuntura. La clave de la fitoterapia china estriba en la habilidad del especialista en modificar y ajustar la fórmula herbal para adaptarse a las características y variaciones del desequilibrio que muestra el paciente, de la misma forma que el acupuntor selecciona un conjunto de puntos específicos del cuerpo.

La respuesta a esta pregunta, por tanto, es la misma que para la acupuntura: hay muy pocos problemas que no pueda solucionar la fitoterapia china, aunque existen algunas contraindicaciones. Con la fitoterapia, sin embargo, es necesario estar más atento a esas situaciones donde puedan surgir contraindicaciones.

A diferencia de la acupuntura, donde (salvo una o dos excepciones) es muy improbable que la elección equivocada del punto que debe ser perforado cause algún detrimento significativo, las hierbas tienen acciones muy específicas y pueden surgir problemas si no se elige la hierba o la dosis adecuadas. El fitoterapeuta experimentado tiene que tener presente los siguientes puntos:

▶ Ciertas hierbas están contraindicadas durante el embarazo.

▶ Ciertas hierbas son tóxicas.

▶ Hay hierbas que pueden estar específicamente contraindicadas en pacientes con una disfunción del Hígado. (A veces se realizan pruebas de la función del Hígado antes de la prescripción.)

▶ La hierba elegida debe siempre ser sensible a las características del desequilibrio del paciente; por ejemplo, las hierbas secantes y muy calientes no deberían usarse si se observa una deficiencia de Yin.

▶ Algunos pacientes no quieren consumir hierbas de origen animal; por tanto, este punto debe ser aclarado antes de que el fitoterapeuta prescribael tratamiento.

En Occidente, la mayoría de los fitoterapeutas chinos también están formados en acupuntura, aunque lo contrario no es frecuente. En China, las hierbas y la acupuntura son aspectos complementarios y nunca se consideran independientes. En este libro se distinguen las dos modalidades sólo para aclarar ciertas disfunciones.

INSTRUMENTOS Y TÉCNICAS

CUALIDADES ENERGÉTICAS Y DIAGNÓSTICO

El fitoterapeuta empareja las cualidades de las hierbas con la naturaleza del desequilibrio energético del paciente, que se define en relación al cuadro de los Ocho Principios. Empleando los mismos principios de diagnóstico descritos para la acupuntura (*véanse páginas 138-140*), el fitoterapeuta alcanza un conocimiento detallado de los desequilibrios energéticos del paciente y sugiere el tipo de hierbas que va a precisar. El método de diagnóstico se resume más abajo.

DANG SHEN

GUI ZHI

DU ZHONG

SUAN ZAO REN

Existe una amplia variedad de hierbas, cada una con sus propiedades y afinidades.

MAI MEN DONG

DESEQUILIBRIOS Y HIERBAS PARA REMEDIARLOS

DESEQUILIBRIO	HIERBA	ACCIÓN
Deficiencia del Qi	Dang Shen (raíz de *Codonopsis*)	*Tónico del Qi*
Deficiencia de Sangre	He Shou Wu (raíz de *Polygonum*)	*Tónico de la Sangre*
Deficiencia de Yang	Du Zhong (corteza de *Eucommia*)	*Tónico del Yang*
Deficiencia de Yin	Mai Men Dong (raíz tuberosa de *Liriope*)	*Tónico del Yin*
Estancamiento del Qi	Chen Pi (corteza de *Citrus*)	*Regula el Qi*
Estancamiento de la Sangre	Chuan Xiong (raíz de *Ligusticum*)	*Vigoriza la Sangre*
Frío interior	Rou Gui (corteza de *Cinnamomum*)	*Calienta y expulsa el Frío*
Calor interior/toxicidad	Tu Fu Ling (rizoma de *Smilacis*)	*Limpia Calor y toxinas*
Invasión exterior (Frío)	Gui Zhi (tallos de *Cinnamomum*)	*Expulsa/dispersa el Frío*
Invasión exterior (Calor)	Chai Hu (raíz de *Bupleurum*)	*Expulsa/dispersa el Calor*
Calor interior extremo	Shi Gao (*Gypsum*)	*Drena el Fuego/Calor*
Humedad interior	Cang Zhu (raíz de *Atractylodes*)	*Transforma la Humedad*
Shen molestado (espíritu)	Suan Zao Ren (semillas de *Ziziphus*)	*Calma el Shen*

Este cuadro muestra cómo las hierbas se emparejan con los síntomas, pero no pretende sugerir cómo se pueden combinar, ya que esta decisión sólo debe ser tomada por el terapeuta.

FÓRMULAS HERBALES

L DESARROLLO de las fórmulas herbales ha seguido la misma evolución histórica que la de los puntos de acupuntura. En general, ha sido un proceso empírico en el cual se han observado y registrado a lo largo de varios siglos las propiedades de las hierbas y los efectos de su combinación. La fórmula clásica resultante constituye la base del tratamiento en fitoterapia china y el proceso es una evolución gradual.

Por ejemplo, cuando con los años se encuentra que una fórmula es eficaz para tratar un tipo particular de desequilibrio, se desarrollan ligeras variaciones de esta fórmula, aunque conserve el nombre original. Cuando un terapeuta usa la fórmula básica por primera vez, a veces cree necesario modificarla ligeramente para que se adapte al desequilibrio del paciente. Como el proceso del tratamiento continúa y el cuadro de desequilibrio varía, la fórmula original se puede adaptar y modificar varias veces. Es más, es bastante posible que el preparado final que se entrega al paciente, aunque todavía siga llevando el mismo nombre del original, haya sido modificado sustancialmente y en algunos casos casi puede resultar irreconocible si se compara con el original.

Por tanto, el arte de recetar las hierbas chinas radica no tanto en identificar qué fórmula básica hay que utilizar sino en conocer cómo y cuándo adaptar esa fórmula para satisfacer las cambiantes necesidades terapéuticas del paciente.

Muchas de las fórmulas clásicas se emplean tan a menudo que ya aparecen como remedios patentados y se pueden adquirir en tiendas especializadas.

¿DE QUÉ SE COMPONE UNA FÓRMULA HERBAL?

El Du Huo Ji Shen Tang (*Angelica pubescens* y decocción de Sang Ji Sheng), una fórmula herbal bastante compleja y muy utilizada, constituye un buen ejemplo de cómo se realiza una fórmula.

EL NOMBRE

Las fórmulas herbales suelen definirse por los nombres de las hierbas principales que contienen. En este caso, el nombre se forma a partir de las dos hierbas principales, Du Huo (*Angelica*) y Sang Ji Sheng (*Ramulus*). El final del nombre suele describir cómo se prepara la fórmula. Así, Tang significa «sopa» o «decocción». El compuesto también se puede encontrar en forma de polvo (San), píldora (Wan) o en tintura de alcohol (Jiu).

Las fórmulas herbales
se han desarrollado después
de siglos de observación y uso.

ADVERTENCIA

No prepare sus propios remedios; siga los consejos de un profesional.

治療

¿QUÉ HAY EN LA FÓRMULA Y QUÉ EFECTOS TIENE?

Para comprender de qué está compuesto el preparado Du Huo Ji Sheng Tang, es necesario considerar sus ingredientes y su acción.

Esta fórmula particularmente compleja se receta a los pacientes que sufren de articulaciones artríticas dolorosas, rigidez, cansancio y letargo. En medicina china, este trastorno se considera una invasión externa de los canales por Viento, Humedad y Frío. Los factores invasores suelen alojarse en los canales de las articulaciones, dando lugar al dolor y a la hinchazón tan típicos de la artritis.

Las hierbas que componen esta fórmula calientan los canales, expulsan el Viento, Frío y Humedad y alivian el dolor. Éste es el objetivo principal de la fórmula. Además, hay otras muchas hierbas que se mueven y nutren la Sangre, estimulando así el flujo, y lubricando y nutriendo las articulaciones, huesos y tendones. La fórmula también contiene hierbas que tonifican el Qi para ayudar a fortalecer el Bazo, favorecer la producción del Qi y potenciar la inmunidad del cuerpo, o Wei Qi (Qi protector).

En una fórmula compleja que contenga un gran número de hierbas diferentes con sus propias energías y sabores, es importante que todas armonicen y actúen bien. Una de ellas es el Zhi Gan Cao (regaliz). El «Zhi» delante de su nombre indica que se ha frito (generalmente en miel) antes de ser usada.

El terapeuta comienza el tratamiento recetando el preparado Du Huo Ji Sheng Tang, pero, a medida que continúa el proceso del tratamiento, los ingredientes y las dosis pueden cambiar como respuesta a la forma de reaccionar del paciente.

DU HUO

SANG JI SHENG

Las hierbas con acciones específicas (véase la tabla inferior) se emplean combinadas entre sí.

HIERBAS QUE COMPONEN EL DU HUO JI SHENG TANG Y SUS ACCIONES

HIERBA	ACCIÓN
Du Huo	Expulsa el Viento, Humedad y Frío de la parte inferior del cuerpo, y de los huesos y tendones
Sang Ji Sheng	Expulsa el Viento y la Humedad, tonifica el Hígado y los Riñones
Xi Xin	Limpia el Viento y la Humedad de los huesos, esparce el Frío en los canales y alivia el dolor
Fang Feng	Expulsa el Viento y limpia la Humedad
Qin Jiao	Expulsa el Viento y la Humedad, relaja los tendones
Du Zhong	Expulsa el Viento y la Humedad, tonifica el Hígado y los Riñones
Nui Xi	Expulsa el Viento y la Humedad, tonifica el Hígado y los Riñones
Rou Gui	Expulsa el Viento y la Humedad, calienta los canales, fortalece el Yang
Chuan Xiong	Nutre y vigoriza la Sangre
Sheng Di Huang	Nutre y vigoriza la Sangre
Bai Shao	Nutre y vigoriza la Sangre
Dang Shen	Tonifica el Qi, fortalece el Bazo
Fu Ling	Drena la Humedad, tonifica el Bazo
Zhi Gan Cao	Tonifica el Qi, armoniza la acción de las otras hierbas

¿CÓMO SE PREPARAN LAS HIERBAS?

LAS HIERBAS se recetan frescas, en polvo, como tintura o como píldoras preparadas.

HIERBAS FRESCAS

La forma clásica, y probablemente la mejor, de tomar las hierbas chinas es en su forma fresca y seca, aunque no siempre es la más conveniente. El paciente recibe una bolsa llena de lo que parecen ser ramitas, raíces, hojas, semillas, polvos, trozos duros, blandos, ligeros, pesados y trozos difíciles de describir.

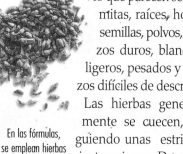

En las fórmulas, se emplean hierbas frescas y secas.

Las hierbas generalmente se cuecen, siguiendo unas estrictas instrucciones. Después de la cocción, el «agua» o la «decocción» se cuela y lo que queda se rechaza. Todas las hierbas se cuecen juntas; hay ciertas hierbas que se añaden hacia el final de la cocción para conservar sus propiedades. La decocción se bebe templada (no hirviendo) y el producto de un caldo se reparte en dosis de acuerdo con la prescripción. Si la decocción no se va a tomar inmediatamente, se guarda en una jarra de cristal en la nevera y se calienta siempre que se vaya a tomar. Para cocer las hierbas hay que usar recipientes de cristal o de barro. Es mejor evitar los recipientes de metal, aunque se considera aceptable el acero inoxidable.

Las hierbas no se deben cocer nunca en un microondas, ya que puede afectar gravemente a sus cualidades energéticas.

Las preparaciones de hierbas por decocción raramente constituyen un banquete gastronómico y puede que a algún paciente le cueste trabajo beberlas. Sirve de ayuda tomar un bocado de fruta deshidratada antes y después de la decocción.

Sin duda, las decocciones constituyen la mejor forma de tener acceso a las cualidades energéticas de las hierbas ya que potencian sus efectos terapéuticos. La principal desventaja estriba en la preparación y el consumo de las hierbas. Puede llevar una hora preparar una decocción herbal y el proceso suele resultar incómodo y complicado.

Algunas preparaciones de hierbas frescas se toman machacando los ingredientes y formando «pastillas» con ayuda de miel. De nuevo, resulta un procedimiento incómodo y no siempre es una forma adecuada de tratamiento.

EXTRACTOS SECOS Y EN POLVO

Las hierbas secas y en polvo son más concentradas.

Los extractos secos y en polvo constituyen una alternativa a las hierbas frescas y son mucho más fáciles de preparar y ligeramente más agradables de tomar. Las hierbas se secan y se trituran y, como el polvo resultante es hasta seis veces más concentrado que la hierba fresca, hay que saber ajustar las dosis. La fórmula se prepara mezclando los ingredientes seleccionados en su proporción correcta. La dosis establecida se mezcla entonces con agua hirviendo hasta formar una pasta. Se añade más agua hirviendo hasta conseguir de una forma aproximada la consistencia de una papilla ligera, que puede variar de acuerdo con las preferencias de cada paciente. La mezcla se remueve y se deja enfriar durante 15 minutos, agitándola de vez en cuando. Es mejor beberla de una vez pero si se prefiere puede tomarse a pequeños sorbos.

La principal ventaja de los extractos secos es que son fáciles de preparar y bastantes fáciles de tomar. También se pueden adquirir en cápsulas o de otras formas. Por otro lado, se consideran menos fuertes que las hierbas frescas.

Muchos terapeutas prefieren usar extractos secos porque tienen una mayor aceptación entre los pacientes que las hierbas frescas; en otras palabras, no merece la pena recetar las hierbas en su forma más fuerte (frescas) si hay pocas posibilidades de que el paciente las vaya a tomar.

siglos se consideran tan útiles que ya se fabrican en formas patentadas y se pueden adquirir en establecimientos especializados. Las hierbas se suelen preparar en forma de píldoras, pero a algunos pacientes se les receta en forma de tinturas, o como cremas, sprays y cataplasmas para uso externo. La píldora o la cápsula es hasta el momento la forma más común de las fórmulas patentadas disponibles.

Muchas de las patentes de las fórmulas clásicas se fabrican en China y se exportan a Occidente, aunque un número cada vez mayor de fabricantes, tanto de Estados Unidos como de Europa, están ofreciendo sus propias variantes de las fórmulas clásicas chinas en forma de cápsulas o de tintura, lo que promete convertirse en un área interesante de desarrollo de la medicina china.

Las patentes ofrecen una forma sencilla de tomar hierbas chinas. Se pueden adquirir en los supermercados donde vendan comida china o en herbolarios especializados. Sin embargo, estos remedios tienen ventajas y desventajas.

Ventajas

Las fórmulas patentadas constituyen una forma rápida y fácil de tomar hierbas chinas, sobre todo durante un largo período de tiempo. Muchas son especialmente eficaces, en particular para tratar procesos agudos; y en problemas de deficiencia crónica de Qi o de Sangre se pueden tomar con seguridad durante mucho tiempo. Los preparados patentados probablemente sean más eficaces si se complementan con la acupuntura y el masaje.

Desventajas

No se recomienda tomar medicamentos que no hayan sido recetados por

TINTURAS HERBALES

Otro método de preparación es dejar secar y mezclar las hierbas en una cantidad precisa de alcohol y agua para extraer sus elementos constituyentes. La mayoría de las tinturas se preparan dejando macerar la hierba fresca en una disolución alcohólica de 60 a 70 grados, que se filtra posteriormente.

Cada tintura herbal se mezcla en una proporción apropiada para preparar la fórmula final, que se bebe en la dosis prescrita.

Las hierbas se maceran en alcohol y agua.

FÓRMULAS HERBALES PATENTADAS

Muchas de las fórmulas clásicas que se han ido desarrollando a lo largo de los

Es posible adquirir fórmulas patentadas.

el terapeuta o seguir tomándolos una vez superado el período de tiempo recomendado, como ocurre con las preparaciones herbales patentadas. Tenga en cuenta lo siguiente:

La mayoría de las fórmulas chinas patentadas deberían tomarse únicamente mientras persista el desequilibrio energético. Al igual que las fórmulas prescritas, a veces es necesario revisar una fórmula, algo que no se puede hacer fácilmente con una patente. Las principales excepciones a esta regla son ciertas fórmulas patentadas que tonifican el Qi y la Sangre, como el Ba Zhen Wan («Píldoras Preciosas para la Mujer»), que se pueden tomar con total seguridad durante mucho tiempo.

Muchos de los prospectos de los remedios patentados que se fabrican en China no han sido traducidos. A no ser que se esté absolutamente seguro de lo que contiene, no debería tomarlos.

Al igual que en todas las fórmulas herbales chinas, puede que un ingrediente de la fórmula patentada esté contraindicado en ciertas situaciones, por ejemplo, durante el embarazo. Antes de tomar una fórmula patentada, es esencial consultar con un fitoterapeuta especializado.

Las fórmulas patentadas son muy útiles, pero no deberían utilizarse sin el consejo de un terapeuta cualificado en fitoterapia china. El hecho de que un producto herbal se pueda adquirir sin receta en cualquier herbolario no significa que sea el más apropiado o que resulte seguro.

MEDICINA CHINA

Remedios patentados más usados

LAS SIGUIENTES fórmulas patentadas pueden recetarse solas o con otras formas de tratamiento. Estas fórmulas, bajo la supervisión y la guía de un fitoterapeuta chino profesional, pueden resultar de gran valor para el tratamiento de algunos problemas de desequilibrio, que ocasionan tos, fatiga, trastornos menstruales, náuseas e insomnio.

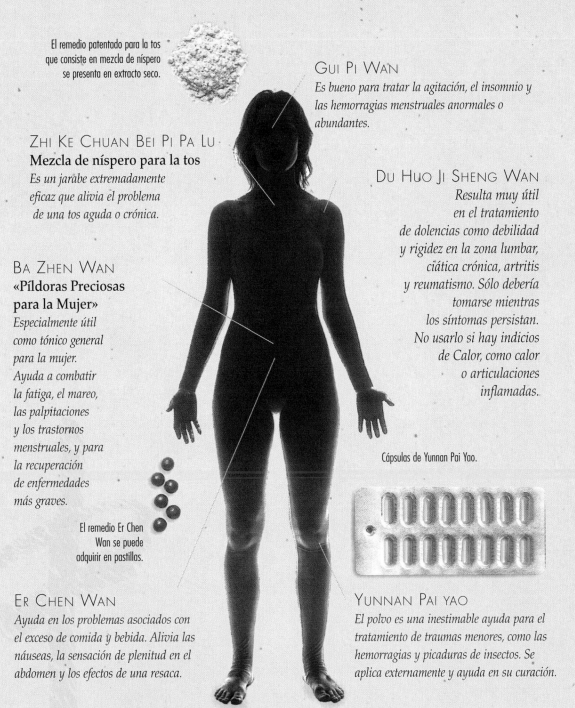

El remedio patentado para la tos que consiste en mezcla de níspero se presenta en extracto seco.

Gui Pi Wan

Es bueno para tratar la agitación, el insomnio y las hemorragias menstruales anormales o abundantes.

Zhi Ke Chuan Bei Pi Pa Lu

Mezcla de níspero para la tos

Es un jarabe extremadamente eficaz que alivia el problema de una tos aguda o crónica.

Du Huo Ji Sheng Wan

Resulta muy útil en el tratamiento de dolencias como debilidad y rigidez en la zona lumbar, ciática crónica, artritis y reumatismo. Sólo debería tomarse mientras los síntomas persistan. No usarlo si hay indicios de Calor, como calor o articulaciones inflamadas.

Ba Zhen Wan

«Píldoras Preciosas para la Mujer»

Especialmente útil como tónico general para la mujer. Ayuda a combatir la fatiga, el mareo, las palpitaciones y los trastornos menstruales, y para la recuperación de enfermedades más graves.

El remedio Er Chen Wan se puede adquirir en pastillas.

Cápsulas de Yunnan Pai Yao.

Er Chen Wan

Ayuda en los problemas asociados con el exceso de comida y bebida. Alivia las náuseas, la sensación de plenitud en el abdomen y los efectos de una resaca.

Yunnan Pai yao

El polvo es una inestimable ayuda para el tratamiento de traumas menores, como las hemorragias y picaduras de insectos. Se aplica externamente y ayuda en su curación.

Los remedios patentados se presentan en diversas formas. Aunque pueden ser útiles, siempre es mejor consultar con un fitoterapeuta.

CÓMO PREPARAR UNA DECOCCIÓN

CUANDO un paciente deja la consulta de un fitoterapeuta chino, suele ir provisto de un buen puñado de hierbas mezcladas por el fitoterapeuta. Muchas veces están separadas en las cantidades adecuadas para el tratamiento diario junto con los remedios para cada día empaquetados en bolsitas independientes de papel marrón. Las hierbas se clasifican como Yin o Yang y se seleccionan para equilibrar el Yin o el Yang de la enfermedad del paciente. Las cualidades de las cuatro energías en las hierbas (calientes, templadas, frías y frescas) se emplean para equilibrar las de la enfermedad.

Además, las hierbas se eligen por sus sabores adecuados, y sus cinco sabores (acre, dulce, amargo, agrio y salado) se emparejan con los cinco elementos (metal, tierra, madera, fuego y agua) para tratar el órgano relacionado. La afinidad especial de una hierba y su naturaleza secante o hidratante también afecta a la selección.

El terapeuta debe asegurarse de que el paciente sabe cómo usar las hierbas. La forma más sencilla es una decocción o caldo. Esta técnica consiste en hervir las hierbas en una determinada cantidad de agua para extraer su sustancia.

La decocción se suele tomar en dos o tres tragos al día.

PASO 1 *Colocar las hierbas en un recipiente limpio.*

PASO 2 *Verter agua hasta que cubra las hierbas.*

PASO 3 *Hervir los ingredientes durante el tiempo especificado por el fitoterapeuta. Algunas mezclas requieren que se hiervan durante menos tiempo o con menos calor que otras.*

PASO 4 *Filtrar la decocción usando un colador limpio y conservarla para su consumo tal como se ha recetado. Por lo general, se toma un tercio o la mitad dos o tres veces al día, entre comidas.*

中藥

CÓMO PREPARAR UNA TINTURA

EL FITOTERAPEUTA prepara una tintura dejando macerar las hierbas seis meses en alcohol, para que su esencia sea absorbida. La mezcla, que a veces se denomina «vino medicinal», se filtra y se guarda en recipientes de vidrio o cerámica. Una tintura puede durar mucho tiempo y es de acción rápida.

Las fórmulas de las tinturas se fabrican bajo estrictas condiciones y normas, y son fáciles y nada desagradables de tomar. Además, el alcohol les asegura una vida muy larga. Las tinturas también se consideran menos fuertes que las hierbas frescas. Igual que ocurre con las hierbas en polvo, algunos terapeutas las prefieren por la simplicidad de la preparación y una mayor disposición a tomarla por parte del paciente. Sin embargo, las tinturas suelen ser bastante más caras que otras preparaciones.

PASO 1 *Introducir 120 g de hierbas picadas en un recipiente de cristal o cerámica hermético.*

PASO 2 *Verter unos 500 ml de vodka al 30 % y cerrar el recipiente.*

PASO 3 *Conservar el recipiente en un lugar cálido. Agitarlo dos veces todos los días.*

PASO 4 *Al cabo de seis meses, filtrar el líquido con la ayuda de una tela limpia en un cuenco.*

PASO 5 *Exprimir la tela con las manos escrupulosamente limpias para extraer todo el líquido.*

PASO 6 *Pasar el líquido a una botella oscura o a un recipiente de cerámica. Guardar la tintura en un lugar apropiado.*

Las tinturas se guardan en botellas y recipientes de cristal.

ADVERTENCIA

No prepare sus propios remedios; siga las instrucciones de un fitoterapeuta.

治療

FITOTERAPIA CHINA

CONSULTAR CON UN TERAPEUTA

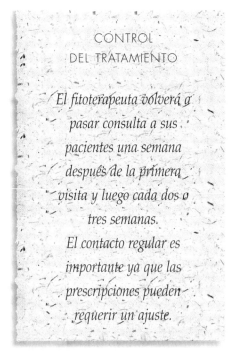

El fitoterapeuta desea obtener una imagen completa de todos los aspectos de la salud del paciente.

LAS HIERBAS chinas se pueden usar para tratar una amplia variedad de problemas y desequilibrios, y el fitoterapeuta chino debe ser capaz de ofrecer un eficaz programa de tratamiento. El tratamiento herbal se puede combinar con otras terapias, como la acupuntura y el masaje, ya que estos métodos no son excluyentes. Sin embargo, esta modalidad también permite disfrutar de una terapia china a todas aquellas personas para las que no es adecuada la acupuntura, ya sea por razones médicas o porque son incapaces de ver agujas.

LA ENTREVISTA PARA ESTABLECER EL DIAGNÓSTICO

EL PROTOCOLO para realizar el historial de un caso concreto es el mismo que el empleado por la acupuntura *(véanse páginas 138-140)*. Además, puede que el fitoterapeuta analice si existe algún problema de Hígado (algunos terapeutas realizan incluso una prueba de la función del Hígado).

Cuando la entrevista ha terminado y el terapeuta ha comentado con el paciente su plan de tratamiento, debe decidir si es más apropiado un tratamiento con hierbas frescas, extractos secos o tinturas. En acupuntura, el tratamiento tiene lugar dentro de una clínica y está directamente controlado por el terapeuta, pero en la fitoterapia gran parte de la responsabilidad recae en los propios pacientes. Éstos tienen que comprometerse a preparar y tomar las hierbas tal y como se las ha recetado el terapeuta, lo que, como ya se ha visto, no siempre es fácil.

Cuando se decide la forma en que se van a tomar las hierbas, el terapeuta suele entregar instrucciones por escrito para que los pacientes tengan claro lo que se requiere tanto en la preparación como en la dosificación. En caso de que surja algún problema con las hierbas, el paciente debe llamar inmediatamente al terapeuta.

Hay recetas que tardan algún tiempo en prepararse, por tanto quizá haya que volver otro día para recogerlas. Algunos terapeutas poseen su propia herboristería,

mientras que otros piden sus recetas a un proveedor.

Si los pacientes contraen un resfriado o gripe o si se sienten mal o molestos después de haberse tomado las hierbas, se les suele aconsejar que interrumpan su tratamiento.

Los detalles de los síntomas físicos y emocionales también se registran.

UN CASO PRÁCTICO

EL SIGUIENTE caso ilustra cómo actúa en la práctica la medicina china.

Margarita tiene 50 años. Está felizmente casada y tiene dos hijos adultos que ya han dejado el hogar. Su marido tiene su propia empresa y ella trabaja para él como secretaria/administrativa. La empresa se ha ampliado considerablemente en los últimos años y nota que el trabajo le exige cada vez más. El año pasado se mudaron al campo y se siente muy aislada en ese nuevo estilo de vida, aunque le encanta la casa. Se viste muy bien y su aspecto es impecable.

Margarita busca un tratamiento herbal para su psoriasis. Padece esta enfermedad desde hace veinte años, aunque había disminuido y casi desaparecido hace algún tiempo. Las partes más afectadas son el cuello, los brazos y la zona púbico/genital. Durante el último año la psoriasis ha empeorado y ahora está empezando a extenderse a zonas del cuerpo que antes no estaban afectadas.

Margarita cree que el agravamiento del problema está relacionado con su cambio de casa y con el aumento de presión producido por la expansión de los negocios de su marido. Dice que su digestión es buena y además que está intentando seguir lo que ella llama una dieta «sana», es decir, sin productos lácteos y con abundantes ensaladas y verduras. No es vegetariana. Ha experimentado graves ataques de sed en el último año, por lo que bebe mucha agua. Afirma no tener ningún problema con sus intestinos o vejiga. Ha perdido audición en su oído izquierdo y ha notado una cierta pérdida de pelo durante los últimos dieciocho meses, más o menos. Su ciclo menstrual es intermitente. Durante unos cuatro años sus menstruaciones se detuvieron completamente y daba por supuesto que ya tenía la menopausia. Sin embargo, volvieron a empezar de nuevo, con un ligero flujo de sangre oscura y algunos coágulos. Ahora continuaba con esos ligeros períodos menstruales más o menos regulares. Emocionalmente se definía como una persona «entera», pero quizá demasiado controlada. Admite sentirse ansiosa cuando está sometida a estrés. Tiene la piel seca y bastante enrojecida en las zonas con psoriasis y a veces le pica o se le irrita; la lengua está generalmente pálida, con cierta evidencia de amoratamiento por los bordes. Aparecen algunas ligeras grietas y en el cuerpo de la lengua se observan marcas de dientes. El pulso es escurridizo y vacío.

piel seca

sed aguda

digestión normal

El paciente relata su vida y los síntomas que experimenta.

pulso ligero

治療

¿QUÉ LE SUCEDE A MARGARITA?

Durante la entrevista, Margarita dio la impresión de ser una persona muy «controlada». Estaba ansiosa por conseguir ayuda para su problema de piel pero era reacia a mostrar más que la parte superior de sus brazos al terapeuta. Margarita mostraba una evidencia de deficiencia de Sangre del Corazón y un estancamiento del Qi del Hígado. También se observaba una deficiencia del Yin subyacente. Cuando se presentan estas deficiencias, la piel tiende a aparecer seca y escamosa debido a que la energía del Yin se está agotando y existe una falta de Sangre para hidratar la piel.

¿QUÉ PUEDE HACER LA FITOTERAPIA CHINA POR MARGARITA?

Inicialmente, el propósito fue tonificar la Sangre y el Yin y, posteriormente, usar las hierbas para mover el Qi estancado. Aunque la regla general suele ser limpiar un cuadro de exceso primero, se decidió que era más importante tratar las deficiencias de la Sangre y del Yin para mejorar la psoriasis.

¿QUÉ FÓRMULA SE EMPLEÓ PARA TRATAR LAS DEFICIENCIAS?

La fórmula elegida fue Si Wu Tang (Decocción de los Cuatro Materiales), la fórmula clásica para tonificar y regular la Sangre. Se prepara con los siguientes ingredientes:

▶ Shu Di Huang nutre el Yin y la Sangre.

▶ Bai Shao tonifica la Sangre y preserva el Yin.

▶ Dan Gui nutre el Yang de la Sangre.

▶ Chuan Xiong vigoriza la Sangre y mueve el Qi.

Las hierbas se le recetaron a Margarita en su forma fresca, junto con las instrucciones acerca de cómo prepararlas. En la segunda visita, se mostró algo nerviosa y desilusionada. Las lesiones de la psoriasis eran más evidentes e incómodas, y expresó su descontento afirmando que las hierbas no parecían estar actuando bien. El terapeuta se tomó su tiempo para explicarle bien la naturaleza del tratamiento herbal y para aclararle que un agravamiento inicial de los síntomas es muy común en esos problemas. La receta se modificó ligeramente: Shu Di Huang fue reemplazado con Shen Di Huang. Esta forma de hierba posee una acción más refrescante sobre la Sangre y el Yin. El resto de ingredientes siguieron siendo los mismos y se añadieron Tao Ren y Hong Hua para ayudar a mover la Sangre.

El tratamiento continuó varias semanas. A medida que las lesiones mejoraban, la fórmula se adaptaba a la naturaleza del problema. Al cabo de tres meses de tratamiento herbal, las lesiones de la psoriasis casi habían desaparecido y Margarita se sentía mucho más feliz y menos estresada. Durante los siguientes seis meses, cuando el contacto ya había terminado, continuó consultando a su fitoterapeuta de vez en cuando, ya que su problema estaba casi solucionado.

DANG GUI

SHU DI HUANG

BAI SHAO

Si Wu Tang, la fórmula estándar para tonificar y regular la Sangre, está formada por cuatro hierbas recetadas en su forma fresca.

CHUAN XIONG

中藥

ESPECIES PROTEGIDAS

EN LA MEDICINA china, el concepto de hierbas no sólo incluye plantas sino también minerales y partes de animales. La utilización de animales en fitoterapia china es un aspecto polémico, sobre todo en Occidente. Hay todo tipo de opiniones, desde la convicción de que cualquier parte o producto de un animal debería ser usado medicinalmente si se descubre que es beneficioso, pasando por la aceptación de productos de ciertas especies, hasta la insistencia de que no se deben utilizar productos que procedan de un animal.

El centro de este debate se centra en el uso ilegal de productos, como el Xi Jiao (cuerno de rinoceronte), que una vez se empleó para limpiar el Calor de la Sangre, y el Hu Gu (hueso de tigre), que se utilizó para limpiar el Viento-Humedad de las articulaciones. Hay muchos otros ingredientes tradicionales que proceden de lo que ahora son especies en peligro de extinción. Aquella persona que esté considerando someterse a un tratamiento de fitoterapia china debe saber que los terapeutas occidentales no comercializan ni emplean productos procedentes de especies protegidas porque:

▶ El comercio es ilegal.
▶ Lo pueden encontrar moralmente ofensivo.
▶ Estos productos sólo se pueden obtener en el mercado negro.
▶ El coste puede ser demasiado elevado.
▶ Hay otras alternativas que son también aceptables.

La primera de estas razones es suficiente por sí misma, pero todas juntas constituyen un argumento convincente. El terapeuta debe asegurar a su paciente potencial que no se le va a recetar ningún preparado herbal que contenga productos procedentes de animales protegidos.

Sin embargo, aquellos que estén verdaderamente preocupados por la utilización de cualquier tipo de producto animal en un remedio herbal chino deberían comentarlo con su terapeuta. (Nota: El «bálsamo de tigre», un producto herbal chino muy usado y de amplia distribución, no contiene elementos del tigre.)

El escorpión (Xie) se emplea como hierba del Hígado y para dolores de Viento-Humedad.

Animales empleados en la medicina tibetana, que procede en muchos aspectos de la china.

La molleja de pollo se emplea en trastornos digestivos.

El ciempiés (Wu Gong), otra hierba del Hígado, se emplea para tratar las picaduras de serpientes.

Los gusanos de seda son un ingrediente tradicional.

治療

FITOTERAPIA CHINA

179

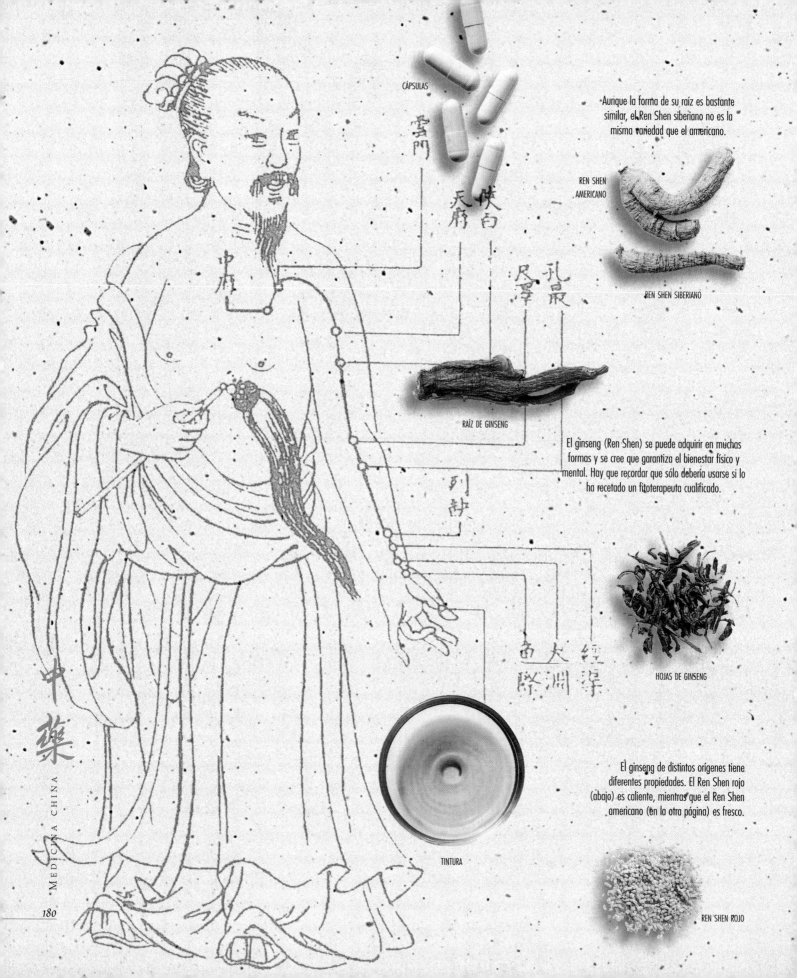

CÁPSULAS

雲門

俠白

天府

一

孔最

尺澤

中府

Aunque la forma de su raíz es bastante similar, el Ren Shen siberiano no es la misma variedad que el americano.

REN SHEN AMERICANO

REN SHEN SIBERIANO

RAÍZ DE GINSENG

列缺

El ginseng (Ren Shen) se puede adquirir en muchas formas y se cree que garantiza el bienestar físico y mental. Hay que recordar que sólo debería usarse si lo ha recetado un fitoterapeuta cualificado.

HOJAS DE GINSENG

魚際 太淵 經渠

TINTURA

El ginseng de distintos orígenes tiene diferentes propiedades. El Ren Shen rojo (abajo) es caliente, mientras que el Ren Shen americano (en la otra página) es fresco.

中藥

REN SHEN ROJO

GINSENG, ELIXIRES Y POCIONES MÁGICAS

EL DESEO de encontrar soluciones instantáneas y «mágicas», que solucionen todos los problemas de salud y aseguren un permanente bienestar, parecen formar parte de la condición humana.

La medicina china no ha sido inmune a esta tendencia y cierto mercado ha introducido diversas panaceas en forma de hierbas y mezclas herbales al dominio público, pero, ¿a costa de qué?

EL GINSENG, ¿LA RAÍZ DE LA VIDA?

La hierba más conocida en este mercado es la hierba Ren Shen, más conocida como ginseng. La raíz de esta planta es muy valorada por sus propiedades terapéuticas. En fitoterapia china, el Ren Shen es un potente tónico del Qi. Se afirma que sus acciones consisten en tonificar el Yuan Qi y los Pulmones, fortalecer el Bazo y el Estómago, beneficiar al Corazón y calmar el Shen. Se considera un ingrediente importante en muchas clases de fórmulas herbales chinas.

Es muy raro que se receten hierbas solas y el Ren Shen no es ninguna excepción. Las hierbas que tonifican el Qi, como el Ren Shen, por lo general son dulces y ricas, lo que puede dar lugar a una sensación de plenitud en el pecho y en el diafragma, y al desarrollo de Calor interno en el cuerpo. Por tanto es importante que esas hierbas no se usen solas, especialmente las que mueven y regulan el Qi, para evitar una acumulación de ese efecto empalagoso, que podría perjudicar en lugar de beneficiar al Bazo y al Estómago. Además, si el Ren Shen se toma durante demasiado tiempo, pueden aparecer dolores de cabeza, hipertensión, palpitaciones e insomnio. El Ren Shen está completamente contraindicado en pacientes que muestran una deficiencia del Yin con Calor, o que padecen hipertensión.

Existen diferentes tipos de Ren Shen, lo que hace que la elección sea aún más confusa para el explorador de herbolarios, donde se pueden encontrar los cuatro tipos siguientes:

- Ren Shen blanco, neutro, constituye un tónico general del Qi.
- Ren Shen rojo (generalmente coreano), muy fuerte/caliente, tonifica el Yang Qi.
- Ren Shen americano, refrescante, tonifica el Yin Qi.
- Ren Shen siberiano, es un tónico suave del Qi.

Estas variaciones de cualidades y acciones indican que el consumo de ginseng es un tema muy complejo y es vital que los pacientes conozcan los peligros potenciales antes de que se gasten un dineral en la búsqueda de una cura mágica. Conviene, pues, tener presente los siguientes consejos:

- El Ren Shen, en general, no debería tomarse solo.
- El Ren Shen no debería tomarse durante mucho tiempo.
- No deberían tomar Ren Shen los pacientes con dolores de cabeza, palpitaciones, hipertensión, sudores nocturnos, sofocos y otros indicios de Calor interno vacío.

El mejor consejo, como siempre, es consultar con un buen fitoterapeuta cualificado y profesional, que pueda diagnosticar el desequilibrio y recetar un remedio herbal. Puede que el paciente requiera un tónico del Qi, pero también le pueden recetar alternativas al ginseng. El Dang Shen (raíz de *Codonopsis*) es un sustituto muy utilizado; tiene las mismas propiedades que el Ren Shen y resulta más barato.

ELIXIRES Y POCIONES

Están apareciendo en el mercado un número cada vez mayor de pociones y remedios chinos sin marca, que afirman poseer una serie de propiedades maravillosas que mejoran la salud y el bienestar. Estos preparados generalmente se venden en forma de tintura de diversas fórmulas herbales muy conocidas, aunque a veces algo deformadas. Quizá no haya nada intrínsecamente peligroso en esa formulación, pero cualquiera que se adhiera a un método que prometa tratar una amplia variedad de posibles desequilibrios no ha comprendido absolutamente nada. Por su naturaleza, estos preparados no tratan desequilibrios específicos, ni se pueden modificar como respuesta a una reacción individual al tratamiento.

Si creemos que nos podemos beneficiar de las hierbas chinas hay que acudir a un profesional reconocido y no gastar nuestro tiempo y dinero en comprar preparados herbales, que pueden tener, en el mejor de los casos, un valor mínimo y, a largo plazo, incluso resultar dañinos para la salud.

A veces se utilizan las hojas y las flores de la planta, pero por lo general lo que se receta es la raíz.

COPOS DE REN SHEN AMERICANOS

GINSENG SIBERIANO

PLANTAS

SE CREE *que el uso medicinal de las hierbas en China se remonta al 2000 a.C., cuando el emperador Chi'en Nung (también llamado Shen Nong), el «Granjero Divino», describió en un libro (llamado Pen Tsao) cerca de 300 plantas medicinales y sus propiedades y usos curativos particulares. La palabra china para fitoterapia, Ben Cao, es un término que se ha utilizado desde el 500 a.C. «Ben» significa planta con tallo rígido y «Cao» significa planta herbácea.*

Como este nombre sugiere, en esta etapa de desarrollo la fitoterapia todavía significa el uso de las plantas, aunque, como se ha comprobado, el concepto también incluye ingredientes animales y minerales.

Hasta ese momento, parece que las plantas se usaron de forma individual, pero durante el período de 450-220 a.C., comenzaron a emplearse ya combinaciones de hierbas. Desde entonces y hasta ahora, las hierbas se combinaron con ingredientes animales y minerales para crear tratamientos curativos y preventivos.

Históricamente, el cuerpo principal del conocimiento escrito sobre plantas y sus usos procede del siglo XVI, cuando Li Shih-chen (también conocido como Li Shizhen) publicó los hallazgos de muchos años de investigación sistemática acerca de los efectos medicinales de las hierbas. El libro explica con detalle casi 2.000 hierbas y describe unas 10.000 formas en las que se pueden combinar. Muchas de las hierbas usadas en esta materia medica todavía se siguen utilizando en la fitoterapia china actual. Existe también una gran tradición popular en China en relación con el uso de las plantas, así como un vasto cuerpo de conocimiento tradicional que ha pasado de generación en generación dentro de cada familia.

Muchos de los remedios y métodos de la medicina china se extendieron a Japón y, a finales del siglo XVIII, algunas de las plantas comenzaron a ser conocidas en Occidente. El ruibarbo, el regaliz, el acónito y el jengibre son algunas de las plantas chinas que comenzaron a utilizarse en la medicina occidental gracias a su expansión desde Japón.

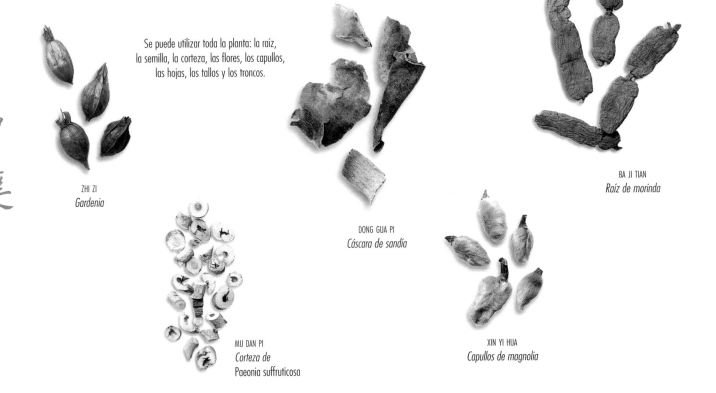

Se puede utilizar toda la planta: la raíz, la semilla, la corteza, las flores, los capullos, las hojas, los tallos y los troncos.

ZHI ZI
Gardenia

DONG GUA PI
Cáscara de sandía

BA JI TIAN
Raíz de morinda

MU DAN PI
*Corteza de
Paeonia suffruticosa*

XIN YI HUA
Capullos de magnolia

BAI HE
Bulbo de lirio

ZE XIE
Rizoma de llantén de agua

BAI JIAO HUI XIANG
Anís estrellado

SHI CHANG PU
Cálamo aromático

YAN HU SUO
Rizoma de Corydalis

LIAN ZI
Semilla de loto

BAI ZHI
*Raíz de Angelica
de Dahvrain*

WANG BU LIU XING
Semilla de Baccaria

JI XUE TENG
Tallo de Millettia

SHE GAN
Raíz de Belamlanda

JIN YING
Escaramujo

OU JIE
Baya de loto

ANIMALES

LOS INGREDIENTES *animales se han empleado en remedios herbales desde al menos el año 100 a.C. Esta utilización está relacionada con la importancia de la dieta para la medicina china. Una dieta equilibrada ayuda a mantenernos sanos y una dieta correctiva es una forma de recuperar la buena salud. Los alimentos se han clasificado siempre como fríos y calientes y se han utilizado para tratar el calor o el frío del cuerpo. Por ejemplo, para bajar la fiebre se receta una sopa herbal de cabezas de pescado salada, calificada como templada; el cangrejo o el cerdo, que se tienen como fríos, se recetan para contrarrestar el calor del cuerpo, mientras que un caldo de cerdo con berros, considerado caliente, se receta contra los resfriados.*

La magia y el simbolismo también desempeñan un importante papel en el uso de los ingredientes animales. Se cree que las principales características del animal se pueden transferir al paciente, incluso que los ingredientes se deben utilizar por su simbolismo; por ejemplo, el cuerno del venado se receta como restaurador del vigor masculino. Diversas partes del animal, como el hígado, el corazón, etc., se incluyen en la dieta como tónico de la misma parte del cuerpo humano.

Sin embargo, también se utilizaron los usos terapéuticos de los ingredientes. Por ejemplo, en el siglo XVII, se sabía que los remedios basados en la tiroides del ciervo y del cordero junto con algas marinas (todo ello muy rico en yodo) podían curar el bocio, es decir, la hipertrofia de la glándula tiroides, causada por una deficiencia de yodo.

La caza, además de entretenimiento,
ha proporcionado importantes ingredientes alimentarios
y medicinales.

ZHEN ZHU MU
Ostra perlífera

No todos los ingredientes de origen animal proceden de
animales vivos. También se emplean conchas y cáscaras de
huevo, e ingredientes como dientes y huesos de dragón,
que en realidad son huesos fosilizados.

WA LENG ZI
Concha de berberecho

FENG FANG
Nido de avispón

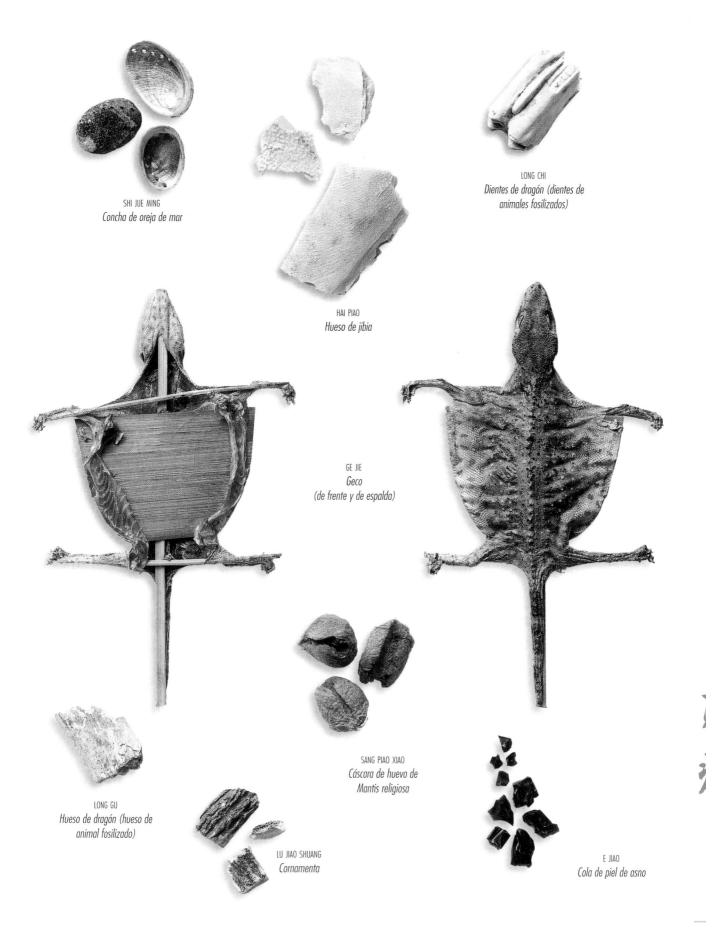

SHI JUE MING
Concha de oreja de mar

LONG CHI
Dientes de dragón (dientes de animales fosilizados)

HAI PIAO
Hueso de jibia

GE JIE
Geco
(de frente y de espalda)

LONG GU
Hueso de dragón (hueso de animal fosilizado)

LU JIAO SHUANG
Cornamenta

SANG PIAO XIAO
Cáscara de huevo de Mantis religiosa

E JIAO
Cola de piel de asno

Minerales

DESDE *el punto de vista occidental, se reconoce cada vez más la importancia de la dieta de minerales y lo que se conoce como oligoelementos, incluidos metales como el cinc y el cobre. La medicina occidental también afirma la relación entre algunas formas de enfermedades y la falta o exceso de minerales, ya sea debido a una dieta desequilibrada o a la incapacidad del cuerpo de metabolizar esos ingredientes. (Por ejemplo, la anemia está relacionada con bajos niveles de hierro; la gota, con la falta de yodo, y la retención de líquidos y la hipertensión, con un exceso de sal.)*

Todos nosotros necesitamos pequeñas cantidades de minerales esenciales en nuestras dietas habituales, pero se obtienen por lo general de fuentes secundarias: calcio (productos lácteos, verduras y hortalizas), hierro (carne, frutas, legumbres), sodio (sal), potasio (leche, patatas, frutas y verduras), magnesio (diversos alimentos, especialmente verduras y hortalizas), cinc (legumbres, carne, cereales integrales, algunos frutos secos), yodo (marisco, algas marinas, algunas verduras, según donde hayan crecido).

El éxito de algunos ingredientes vegetales y animales se debe en parte a su contenido en minerales, pero la medicina china también utiliza algunos ingredientes minerales para sus intereses. En medicina china esos ingredientes se recetan según sus cualidades de frío/calor y ascendente/descendente, y según sus afinidades particulares.

El fitoterapeuta itinerante debía disponer de sus propias existencias de ingredientes animales, vegetales y minerales.

CI SHI
Caolín

Los minerales por lo general se adquieren en forma de polvo para que se puedan mezclar con preparados herbales.

CHI SHI
Halloysitum Rubrum

DA QUING YE
Índigo

FU HAI SHI
Piedra pómez

MANG XIAO
Sal de Glauber

HU PO
Ámbar

MU LI
Concha de ostra

RU XIANG
Incienso

HUA SHI
Talco

MING FAN
Alumbre

BING PIAN
Borneol

治療

FITOTERAPIA CHINA

187

QIGONG

A LAS 5:45 de la mañana, las calles de Pekín rebosan gracias a la cantidad de actividades que acompañan la vida diaria china. Una gran parte de esa temprana actividad matutina tiene lugar en los cientos de parques que salpican la ciudad, grandes o pequeños, y es allí donde miles de personas se preparan para el día que comienza.

Hacia las 6 de la mañana, los parques vibran ya con el movimiento y la gente: algunos solos, otros en pequeños grupos organizados o en grupos muy reglamentados. El hilo conductor que recorre esta actividad es el «Qi», la energía vital responsable del funcionamiento saludable del cuerpo. El Qi es un aspecto vital en el pensamiento chino y rige prácticamente todo, desde la dieta y la medicina a las actitudes vitales, e incluso cómo organizar el espacio vital y laboral. El «buen» Qi procede del aire que se respira y de los alimentos que se ingieren; el «mal» Qi se expulsa y se recicla como parte del infinito movimiento cósmico. Las primeras horas de la mañana constituyen el mejor momento para tomar el Qi y el mejor lugar para hacerlo es cerca de la naturaleza. Incluso en los escenarios urbanos más contaminados, se muestra un especial cuidado, así como una gran reverencia, hacia los lugares naturales, aunque sean pequeños, para potenciar su buen Qi.

La imagen de un parque de Pekín es la de un movimiento grácil, lento y rítmico, o de una quietud equilibrada y rotunda. Cada día, miles de personas practican los movimientos fluidos de las diversas formas de Tai chi, la quietud concentrada y la flexibilidad de las posturas del Qigong y la claridad pacífica de la meditación. El objetivo de todos estos ejercicios es mejorar el movimiento del Qi a través de los meridianos y colaterales del cuerpo, para conseguir la máxima resistencia y flexibilidad física, así como un relajado y tranquilo estado de ánimo. El Qigong es por tanto el tradicional antídoto físico y psicológico para sobrellevar las dificultades de la vida diaria, tan estresantes en China como en cualquier otra parte del mundo.

Ideogramas chinos para Qi y Gong

A las 7:30 de la mañana, el parque está de nuevo vacío; sólo hay grupos de personas mayores que hablan o juegan al ajedrez, o jóvenes madres charlando y jugando con sus hijos. El ritual diario de «hacer circular el Qi» finaliza por la tarde, cuando esas mismas personas regresan al parque y de nuevo utilizan las destrezas del Tai chi y del Qigong en su búsqueda incesante, pero a la vez compensador, de salud y bienestar físico y psicológico.

Los ejercicios Qigong forman
← parte de la vida diaria de China.

Los ejercicios Qigong favorecen un
sistema energético resistente.

ANTECEDENTES

SE CREE que el término Qigong significa «desarrollo del Qi», pero esta traducción es en cierto modo errónea ya que sugiere que el Qi no está naturalmente presente y que se debe desarrollar. Esta idea ignora el aspecto esencial de que el Qi está en todas partes y en todo el tiempo: fluyendo, impregnándolo todo y dando energía a todo en el universo, incluidos nuestros cuerpos. Una traducción mejor que capta con más exactitud la esencia del Qigong sería «cultivo de la energía». Esto implica que su práctica puede ayudar a potenciar al máximo la eficacia y eficiencia de nuestra forma de almacenar, mover y usar el Qi para mejorar nuestra salud y bienestar.

La escena en el parque enfatiza el grado en el que estas prácticas, descritas bajo el nombre general de «Qigong», constituyen, desde hace miles de años, una parte esencial de la vida cultural china.

El Qigong se lleva practicando en serio en el mundo occidental sólo desde los últimos veinte o treinta años. La aparente simplicidad de muchas de las posturas y movimientos conducen inicialmente a una actitud de rechazo, pero la eficacia del Qigong para ayudar a curar enfermedades y mantener la salud ha resultado totalmente probada

y es esencial que cualquier conocedor de medicina china resalte la importancia de esas prácticas.

La evidencia arqueológica más antigua que ilustra el uso del Qigong es la «Inscripción de jade sobre Qigong», un grabado que se remonta a la dinastía Zhou (hacia 600 a.C.), que trata de la teoría y práctica del Qigong. Uno de los

descubrimientos más famosos, las «Ilustraciones de Dao Yin», una pintura en seda fechada durante la dinastía Han (siglos anteriores y posteriores a la era cristiana), representa una serie de posturas de Qigong acompañadas por unas muy breves descripciones que se refieren a los beneficios terapéuticos que se pueden conseguir.

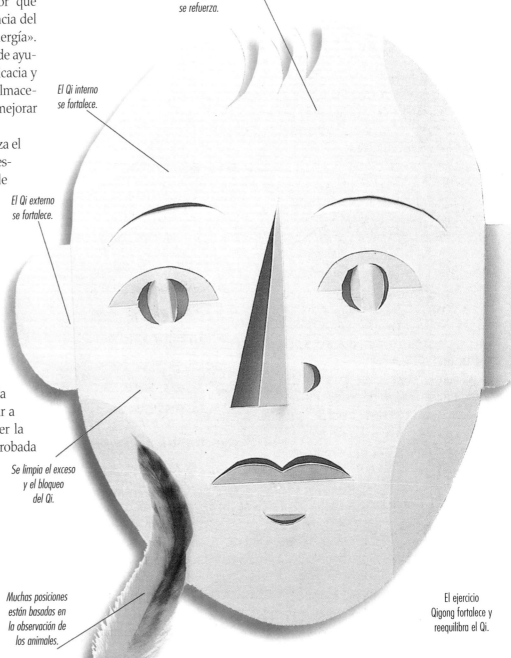

El Qi agotado se refuerza.

El Qi interno se fortalece.

El Qi externo se fortalece.

Se limpia el exceso y el bloqueo del Qi.

Para practicar Qigong se necesita ropa cómoda y un calzado blando.

Muchas posiciones están basadas en la observación de los animales.

El ejercicio Qigong fortalece y reequilibra el Qi.

Por lo general, las prácticas de Qigong se conservaron en las familias y monasterios donde lo practicaban regularmente monjes budistas y taoístas. Aparecieron diversas escuelas con intereses diferentes, pero al fin y al cabo las miles de posturas y movimientos del Qigong comparten los mismos principios que apuntalan las prácticas de la medicina china, es decir, reforzar y tonificar el Qi agotado, limpiar el bloqueo o exceso de Qi y fortalecer el Qi interno y externo (defensivo). Algunos de los ejercicios fortalecen y armonizan el Qi interno del cuerpo, con lo que aseguran que los sistemas Zangfu funcionen de forma eficaz y eficiente, mientras que otros enfatizan la acumulación de manifestaciones más externas del Qi para proteger el cuerpo. Los primeros se conocen como Nei Dan («elixir interno» de la vida) y los últimos como Wei Dan («elixir externo»).

Los ejercicios Wei Dan permiten al terapeuta realizar hechos aparentemente sorprendentes de fortaleza muscular externa, como la capacidad de resistir un directo y potente golpe en el abdomen o en el pecho con una lanza afilada. Las prácticas Nei Dan, mucho menos espectaculares, están diseñadas para fortalecer el Qi interno del cuerpo y por tanto para potenciar una excelente salud así como longevidad.

A lo largo de los siglos, han aparecido nuevos maestros de Qigong y han surgido nuevas tradiciones, mientras que otras han desaparecido. Éste es un momento en el que el Qigong no está confinado a las tradiciones chinas sino que es accesible a todo el mundo. Durante los últimos veinte años, cuando los maestros chinos decidieron viajar hacia el oeste (Estados Unidos y Europa), se han ido introduciendo prácticas de Qigong a un público más amplio y ecléctico. Han conseguido reunir «discípulos» que, a su vez, han desarrollado técnicas a un nivel en el que ya pueden

enseñarlas a otros. Hay cada vez más terapeutas occidentales, competentes y comprometidos, que aseguran que la práctica Qigong ofrece un contexto cultural útil para los superestresados occidentales, ya que les ayuda a fortalecer sus sistemas inmunológicos y vencer los desequilibrios.

Como la comprensión del Qigong aumenta y el número de terapeutas fiables es cada vez mayor, las relaciones

MOVIMIENTO Y ANIMALES EN QIGONG

Los ejercicios Qigong consisten en posturas estáticas o movimientos que fluyen suavemente de una postura a otra. Algunos de los movimientos son relativamente sencillos, pero otros adoptan formas más dinámicas inspiradas en animales. Entre ellas, el Dayan Qigong (ganso salvaje) y el Qigong del dragón nadador.

con las otras ramas de la práctica médica también se están desarrollando. Cada vez hay más personas que se dan cuenta de que los tratamientos de acupuntura o fitoterapia son más eficaces si se acompañan de ejercicios Qigong y que a largo plazo esta práctica puede incluso hacer innecesarios tales tratamientos intervencionistas.

Al no haber ninguna formación re-

conocida en Qigong, el proceso de encontrar un profesor adecuado puede resultar más difícil. Sin embargo, es muy importante resaltar que los beneficios de la práctica de Qigong sólo pueden provenir de una enseñanza experta. Muchos profesores tienen, todo lo más, un somero conocimiento de los principios médicos chinos y no están bien preparados para integrar la práctica del Qigong con cualquier desequilibrio del sistema energético del cuerpo.

Cuando busque un profesor de Qigong, formúlese las siguientes preguntas:

▶ ¿El terapeuta conoce y comprende los principios de la filosofía y práctica médica chinas?

▶ ¿El terapeuta enseña en un gran gimnasio impersonal a un gran número de estudiantes impersonales, o en grupos más pequeños que faciliten el diálogo y la enseñanza personalizada?

▶ ¿Da la impresión de que el terapeuta da las clases de Qigong sólo para ganar dinero?

▶ ¿Nos sentimos cómodos con ese profesor y su método?

Al final, lo más aconsejable es utilizar la intuición y hacer lo que el corazón nos dicte.

A diferencia del Tai chi, para el cual el profesor es esencial, las prácticas Qigong sí se pueden aprender en un libro o vídeo, al menos en términos generales; pero hay que tener presente que no es el sustituto de un buen profesor, aunque los libros y los vídeos pueden constituir unos valiosos complementos. Sabiendo esto, los siguientes ejercicios sencillos constituyen sólo una escueta pista de lo que el Qigong nos puede ofrecer.

EJERCICIOS DE AUTOAYUDA
PREPARACIÓN PARA EL EJERCICIO

Ejercicio conocido como
«El gallo dorado que se sostiene sobre una pata».

Ejercicio conocido como «La serpiente que repta».

que se lleve debe ser muy cómodo y debe ser capaz de mantener bien la temperatura del cuerpo (depende de la exterior). Existe una teoría que afirma que, como el Tai chi y el Qigong son de naturaleza Yin en comparación con el karate, que es más Yang), es más práctica la ropa de color negro, que es un color más Yin. Esta idea se puede apoyar en cierta medida, pero no hasta el punto de aconsejar un uniforme. Es posible que sirva para elegir la ropa, pero la comodidad debería primar siempre al elegir.

EL QIGONG no es algo que deba aprenderse deprisa. Son esenciales una buena disposición del escenario y una preparación concienzuda. Muchos de los siguientes puntos preparatorios son evidentes, pero a veces es importante reafirmar lo obvio para reforzar el mensaje que se pretende emitir.

▶ Hay que tener muy claro el tiempo que se va a dedicar antes de comenzar.

▶ Hay que asegurarse de no ser interrumpido durante la sesión (por el teléfono, miembros de la familia, etc.). Si no se está seguro, es mejor posponer la práctica del ejercicio hasta un momento más idóneo.

▶ Llevar ropa suelta y muy cómoda; al contrario de lo que se suele afirmar, no es necesario vestir ningún tipo de «uniforme», como sucede en karate. Sin embargo, lo

Postura simétrica conocida como «La posición del caballo».

▶ Conviene dedicar unos pocos minutos a «estar» en un espacio exterior o en la habitación, antes de pensar en el ejercicio.

▶ Hay que estar seguro de que la temperatura es la adecuada: ni demasiado calor ni demasiado frío. Cuando se practica en el exterior hay que asegurarse de que no hay demasiado viento, demasiado calor, frío o humedad. Los beneficios adicionales que pueden provenir de una práctica al aire libre pueden anularse totalmente si el tiempo es demasiado desapacible. La invasión de factores patógenos externos es una de las principales causas de enfermedad y desequilibrio en medicina china. Si se practican estos ejercicios al aire libre, hay que asegurarse de que se lleva la ropa adecuada. Si se practican en el interior, la habitación debe estar bien ventilada, ni muy fría ni muy caliente. Se deben evitar los calentadores de gas o eléctricos, si es posible.

LOS PRIMEROS CINCO MINUTOS

OMO ocurre con cualquier otro ejercicio, es importante «calentarse» adecuadamente. Cuando se hace cualquier ejercicio Qigong, no sólo se está estirando y moviendo suavemente el cuerpo, sino que además se pretende relajar la mente para fijar la disposición mental y ajustar el Qi al entorno circundante.

El siguiente ejercicio consiste en un calentamiento que se realiza cinco minutos antes de comenzar cualquier rutina Qigong o Tai chi.

▶ *Dedicar aproximadamente dos minutos a estirarse suavemente y a mover el cuerpo, de cualquier forma que se sepa, para que la sangre fluya y los músculos se calienten. No hay que estirarse en exceso, ya que puede conducir a un estancamiento local del Qi o de la Sangre. Hay que realizar las rutinas más cómodas.*

▶ *Después de completar la etapa inicial, que consiste en un calentamiento físico, se localiza el lugar en la habitación o en el espacio exterior donde se esté más cómodo. Al principio puede resultar extraño, pero cuanto más vaya entendiendo el ambiente que le rodea, más irá comprendiendo la «ecología energética» de los lugares; como sentirse mejor enunos lugares que en otros.*

▶ *Una vez localizado el lugar idóneo, hay que adoptar laclásica postura de partida del Tai chi: el Wu Chi o «Vaciedad». Esta postura se caracteriza por lo siguiente:*

1. De pie con los pies abiertos, separados más o menos la distancia de los hombros y paralelos entre sí; los pies directamente hacia delante, ni girados ni fuera de sitio.

2. Flexionar ligeramente las rodillas. Una buena norma consiste en flexionar las rodillas hasta el punto donde se pueda ver todavía el dedo gordo del pie que sobresale de la rodilla. Si se ve el pie entero, las rodillas no están bien flexionadas; si no se puede ver el pie, es que las rodillas están demasiado flexionadas.

3. Las manos deben reposar de forma suelta a los lados, como si los extremos de los dedos tuvieran unos pesos que las hicieran caer.

4. Bajar los hombros ligeramente, asegurándose de que el tronco sigue la curvatura de la columna lo más naturalmente posible.

5. El abdomen debe expandirse, no contraerse. Hay que sentir cómo se expande el abdomen con la inspiración y cómo se contrae con la espiración.

6. La cabeza debe estar erguida, como si una cuerda imaginaria la estuviera sujetando desde el punto Baihui en la parte superior de la cabeza.

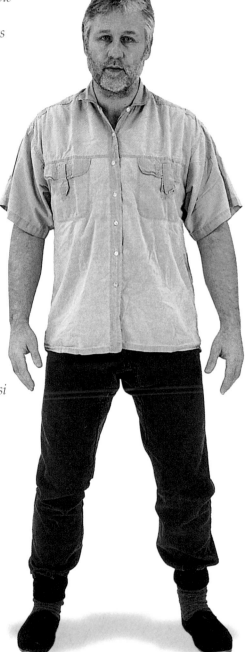

La posición de partida de Qigong se conoce como Wu Chi o «Vaciedad».

EJERCICIOS ESTÁTICOS

ESTE conjunto de posiciones estáticas se suele considerar uno de los ejercicios clásicos de Qigong. Es relativamente sencillo y los beneficios que derivan de su práctica regular son sustanciales. (Los elementos de estos ejercicios se encuentran entre las posturas más practicadas de la rutina china.) Inicialmente hay que mantener estas posturas durante dos minutos. Según se amplíe la práctica, debe aumentarse el tiempo hasta los cinco minutos. Hay que prepararse según se describe en la página 193.

1

2

POSTURA 1

Adoptar la postura clásica Wu Chi descrita en la página 193. Mantenerla durante dos minutos.

POSTURA 2

Llevar los brazos hacia delante hasta la altura de la parte superior del pecho, como si se estuviera sosteniendo una gran pelota suave contra el pecho, con los brazos ligeramente flexionados descansando sobre la pelota. Mantener esta posición durante dos minutos.

POSTURA 3

Llevar los brazos y manos hacia arriba delante de la cara mientras se gira la cabeza ligeramente hacia arriba, mirando a través del espacio dejado entre las manos.
Las palmas de las manos miran hacia fuera como si se estuviera a punto de realizar un saque de baloncesto. Mantener esta posición durante dos minutos.

3

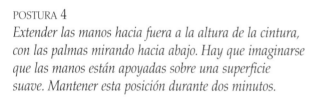

4

5

POSTURA 4

Extender las manos hacia fuera a la altura de la cintura, con las palmas mirando hacia abajo. Hay que imaginarse que las manos están apoyadas sobre una superficie suave. Mantener esta posición durante dos minutos.

POSTURA 5

Situar las manos como si se estuviera sujetando una pequeña bola de energía, del tamaño de una pelota de fútbol o más pequeña, delante de la zona Dantian (véase «Aspectos generales», más abajo). Mantener esta posición durante dos minutos

ASPECTOS GENERALES

A medida que se realizan las posturas, hay que concentrarse en la zona Dantian inferior, que se encuentra a unos 5 cm debajo del ombligo y a 7,5 cm debajo de su superficie. Esta área, conocida como el «Mar de Qi», es una de las principales zonas del cuerpo en donde el Qi se almacena. Durante todo el ejercicio, hay que respirar muy lentamente por el Dantian, permitiendo que el abdomen inferior se expanda en la inhalación y se contraiga luego suavemente en la exhalación.

Si alguna de las posturas se vuelve molesta, hay que interrumpir el ejercicio.

Las posturas deben mantenerse durante tanto tiempo como resulte cómodo e ir aumentando gradualmente el tiempo. No se gana nada si se cansa el cuerpo; es más, puede dar lugar a problemas, como el agotamiento del Qi y un estancamiento local del Qi.

La aparente simplicidad de estas posturas suele llevar a pensar que tienen que ser muy fáciles; sin embargo, siempre hay que tener presente las propias capacidades así como la etapa de desarrollo cuando se practican.

Para beneficiarse de una secuencia de ejercicios como ésta, lo que realmente importa es practicarla con regularidad, cada día si es posible. La aproximación ocasional a estos ejercicios produce muy poco beneficio.

QIGONG

EJERCICIOS DE BROCADO (DE PIE)

ESTE CONJUNTO de ejercicios está basado en el Ba Dua Jin u «Ocho Piezas del Brocado». El concepto de las ocho piezas es sumamente simbólico en el pensamiento chino (por ejemplo, el Yi Jing consiste en 8 x 8 hexagramas). El Jin (brocado o tejido precioso) es un símbolo de gran belleza en el pensamiento chino. Este conjunto de ocho posturas se remonta a la dinastía Song del Sur (1127-1279) y se realiza desde una posición de pie. La rutina de ejercicios comienza con un período de preparación, como se describe en la página 193, calentando y soltando el cuerpo, buscando el lugar adecuado y adoptando la postura Wu Chi. Comenzar esta postura con una respiración concentrada y regular.

1 A

1 B

2

POSTURA 1

«Sostener el cielo» beneficia el San Jiao.

Elevar ambas manos sobre la cabeza con las palmas mirando hacia arriba, como si se estuviera sujetando el cielo (1 A). Los ojos deben seguir a las manos sobre la cabeza.

Estirarse luego sobre los pies (1B) y mantener la postura durante unos segundos antes de volver suavemente a la posición de partida. Inhalar por la nariz mientras se llevan las manos hacia arriba y exhalar por la boca cuando se bajan los brazos. Repetir la postura ocho veces. Esta postura beneficia el flujo del Qi a través del San Jiao o «Triple Calentador».

POSTURA 2

«Disparar con arco» beneficia los Pulmones.

Desde la postura Wu Chi, subir las manos y empujarlas como si se apuntara con un arco. En el estiramiento completo, extender la mano y el brazo.

Regresar al centro del cuerpo y repetir, estirando el brazo hacia la izquierda, tal como se muestra en la ilustración. Repetir la secuencia cuatro veces a cada lado, inhalando por la nariz mientras se estiran los brazos hacia arriba y exhalando por la boca mientras se extiende el brazo. Centrar la vista en los dedos de la mano estirada.

Esta postura beneficia los Pulmones.

3

POSTURA 4

«La vaca que vuelve la cara a la luna» beneficia los Riñones.

Esta postura es similar a la sección del Tai chi conocida como «Las damas que realizan la lanzadera». Desde la postura Wu Chi, girar el cuerpo a la derecha empujando las manos hacia fuera. La mirada debe seguir el giro de la cadera. Volver al centro y repetir la postura hacia el lado izquierdo. Repetir cuatro veces en cada lado. Inhalar por la nariz en el punto de partida y completar la exhalación por la nariz o la boca al final del giro. Esta postura beneficia los Riñones. Además, estira los músculos del torso superior y centra la visión.

4

POSTURA 3

«La presión del cielo y de la tierra» beneficia el Bazo y el Estómago.

Desde la postura Wu Chi, levantar la mano derecha hacia el cielo con la palma mirando hacia arriba y la mano izquierda hacia abajo con la palma mirando a la tierra. En la extensión, estirar las piernas.

Inhalar por la nariz en la postura Wu Chi y exhalar por la nariz o la boca en la presión hacia el cielo.

Esta postura beneficia la función del Bazo así como la del Estómago.

5

POSTURA 5

«La flexión lateral» beneficia el Corazón.

Comenzar desde la posición Wu Chi y llevar arriba el brazo derecho, arquearlo sobre la cabeza e inclinarse sobre el lado izquierdo. Regresar a la posición de partida y repetirla inclinándose a la derecha con el brazo izquierdo sobre la cabeza. Inhalar por la nariz en la posición de partida y exhalar durante el estiramiento. Esta postura beneficia la función del Corazón al limpiar el exceso de Calor.

QIGONG

6A   6B

POSTURA 6

«Puños cerrados golpeando» beneficia el Hígado.

Desde la posición Wu Chi, cerrar el puño derecho, llevarlo hacia atrás y lanzar un puñetazo mientras se lleva hacia atrás el brazo izquierdo (6 A). Repetir en el otro lado cerrando el puño y lanzando el puñetazo con el brazo izquierdo (6B). Repetir con cuatro golpes en cada lado. Inhalar por la nariz en la postura de partida y exhalar fuertemente por la boca durante el puñetazo. Con el puñetazo se puede liberar la ira reprimida.

Esta postura favorece el flujo uniforme del Qi desde el Hígado.

7A   7B

POSTURA 7

Agacharse y levantarse beneficia los Riñones.

Desde la postura Wu Chi, inclinarse sobre las piernas estiradas (7 A). Los dorsos de las manos se deben tocar. A continuación, levantar los brazos.

Separar las manos sobre la cabeza (7B) y hacer girar las manos para volver a la posición de partida. Repetir este movimiento ocho veces.

Inhalar por la nariz al comienzo y completar la exhalación cuando los brazos estén encima del círculo.

Este movimiento beneficia y fortalece los Riñones.

Masaje final para fortalecer el Wei Qi.

Al finalizar las ocho posturas, hay que moverse libremente y golpear con suavidad, con la punta de los dedos o el puño cerrado, los meridianos que recorren los brazos, las piernas, el tronco y la cabeza. Esta acción estimula el flujo del Wei Qi protector y externo, y ayuda al cuerpo a fortalecer su sistema inmunológico y a evitar las enfermedades. Si se está trabajando con una pareja, cada uno puede dar este masaje final al otro.

Varias de las posturas de Brocado están orientadas a tonificar y fortalecer los Riñones, lo que es esencial desde la perspectiva de la medicina china, ya que los Riñones son la fuente de la energía Yin y Yang del cuerpo. Por tanto apoyan la función de los demás sistemas Zangfu.

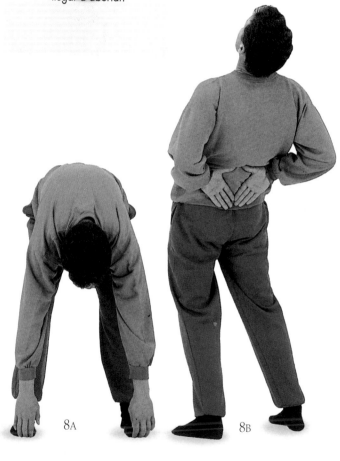

8A   8B

POSTURA 8

Las flexiones y el estiramiento fortalecen los Riñones.

Desde la postura Wu Chi, inclinarse hacia delante con las piernas rectas y tocar el suelo (8 A). Volver al centro y luego, con las manos situadas en la parte inferior de la espalda, inclinarse hacia atrás y estirarse todo lo que se pueda (8B).

Inhalar por la nariz al comienzo de la flexión y exhalar por la boca al final. Inhalar de nuevo en la posición de apertura y exhalar de nuevo durante el estiramiento hacia atrás. Repetir la secuencia ocho veces. Esta postura fortalece y beneficia los Riñones.

治療

QIGONG

Ejercicios de Brocado (sentados)

ESTA SECUENCIA de seis ejercicios Qigong que se realiza desde una posición sentada se originó en la dinastía Ming (1368-1644).

Cada uno de estos movimientos está orientado a fortalecer un sistema Zangfu interno concreto del cuerpo.

FORMA 1

Fortalecer el Corazón

Sentarse cómodamente en una silla con los pies firmemente apoyados en el suelo, separados aproximadamente la distancia de los hombros. Golpear los brazos y el cuerpo 30 veces (paso 1); elevar la mano

derecha sobre la cabeza con la palma hacia arriba, mientras que la izquierda mira hacia abajo, hacia la tierra (paso 2). Entrechocar los dientes un total de 30 veces y hacer gárgaras con la saliva antes de tragarla (paso 3).

Meditar tranquilamente al final de esta secuencia (paso 4). Esta forma ayuda a curar las palpitaciones y en general fortalece el Qi del pecho.

PASO 3

PASO 1

PASO 2

PASO 4

PASO 1

PASO 2

PASO 3

FORMA 2
Fortalecer los Pulmones
Sentarse en el suelo con las piernas cruzadas. Inclinarse hacia delante hasta que los brazos toquen el suelo (paso 1). Levantar los brazos hacia arriba mientras

el tronco regresa a la posición erguida y estirarse hacia el cielo con las palmas mirando hacia arriba (paso 2). Repetir tres veces y golpear 32 veces la parte superior e inferior de la espalda con los puños (paso 3). Entrechocar los dientes 30

veces, hacer gárgaras y tragar la saliva. Meditar tranquilamente al final de la secuencia. Esta forma limpia los Pulmones de cualquier invasión de Viento patógeno.

PASO 1

PASO 2

PASO 3

FORMA 3
Fortalecer el Hígado
Sentarse erguido con las piernas cruzadas. Mantener las palmas contra el Dantian (paso 1). Girar el tronco a la

izquierda y a la derecha 15 veces (paso 2). Entrelazar los dedos y girar las manos para que miren lejos del cuerpo; empujar hacia fuera ocho veces (paso 3). Entrechocar los dientes y tragar la

saliva. Finalizar con una tranquila meditación.
Esta forma limpia el Viento del Hígado interno patógeno.

QIGONG

201

PASO 1   PASO 2   PASO 3

FORMA 4

Fortalecer los Riñones

Sentarse erguido con las piernas cruzadas. Situar las manos sobre los oídos con los codos mirando hacia fuera (paso 1). Inclinarse a la izquierda y la derecha cinco veces (paso 2).
Levantar los brazos, con los oídos tapados, primero el izquierdo, luego el derecho, 15 veces cada uno (paso 3). Entrechocar los dientes y tragar saliva. Meditar. Esta forma fortalece los Riñones y la Vejiga.

PASO 1

FORMA 5

Fortalecer la Vesícula Biliar

Sentarse erguido en una silla recta cómoda o en una banqueta. Sujetar el pie izquierdo con ambas manos y moverlo de un lado a otro 15 veces (paso 1). Repetir la secuencia con el pie derecho. Con las manos sobre la silla, empujar el cuerpo hacia fuera y arquear la espalda tanto como se pueda, manteniendo la posición totalmente extendida durante unos cuantos segundos (paso 2). Repetir 15 veces. Entrechocar los dientes y tragar saliva. Meditar reposadamente. Esta forma equilibra el flujo del Qi en la Vesícula Biliar.

PASO 2

PASO 1

FORMA 6

Fortalecer el Bazo

Sentarse con la espalda recta en una silla o banqueta de respaldo recto. Estirar las piernas y descansar las palmas de las manos sobre las rodillas (paso 1). Levantar los brazos con las palmas hacia arriba y estirar la espalda en arco (paso 2). Mantener esta posición de estiramiento durante unos segundos y regresar a las manos sobre las rodillas.

Repetir cinco veces y luego ponerse en el suelo a cuatro patas. Girar la cabeza a la izquierda y a la derecha, mirando sobre cada hombro, cinco veces en cada lado (paso 3). Entrechocar los dientes y tragar saliva. Meditar reposadamente. Esta forma beneficia el Bazo y ayuda a la digestión.

PASO 2

PASO 3

SECUENCIA TAI CHI QIGONG

LOS CINCO ELEMENTOS

Este corto y dinámico ejercicio posee las mismas cualidades que una secuencia de Tai chi, pero es más breve y se aprende más fácilmente. Está basado en los Cinco Elementos del pensamiento chino *(véase página 26)*, por tanto, ofrece no sólo una introducción sencilla al flujo de un ejercicio dinámico sino que además es un enlace con uno de los conjuntos simbólicos más poderosos en la medicina china. La práctica regular de esta secuencia desarrolla la flexibilidad al estimular la circulación equilibrada del flujo del Qi por todo el cuerpo.

Se comienza en la clásica postura Wu Chi (paso 1) con las manos delante del Dantian inferior. Hay que imaginarse que se sostiene una pelota de fuego entre las manos (paso 2). Mantener esta postura y concentrar la imaginación durante un par de minutos. Ahora ya se está preparado para comenzar la secuencia de los Cinco Elementos.

Arrastrar la bola de fuego al Dantian. El fuego evapora el agua, que se eleva a los cielos (paso 3). El agua forma las nubes, se condensa (paso 4) y cae como lluvia (pasos 5-7). La lluvia nutre la tierra (paso 8) desde la que brotan las semillas del árbol (paso 9). El árbol crece alto y fuerte y se mueve por el viento (pasos 10-12). Finalmente el árbol muere y la materia orgánica regresa para nutrir la tierra (paso 13). Esta materia de desecho forma los minerales y los metales que se extraen del lado derecho (paso 14) y del lado izquierdo (paso 15). El ciclo de los elementos se completa cuando se da el abrazo a todo el uni-

verso (pasos 16 y 17) y éste regresa al propio Dantian (paso 18). La secuencia finaliza en el Wu Chi (paso 19).

Todas estas secuencias y ejercicios ofrecen algunas sugerencias sobre el maravilloso mundo del Qigong y quizá sirvan de estímulo para encontrar un profesor e integrar algunas de las secuencias más sencillas en la vida cotidiana.

Entre las miles de secuencias, posturas y rutinas de Qigong, los mismos chinos afirman a menudo que los sencillos ejercicios estáticos constituyen la «realeza» del Qigong. Si se practican estos ejercicios de forma diligente, los beneficios que aportan a la salud y el bienestar serán considerables.

Los ejercicios Qigong comienzan adoptando la clásica posición de partida. Estos ejercicios reproducen la historia de los cinco elementos que se transforman unos en otros durante el ciclo del universo. Una bola de fuego evapora el agua, que se eleva para formar las nubes de lluvia que nutre la tierra. Los árboles crecen, se mueven por el viento y mueren, dando lugar a los minerales y metales. La fortaleza del universo se extrae hacia el interior y la secuencia finaliza igual que ha empezado.

中藥

PASO 1

PASO 2

PASO 3

PASO 4

PASO 5   PASO 6   PASO 7   PASO 8

PASO 9   PASO 10   PASO 11

PASO 12   PASO 13   PASO 14   PASO 15

PASO 16   PASO 17   PASO 18   PASO 19

治療

QIGONG

205

TAI CHI Y TAI CHICHUAN

MUCHOS *occidentales están más familiarizados con los gráciles y fluidos movimientos del Tai chi que con las formas más estáticas del Qigong. Sin embargo, los dos comparten el mismo trasfondo filosófico y ambos pueden contribuir al desarrollo y mantenimiento de la salud y del bienestar. En resumen, las formas que se practican como Tai chichuan (literalmente, «el puñetazo supremo final» o «arte de boxeo») se pueden conceptualizar como una forma dinámica de Qigong, o «cultivo de energía», y una forma de regular el sistema y evitar la enfermedad.*

En sus raíces, el Tai chichuan es una poderosa y eficaz arte marcial, pero detrás de las aplicaciones marciales subyacen los mismos principios taoístas: el desarrollo de la perfecta armonía entre las energías Yin y Yang del cuerpo, el estímulo de un flujo uniforme y desinhibido del Qi por todo el cuerpo y el mantenimiento de la salud.

ANTECEDENTES HISTÓRICOS

LOS ORÍGENES del Tai chi o Tai chichuan no están muy claros, pero es bastante probable que las prácticas marciales taoístas ya existieran hace unos 2.000 años. La mitología popular relaciona los orígenes de estas artes marciales con el monje hindú Bodhidharma, que según dicen había enseñado el boxeo Zen, que posteriormente evolucionaría en Kung Fu, a los monjes del templo de Shaolin, en el siglo V. Se cree que el Tai chichuan como arte de lucha se remonta al monje taoísta Chang San Feng, del siglo XIV. Parece que se inspiró en una danza-lucha entre un pájaro y una serpiente y que desarrolló un conjunto de trece movimientos a partir de su sueño. Las formas han evolucionado y cambiado con el paso del tiempo, principalmente dentro del contexto de los linajes familiares. En la actualidad, se practican numerosos estilos de Tai chi en China, pero los que más se enseñan en Occidente son:

- Yang: formas cortas y largas
- Wu
- Sun
- Chen
- Wudang

Cada estilo tiene sus propias posturas, secuencias y movimientos, pero todos comparten los mismos principios básicos taoístas que les vinculan estrechamente con la práctica más general del Qigong.

Para practicar el Tai chi como un arte marcial operativo se requiere un nivel de compromiso, en cuanto a entrenamiento, disciplina y tiempo, que raramente posee el estudiante medio cuyo objetivo es mantenerse en forma y saludable. Con esto en mente, es más apropiado retirar la palabra quan («puñetazo») y usar el nombre más descriptivo de Tai chi (el «supremo final»). Cualquier persona que tenga tiempo de aprender el Tai chi como forma de movimiento, rápidamente podrá atestiguar que, en términos de equilibrar el flujo del Qi del cuerpo, relajar el Shen o la mente y potenciar la forma más completa de salud interna o externa, ésta es la forma «suprema final» de ejercicio.

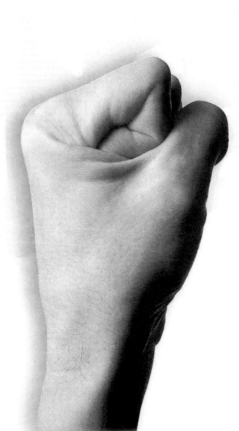

La práctica del Tai chi está basada en el Tai chichuan, relacionado con las artes marciales.

TAI CHI Y MEDICINA CHINA

PARA APRENDER adecuadamente Tai chi es necesario buscar la supervisión y ayuda de un profesor experto y conocedor del tema. Aunque es posible aprender los conocimientos básicos de las posturas y formas Qigong más sencillas en un libro, el Tai chi no se puede aprender de esta forma, ni por cualquier otro medio indirecto. Cuando se buscan libros de Tai chi, hay que tener presente que la utilidad de cualquier libro es directamente proporcional al número de ilustraciones que explican cómo realizar las distintas formas.

En relación con la salud, la práctica de Tai chi potencia la flexibilidad y resistencia en las extremidades y el tronco; desarrolla la postura erguida

LA SERPIENTE QUE REPTA

más apropiada; limpia las zonas de estancamiento de Qi en los canales y colaterales, y estabiliza el equilibrio saludable del flujo entre el Yin y el Yang Qi a través de todos los sistemas internos Zangfu.

Es importante destacar que las sutilidades y complejidades de las formas Tai chi requieren embarcarse en un proceso que nunca finaliza. Es suficiente decir que, una vez que se sigue por este camino, se descubre que el Tai chi abre un nivel de conocimiento experimental de las energías del ser humano que ninguna otra práctica parece tener, lo que da como resultado un estado físico, emocional y espiritual, así como una flexibilidad, de primer orden.

LA COLA DEL GORRIÓN

LA GRULLA BLANCA EXTIENDE LAS ALAS

PUÑETAZO BAJO

Los fluidos movimientos del Tai chi se aprenden mejor de un buen maestro.

治療

QIGONG

207

LA CURACIÓN QIGONG

Muchas personas afirman haber sido ayudadas por la sanación Qigong y generalmente sin contacto físico.

LA CURACIÓN Qigong es la parte más fascinante y controvertida de la medicina china. En este proceso, el terapeuta envía su propio Qi, emitido a través de los puntos de acupuntura clave en el cuerpo, para mejorar el flujo del Qi en el cuerpo del paciente. En la mayoría de los casos, esta práctica se lleva a cabo sin que medie ningún contacto físico. Es fundamental en la curación Qigong que el sistema energético del terapeuta sea fuerte y vigoroso, gracias a la práctica de muchos de los ejercicios Qigong ya descritos. Cada vez hay más pruebas fehacientes y más publicaciones acerca de la emisión y dirección del Qi por parte del terapeuta de Qigong y de cómo puede aplicarse al paciente para favorecer la armonía del Qi y abordar cualquier desequilibrio presente.

Muchos hospitales chinos cuentan con un departamento de Qigong donde se emplean técnicas (parecidas a lo que se denomina en Occidente método de «curación por imposición de manos») para tratar una amplia variedad de problemas. Las técnicas de curación Qigong también se emplean en pacientes ingresados en clínicas de acupuntura para mejorar la eficacia del tratamiento.

En la mayoría de los grandes parques públicos de las importantes ciudades chinas suele haber varios maestros de Qigong que ofrecen clases de ejercicios Qigong y curación Qigong. Un ejemplo notable es el de un maestro, a quien tuve el privilegio de ver en acción, que tenía un grupo de pacientes de cáncer a los que visitaba diariamente y con los que realizaba una combinación de ejercicios y curación Qigong.

Aunque no es posible ofrecer ningún dato estadístico, es evidente que muchos de los pacientes se beneficiaron de ese tratamiento. Una mujer que había estado asistiendo cada día durante unos dieciocho meses, confesó que, dos años antes, su médico le había dicho que disponía sólo de dos o tres meses de vida. Aunque todavía no se había librado del cáncer, su salud general era más estable y ahora podía hacer cosas que le resultaban impensables hace un tiempo.

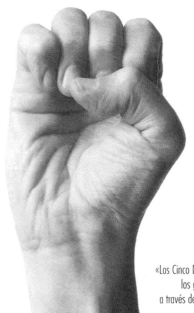

«Los Cinco Dedos del Trueno», uno de los gestos de la mano a través del cual el sanador Qigong emite el Qi.

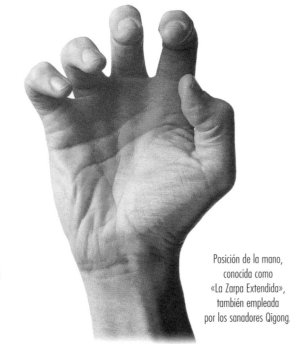

Posición de la mano, conocida como «La Zarpa Extendida», también empleada por los sanadores Qigong.

Para emitir el Qi se utilizan algunos gestos específicos de la mano, como las técnicas de «Los Cinco Dedos del Trueno» y «La Zarpa Extendida» *(que se muestran en la página 208).*

Estas variadas prácticas de curación Qigong se conocen cada vez mejor en Occidente y para algunas personas, incluso terapeutas de medicina china, representan un cambio conceptual muy estimulante. Es probable que se requiera investigación y formación adicional antes de que estas prácticas se conviertan en una parte habitual de los métodos de tratamiento que ofrecen los terapeutas occidentales.

Parece bastante posible que muchas de las técnicas adscritas a la «imposición de manos» o «curación a distancia» (en el contexto occidental) se pueden atribuir a un proceso de transferencia energética entre el terapeuta y el paciente, que equilibra el flujo del Qi y ayuda a eliminar los desequilibrios. La medicina china ofrece la articulación teórica de lo que sucede durante este proceso.

Como ya se ha señalado, la medicina china trabaja en un nivel energético que, a su vez, produce cambios en el cuerpo físico. Ningún lector debe poner en duda que la emisión y la guía del Qi son auténticas. La conclusión debería ser que hay técnicas de curación que requieren una profunda comprensión de la medicina china, una formación específica y una práctica supervisada.

Cuando se busque un terapeuta Qigong, es importante ser consciente de las poderosas fuerzas energéticas que se van a manipular. Por tanto, no hay que albergar ninguna duda acerca de la cualificación y experiencia del terapeuta que se elija.

El Qigong es un método terapéutico específico que se empieza a extender ahora por Occidente, pero que tiene todos los visos de establecerse como un pilar fundamental junto a la acupuntura y la fitoterapia. Mientras tanto, la práctica regular de algunos ejercicios sencillos de Qigong pueden proporcionar beneficios sustanciales a la salud. Esta forma de prevención es mucho más valiosa que esperar a que el sistema se rompa y sea necesaria una intervención médica.

Conclusión

En cierto modo, el Qigong y el Tai chi representan la paradoja fundamental para la forma de pensar de la medicina china. Estas prácticas se realizan aparentemente sin esfuerzo, pero poseen un gran poder y ofrecen un inmenso beneficio a aquella persona que las adopte como parte de una estrategia para mantener una buena salud.

Algunos maestros de ejercicios Tai chi y Qigong también practican una forma de sanación Qigong.

IMPOSICIÓN DE MANOS

El masaje forma parte de muchas culturas y tiene sus raíces en la conducta instintiva fundamental. La terapia Qigong incluye una forma de masaje y de imposición de manos y posibilita una transferencia del Qi entre el terapeuta y el paciente. Aunque está abierto al curanderismo, en algunos casos parece ofrecer resultados espectaculares.

QIGONG

ESTILO DE VIDA

ESTAMOS *siendo constantemente bombardeados con consejos contradictorios: no comas esto, come esto, haz esta clase de ejercicio, haz este deporte, bebe un poco de alcohol, no bebas alcohol, etc. A veces el consejo parece repleto de sentido común y, sin embargo, otras veces se muestra contradictorio y confuso; pero todo apunta al hecho de que instintivamente reconocemos que los hábitos y estilos de vida son de vital importancia para estar en forma y gozar de una excelente salud.*

En lo que todo el mundo está de acuerdo es que para mantener un cuerpo, mente y espíritu sanos y vitales es esencial un estilo de vida que apoye y no perjudique ese objetivo. El problema para muchas personas es averiguar qué es lo que deben hacer. El método que sigue la medicina china para el cuidado de la salud no difiere de la filosofía general de los métodos occidentales. Considera que el ejercicio apropiado, la dieta, la relajación, las relaciones sociales y los hábitos desempeñan una importante función a la hora de favorecer o inhibir el flujo saludable del Qi por el cuerpo. Donde puede diferir el modelo chino es en lo que se considera «apropiado». Su énfasis en la importancia del equilibrio dinámico del Yin y Yang en todo lo que se hace conduce a métodos que no favorecen los extremos, como una dieta radical, por ejemplo. El equilibrio y el punto medio lo son todo y, aunque hay pocas cosas que se descartan, tampoco se considera que algo es del todo aconsejable.

Además de los factores relacionados con el estilo de vida personal, el sistema chino también tiene en cuenta las energías del lugar, algo que resulta extraño desde la perspectiva occidental. Este estudio del entorno físico y de su papel en el beneficio de la salud y del bienestar se denomina Feng Shui. Las siguientes secciones exploran algunos de estos factores, considerando cómo las energías procedentes del estilo de vida y del lugar ofrecen un contexto vital para entender la enfermedad y el desequilibrio.

Se necesita equilibrio en todos
los aspectos de la vida.

La forma de vivir afecta
← a la salud y la vitalidad.

El punto de vista chino considera
que hay que estar en equilibrio
con el entorno así como
con nosotros mismos.

MEDITACIÓN · DIETA · FENG SHUI · HÁBITOS SOCIALES · EJERCICIO

EJERCICIO

EL EJERCICIO *físico, o su ausencia, puede tener mucha importancia en el desarrollo y mantenimiento de un desequilibrio. En general, una moderada actividad física constituye una excelente forma de hacer circular el Qi y la Sangre por todo el cuerpo de forma que puedan proteger y nutrir los sistemas energéticos vitales. La falta de actividad física moderada puede dar lugar a debilidad así como a un estancamiento o una deficiencia del Qi, pero demasiada actividad también es perjudicial.*

El ejercicio suave es más valioso que poner el cuerpo al límite.

ES INTERESANTE observar la participación de los chinos en sus rutinas de ejercicio diarias. La imagen de los diferentes métodos y niveles de competencia personales pueden resultar confusos para el occidental, pero sin duda la característica más destacada es el hecho de que todos los ejercicios realizados con asiduidad parecen evitar el cansancio en el cuerpo, que ni suda, ni jadea, ni muestra caras enrojecidas. Este cuadro contrasta con la típica imagen del ejercicio físico en Occidente, donde tan a menudo se sitúa al cuerpo al límite de sus posibilidades. Esto resalta la diferencia esencial entre la percepción china y occidental del ejercicio físico.

El sistema chino potencia el flujo y movimiento suave del cuerpo, estimulando el flujo suave del Qi que es necesario para mantener la salud, la armonía y el bienestar. La práctica regular de Tai chi y de Qigong ayuda a conseguir este equilibrio y a asegurar un permanente estilo de vida saludable. En la sección sobre Qigong se han descrito algunos ejercicios sencillos *(véanse páginas 193-203)* y se mencionan otras sugerencias en la bibliografía.

Sin embargo, no todo el mundo se siente atraído por el Tai chi y el Qigong e, incluso los que sí lo están, tienen dificultades para encontrar un buen profesor cualificado. La práctica de Tai chi y de Qigong no es un prerrequisito para conseguir un estilo de vida equilibrado energéticamente, aunque sí que son muy convenientes. No es ninguna coincidencia que los chinos que practican estas formas de ejercicio disfruten de una buena salud y de vitalidad incluso en la vejez, mientras que el método occidental de ejercicio, como la gimnasia, por ejemplo, suele provocar lesiones. Los corredores de largas distancias desarrollan un eficaz sistema de Corazón/Pulmones, pero a menudo se vuelven deficientes en Qi, con lo que quedan expuestos a lesiones y otras dolencias menores. La hipersensibilidad a las lesiones de los atletas de primer orden atestigua este fenómeno.

Como ocurre en cualquier actividad, el conocimiento de los principios generales del movimiento suave y rítmico ofrece grandes beneficios para la salud. Las siguientes recomendaciones constituyen una aproximación saludable y equilibrada al ejercicio desde la visión de la medicina china.

◗ Hay que tener cuidado con las actividades que lleven el cuerpo al límite de sus fuerzas.

◗ Hay que tener cuidado con las actividades que tensen de forma repentina el cuerpo, como el levantamiento de pesas o el squash.

◗ Un factor que no hay que olvidar es el clima exterior cuando se realiza cualquier actividad puertas afuera. Hay que abrigarse bien, especialmente cuando el tiempo es frío o húmedo. Si esto no se tiene en cuenta, el cuerpo será susceptible a cualquier invasión por Viento-Frío-Humedad, lo que provocará desequilibrios.

Si se tienen en cuenta estos consejos generales, se podrá realizar sin problema cualquier actividad física. Sin embargo, ciertos deportes, así como algunas formas de ejercicio, son más coherentes que otros con los principios del sistema chino:

▶ *caminar*

▶ *correr suavemente*

▶ *nadar (aunque este ejercicio se desaconseja si se observa alguna evidencia de Humedad interna, ya que puede ser agravada por los prolongados períodos de tiempo dentro del agua)*

▶ *pedalear*

▶ *yoga*

Otras actividades deportivas quizá necesiten ser modificadas aplicando las recomendaciones de la página 212. Los deportes de equipo enérgicos y físicamente exigentes, como el fútbol, son muy adecuados para la gente joven, siempre que equilibren estas actividades con un régimen de ejercicio más suave y estimulante para el Qi. Sin embargo, si aparecen lesiones, se debe dedicar todo el tiempo necesario a lograr la curación completa.

Las lesiones menores son el resultado de un estancamiento local del Qi y las más graves, consecuencia de un estancamiento de la Sangre. A no ser que se tenga un especial cuidado en la recuperación, es probable que el estancamiento vuelva a los mismos lugares dañados. Por ejemplo, muchos jugadores de fútbol acaban desarrollando artritis en las rodillas. Es posible que si estos jugadores hubieran practicado Tai chi o Qigong de forma regular no habrían aparecido estas debilidades o serían de una naturaleza mucho menor.

En resumen, el ejercicio y la actividad física son muy deseables desde la perspectiva de la medicina china, pero hay límites dentro de los cuales se consigue un resultado energético más eficaz.

Desafortunadamente, pedalear o ir corriendo al trabajo ya no está de moda en Occidente desde que el coche ha tomado el relevo.

MEDITACIÓN

ANTECEDENTES

LA IDEA de que el Qi sigue a la disposición de la mente es fundamental en el pensamiento taoísta y en la práctica del Qigong. Se dice que cuando la mente está confusa, la mente se dispersa y es incapaz de concentrarse. Y si la mente se dispersa, el Qi del cuerpo se debilita y se vuelve insustancial. Lo que se deduce de todo esto, como afirman los textos sobre Qigong, es que, en efecto, cuando el Qi se hunde en el Dantian inferior (la zona del punto Qihai sobre el meridiano Ren, a unos 5 cm por debajo del ombligo y a 7,5 cm por debajo de la superficie), la disposición de la mente se fortalece y se concentra, y la mente se relaja. La teoría del Qigong considera los tres aspectos del cuerpo (la mente, la disposición mental y el Qi) en un permanente estado de equilibrio y apoyo mutuo.

Para asegurar una salud y un bienestar general, es importante fijar la mente y la disposición mental. Para ello, se emplean diversas técnicas que no son exclusivas del taoísmo y del Qigong, pero la estructura que las relaciona ofrece una percepción única de cómo los [...] perciben la conexión mente[...]o. Las técnicas de meditación se [...]ben en las páginas 215-217.

Mantener la mente clara y relajada está relacionado con la salud del cuerpo.

PRÁCTICAS DE MEDITACIÓN

HAY MUCHAS prácticas de meditación diferentes y no siempre consisten en entrar en trance o permanecer quieto; es más, la práctica del Qigong y del Tai chi consiste en desarrollar un estado de meditación mientras se está de pie o sentado en una postura estática o incluso en movimiento. Una media hora al día dedicada a la meditación ayuda a relajar y fortalecer el cuerpo. Es aconsejable dedicar el mismo tiempo cada día y asegurarse de que no se va a ser molestado. Conviene llevar ropa cómoda y suelta, así como mantener una buena temperatura corporal. Si es posible, practicar la meditación al aire libre, a primeras horas del día y evitarla una hora después de haber comido. La respiración es muy importante pues armoniza el flujo del Qi.

Las guirnaldas de flores están asociadas al budismo y la meditación.

La mente, la disposición mental y el Qi, los tres aspectos del cuerpo, deben encontrarse en equilibrio mutuo.

CONCENTRACIÓN EN EL DANTIAN (DE PIE)

POSICIÓN WU CHI

Este ejercicio de meditación se puede realizar en cualquier posición estática Qigong o sentado cómodamente con la espalda erguida y el punto Bahui de la parte superior del cráneo alineado con el cielo. En este ejemplo se muestra su ejecución cuando se está de pie en la posición básica Wu Chi.

Comenzar la meditación desde la posición Wu Chi *(véase página 193)*: el cuerpo erguido pero no rígido, las piernas separadas y flexionadas a la altura de la rodilla, los pies paralelos. Esta postura es fundamental en la práctica del Tai chi y Qigong, y resulta muy útil en este ejercicio de meditación.

Una vez acomodado en la postura básica, hay que concentrarse en la respiración. Cuando se inspire por la nariz, hay que ser consciente de la expansión del estómago, y cuando se exhale el aire, ya sea por la nariz o por la boca, hay que pensar en su contracción. Centrar la mente en la zona del Dantian inferior *(véase página 214)*. Esta zona, llamada Qihai o «Mar de Qi», es el principal depósito de Qi y se relaciona con los principales canales de distribución: el Ren Mai y el Du Mai.

En la inspiración, hay que imaginarse que el Qi fresco procedente del universo está entrando en el cuerpo y fluye hacia el Qihai. En la espiración, hay que pensar en cómo el Qi gastado deja el cuerpo y se vuelve a unir con el universo, donde se renovará. Esa imagen debe conservarse durante al menos diez minutos mientras se es consciente de la potencia del Qi que se está almacenando en el cuerpo. Para finalizar, hay que dejar que ese estado de concentración abandone el Dantian y regrese suavemente a experimentar la consciencia del resto del cuerpo.

Como en todos los ejercicios de meditación, si no se puede trabajar durante diez minutos seguidos al principio, se comienza con el mayor tiempo posible y se va ampliando gradualmente el tiempo. Con práctica, se puede permanecer en este estado meditativo hasta una media hora o incluso más tiempo.

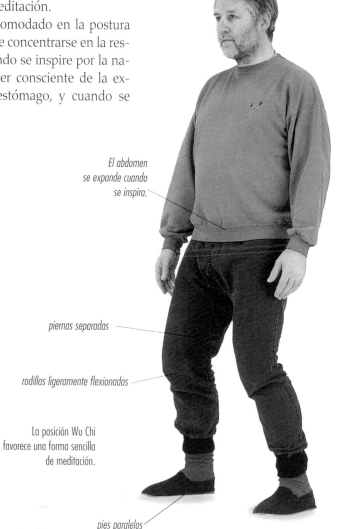

El abdomen se expande cuando se inspira.

piernas separadas

rodillas ligeramente flexionadas

La posición Wu Chi favorece una forma sencilla de meditación.

pies paralelos

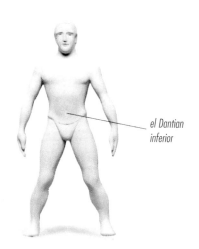

el Dantian inferior

Inspirar y espirar suavemente constituye la clave del proceso.

MEDITACIÓN SOBRE EL FLUJO DEL QI

STA MEDITACIÓN es una variante simplificada de meditaciones más esotéricas que pretenden que el individuo experimente la sensación del flujo del Qi por todo el cuerpo, como, por ejemplo, las meditaciones sobre el ciclo microcósmico.

En esta sencilla meditación, se puede adoptar cualquiera de las posiciones básicas estáticas de Qigong y luego dejar que la mente sea consciente de la sensación del Qi, dondequiera que aparezca. El objetivo de esta meditación es progresar desde una conciencia aleatoria y descontrolada de la naturaleza del flujo del Qi a una capacidad de controlarla por medio de la disposición mental.

Adoptar la postura Wu Chi (*véase página 193*) y mantenerla durante un minuto. Una vez estabilizada, llevar las manos hacia delante alineadas con la parte superior del pecho, como si se estuviera sujetando una gran pelota. El tiempo que se pueda mantener esta postura dependerá de la práctica, pero hay que intentar que dure al menos diez minutos. Si se practica a diario durante un par de meses, debería conseguirse fácilmente. La respiración tiene que ser lenta y rítmica.

Al cabo de uno o dos minutos, deberían experimentarse diversas sensaciones en el cuerpo, especialmente en los brazos y las palmas de las manos. Durante unos minutos, hay que concentrarse en esas sensaciones sin pensar en nada más. A los cinco minutos, el pensamiento se concentra en una zona concreta donde se experimenta la actividad del Qi (se puede sentir calor, hormigueo, picor, frío, etc.). No hay experiencias «buenas» o «malas» en relación con

esta actividad; lo que importa es lo que siente cada uno. A medida que aumenta la concentración, hay que intentar que la disposición mental influya sobre el flujo del Qi. Consiste en conseguir que el Qi fluya uniformemente por los meridianos, nutriendo cada parte del cuerpo. Con cada inspiración se dirige el Qi por los meridianos y con cada espiración se expulsa, creándose por tanto un flujo coherente entre la inspiración (donde el Qi procedente del universo inunda el cuerpo) y la espiración (donde el Qi gastado y pesado deja el cuerpo y regresa a su origen universal).

Hay que intentar mantener esta concentración tanto tiempo como sea posible y, cuando finalice la meditación y los brazos regresen a la posición original de Wu Chi, hay que devolver el control al Qi para conseguir la perfecta disposición mental. Este ejercicio constituye una meditación poderosa y muy energizante, pues está basada en la idea de que el flujo del Qi es la sangre de la vida, no sólo del cuerpo sino también de todo el universo.

sostener una
gran bola invisible

el Qi fluye
hacia el interior

el Qi circula

La posición estática
conduce
a una meditación
energizante.

中
藥

MEDICINA CHINA

MEDITACIÓN SOBRE LOS CINCO COLORES YIN

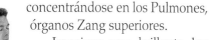

EL OBJETIVO de esta meditación de visualización es limpiar y energizar los cinco órganos Yin del cuerpo y, por asociación, sus cinco homólogos Yang. La meditación se basa en las correspondencias de la secuencia de los Cinco Elementos y reconoce que cada uno de los sistemas Zangfu posee su propia frecuencia energética, que puede ser energizada al visualizar el color apropiado.

Para iniciar esta meditación, se adopta una posición sentada, la que resulte más cómoda, ya sea en el borde de un asiento recto o con las piernas cruzadas en la clásica postura de meditación. Se apoyan las manos sobre las rodillas con las palmas vueltas hacia arriba, con el dorso de la mano derecha reposando sobre la palma de la mano izquierda.

Comenzar dejando a la mente concentrarse en la zona del Dantian inferior y coordinar la inspiración y la espiración, tal como se realizó en la primera meditación. Una vez relajado y concentrado, se inicia la meditación

Meditación en una posición sentada.

concentrándose en los Pulmones, órganos Zang superiores.

Imaginar una brillante luz blanca que penetra en los Pulmones a cada inspiración. Esta luz es tan intensa que limpia completamente los Pulmones, favoreciendo el perfecto funcionamiento del sistema. Esa luz también fluye por el Intestino Grueso, el órgano Fu emparejado con los Pulmones. Mantener esta imagen y, en la espiración, imaginar que se expulsa una luz mortecina y viciada que lleva con ella la negatividad y cualquier Dolor sin resolver (emoción asociada con los Pulmones), que puede estar afectando la función de los Pulmones, y la devuelve al universo. Mantener la imagen durante unos tres o cinco minutos.

Continuar igual con los cuatro sistemas Zangfu restantes. En cada caso, concentrarse en el color dominante de ese sistema e imaginárselo de la forma más poderosa que se pueda. En la espiración, visualizar el estado viciado y mortecino de la luz que lleva la negatividad y el aspecto negativo de la emoción asociada. Hay que trabajar todo el Zangfu, según el orden del cuadro adjunto.

Cuando ya se hayan terminado los cinco sistemas, la atención debe regresar hacia el Dantian inferior e imaginarse los cinco colores que recorren el cuerpo, desde la parte superior de la cabeza hasta el punto más en contacto con la tierra (depende de la postura). Regresar lentamente al mundo exterior.

Como en todos los tipos de meditación, el objeto de la meditación de los Cinco Colores Yin consiste en trabajar en pos de un equilibrio entre el Qi, la mente y la disposición mental. En este equilibrio es donde reside la salud.

Esta forma de meditación es excelente para expulsar el Dolor y la negatividad.

ÓRGANO	COLOR	EMOCIÓN
Pulmones	blanco	Dolor
Corazón (Intestino delgado)	rojo	Alegría
Bazo (Estómago)	amarillo	Preocupación
Hígado (Vesícula biliar)	verde	Ira
Riñones (Vejiga)	azul intenso	Miedo

治療

DIETA

NTRE las principales **causas** de **desequilibrio** energético **en** Occidente, se encuentran unos inadecuados hábitos alimentarios; por tanto, entender los alimentos desde la perspectiva de la medicina china puede ser de gran utilidad con relación al objetivo de conseguir un estilo de vida más saludable. Se dice que Sun Si Miao, un famoso médico chino que vivió y trabajó alrededor del año 800 afirmó: «Los que lo ignoran todo acerca de los alimentos no deben esperar sobrevivir».

El sistema chino se toma muy en serio los alimentos, y el equilibrio de energías y sabores refleja la misma atención minuciosa que es evidente en su comprensión de las propiedades energéticas de las hierbas. Aunque, en general, los alimentos se consumen para sostener el Qi del cuerpo y potenciar la buena salud y vitalidad (en lugar de por propósitos terapéuticos de naturaleza más específica), los paralelismos con la ingestión de hierbas (donde el propósito va dictado por un desequilibrio energético) son obvios. Al igual que determinadas hierbas poseen cualidades energéticas, así también las poseen los alimentos. Si se tiene esto presente al considerar la selección de alimentos, su preparación y su consumo, se empezará a comprender la importancia de la dieta para la salud energética.

Sabio chino sumido en la contemplación bajo un melocotonero.

El Jiao medio es la zona del cuerpo responsable de la digestión. El Bazo extrae el Gu Qi de los alimentos ingeridos y lo envía a los Pulmones. Para realizar esta tarea de forma eficaz, el Bazo necesita estar sano. Puede resultar útil revisar algunos puntos clave en relación a la dieta desde la perspectiva de la medicina china.

Los alimentos nutritivos, servidos
en las proporciones adecuadas y ligeramente
cocidos, constituyen una dieta equilibrada.

*sólo pequeñas
cantidades de
alimentos picantes*

*una gran variedad
de verduras frescas*

legumbres y productos de trigo (pasta)

cereales

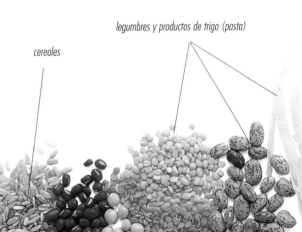

¿ALIMENTOS CRUDOS O COCIDOS?

L A MEDICINA china considera la digestión (asociada con el Estómago y el Bazo) como un proceso de cocción interna. El proceso digestivo «cocina» el alimento para permitir que su esencia, el Gu Qi, ascienda a los Pulmones. Por tanto, la cocción de los alimentos se considera un proceso importante para ayudar a la posterior «cocción» digestiva. El sistema chino enfatiza la importancia de la cocción rápida de los alimentos, que facilita la digestión y conserva mejor las cualidades energéticas del Gu Qi. La cocción excesiva o la cocción en gran cantidad de aceite o grasa puede producir una acumulación de Flema o Humedad interna, que daña la capacidad del Bazo de realizar la función digestiva. El Bazo también requiere cierto calor, aunque no en exceso. Por ello se indica que el consumo excesivo de alimentos crudos y fríos enfría el Bazo y lo daña.

ALGUNAS REGLAS

▶ *Cocinar los alimentos ligeramente y servirlos templados.*

▶ *Evitar cocinar en grasas y aceites pesados.*

▶ *Consumir con moderación alimentos fríos y crudos.*

▶ *Masticar bien la comida y digerirla sin prisas.*

▶ *Consumir alimentos energéticamente calientes y especiados con moderación.*

▶ *No cocinar ni calentar los alimentos en el microondas, ya que puede alterar de forma grave su equilibrio energético.*

¿ES MEJOR UNA DIETA VEGETARIANA?

E XISTEN distintas opiniones acerca de este punto. Para algunos especialistas, lo importante es ingerir una moderada cantidad de productos animales para asegurarse una nutrición adecuada y equilibrada; otros, en cambio, sostienen que una dieta predominantemente vegetariana es más adecuada. Sea cual sea la dieta, hay que tener en cuenta lo siguiente:

▶ Es vital ingerir una gran cantidad de cereales y verduras ligeramente cocidas.

▶ Las pequeñas cantidades de carne y los productos lácteos son muy nutritivos, pero existe el peligro de desarrollar Flema en el Bazo si se consumen productos animales en exceso.

un poco de carne

fruta fresca

pescado y marisco

productos lácteos

LA ARMONÍA DE LAS CUATRO ENERGÍAS Y LOS CINCO SABORES

COMO sucede en la fitoterapia china, el equilibrio de las cualidades energéticas de los alimentos que se ingieren es esencial. En los preparados herbales el equilibrio está pensado para lograr un determinado efecto terapéutico y energético; en el consumo habitual de alimentos se aplica en cambio un principio general.

El consumo excesivo de alimentos calientes y especiados afecta al Qi original del cuerpo, consume los Fluidos Corporales y lesiona el Yin. Por otro lado, demasiados alimentos fríos y crudos dañan el Qi del Bazo y del Estómago e interfieren en el proceso digestivo. En cuanto a los sabores, la dieta más sana debe reflejar los cinco sabores (dulce, agrio, salado, amargo y acre).

La cantidad de cada comida depende del momento del día.

De esta forma se asegura que la Sangre y el Qi fluyan uniformemente y que el sistema Zangfu funcione de forma eficaz. Un énfasis excesivo en cualquier sabor conduce al desequilibrio. Por ejemplo, en muchas dietas occidentales existe la tendencia de comer demasiados dulces, lo que puede provocar problemas de Calor interno y un deterioro de la función del Bazo. También afecta a la función del Qi del Riñón, que puede ejercer un efecto posterior en el sistema Zangfu. Es probable que un exceso en relación con los cinco sabores conduzca a desequilibrios energéticos.

Por tanto, la dieta perfecta debe tener como objetivo un equilibrio sensato entre la temperatura y el sabor para evitar el deterioro del Qi.

LA IMPORTANCIA DE UNOS BUENOS HÁBITOS

SI SE RECORREN unos metros hacia el sur de la plaza de Tiananmen, en Pekín, se puede elegir entre varias cadenas de comida rápida occidentales. Además de la comida, la práctica de «entrar, salir y deprimirse» contrasta marcadamente con la disciplina de la comida china tradicional. Comer la cantidad adecuada en el momento adecuado y de una forma disciplinada se considera crucial si se desea sacar el mayor beneficio a los alimentos. La máxima de «comer cuando se tiene hambre y beber cuando se tiene sed» resume el método chino, con la advertencia de que se debería comer sólo el 75 por ciento de lo que el estómago es capaz de recibir. Si se sigue este consejo, el resultado será una perfecta digestión.

El sistema chino considera que las funciones del cuerpo están engranadas en un ritmo regular; en consecuencia, cree que comer debería seguir un patrón claro y regular. Por ejemplo, recomienda comer a intervalos regulares y que la cantidad de comida disminuya a medida que avanza el día, asegurándose de que se ha digerido completamente la cena antes de dormir. También aconseja comer lentamente, masticando bien, y no comer si no es posible concentrarse en la comida. Al comer, la disposición de la mente y el flujo uniforme del Qi están estrechamente relacionados; por tanto, la concentración es un aspecto esencial.

En resumen, si se está preocupado, la mente dispersa ocasionará un flujo del Qi poco saludable.

Desde el punto de vista de la medicina china, la moderación, la disciplina y el equilibrio son los conceptos fundamentales para empezar a comer. Hay que ser muy conscientes de los sabores y la temperatura de los alimentos; prestar mucha atención al método disciplinado de una comida tranquila y reflexiva, y ser consciente de los ritmos naturales diarios del cuerpo. No es necesario comer comida china para adoptar estos principios básicos, pero se dice que la forma de preparación, los métodos de cocción, la mezcla de ingredientes y el enfoque disciplinado de una comida china son un poderoso modelo que conviene seguir.

Para asegurar que los hábitos alimentarios diarios apoyan el equilibrio de las energías corporales, hay que intentar en lo posible adoptar las siguientes normas:

◗ Emplear productos frescos y orgánicos.
◗ Utilizar alimentos propios de la zona.
◗ Consumir fruta y verduras de temporada.
◗ Preparar y mezclar los alimentos con la convicción de necesitar un equilibrio energético.
◗ Preparar, servir e ingerir los alimentos de forma relajada y disciplinada.

Ayuda a aliviar la retención de líquidos.

Buen tónico del Yin.

Menú

Sopa de pollo y algo de huevo

~

Atún con tomate y pimiento

~

Verduras rehogadas
(espinacas y puerros)

~

Arroz al vapor

~

Fruta fresca

~

Infusión de hierbas

Tonifica el Bazo.

Armoniza la función del Jiao medio y ayuda a la digestión.

Es importante contar con espacio y tiempo para las comidas.
El menú muestra ejemplos de alimentos que combinan bien para formar una dieta equilibrada.
Se pueden ingerir en cualquier comida del día y no es necesario ningún orden.

HÁBITOS SOCIALES

ESGRACIADAMENTE, *muchos de los modelos de comportamiento social en Occidente no ayudan al mantenimiento de la salud y el bienestar. Además, nuestros placeres, legales o ilegales, pueden llegar a hacernos bastante daño. En concreto, fumar, un consumo excesivo de alcohol y las drogas prescritas o prohibidas, así como una disipación irreflexiva de la energía sexual, todo resulta igual de dañino. Algunos de estos problemas se abordan aquí desde la perspectiva de la medicina china.*

Fumar afecta al Yin del Pulmón.

FUMAR

El HUMO del tabaco es energéticamente caliente y lleva el Calor al cuerpo, sobre todo a los Pulmones. A corto plazo proporciona beneficios. De hecho, hay fumadores que afirman que un cigarrillo les relaja; esto se debe a que el Calor del humo inhalado hace circular cualquier estancamiento del Qi y produce así un efecto beneficioso.

Sin embargo, este efecto es sólo temporal y es probable que el estancamiento del Qi vuelva a producirse. La necesidad de mover el Qi se refuerza y se establece un círculo vicioso que conduce a la adicción. A largo plazo, el Calor perjudica el Yin de los Pulmones, lo que puede dar lugar a un aumento de desequilibrios graves.

EFECTOS SOBRE EL QI

PUEDE MOVER UN QI DEL PULMÓN ESTANCADO, PERO EL ESTANCAMIENTO VUELVE A PRODUCIRSE. UNA POSIBLE ADICCIÓN CAUSA DAÑO AL PULMÓN.

Uno o dos vasos de vino de vez en cuando tonifican la Sangre y la circulación. Sin embargo, demasiado alcohol puede afectar al Hígado.

ALCOHOL

El ALCOHOL es otra sustancia energéticamente Caliente además de Húmeda, y en muchos aspectos sus efectos son similares a los del tabaco.

Sin embargo, se suele aceptar que un poco de alcohol es beneficioso, especialmente durante el invierno y en climas fríos. Como siempre, la palabra clave es moderación, junto con la comprensión de las cualidades energéticas del alcohol.

EFECTOS SOBRE EL QI

EL ALCOHOL PUEDE HACER CIRCULAR DE FORMA TEMPORAL UN QI ESTANCADO, PERO ESTE ESTANCAMIENTO PRONTO VUELVE A REPRODUCIRSE.

中藥

MEDICINA CHINA

Del consumo de drogas deriva
una gran variedad de desequilibrios
interrelacionados.

DROGAS

El TEMA de la adicción es demasiado complejo
para tratarse aquí con detalle; es suficiente decir
que el abuso de las drogas causa graves
desequilibrios energéticos. Aunque la medicina
china puede ayudar a tratar estos desequilibrios,
no es ninguna varita mágica y no puede realizar
automáticamente ninguna curación.
Cuando se va a tratar un problema de adicción
con ayuda de la medicina china, son esenciales
la actitud y la disposición del paciente ante el
problema si se desea alcanzar el éxito.

EFECTOS SOBRE EL QI

LA ADICCIÓN A LAS DROGAS PUEDE CAUSAR
UNA DEFICIENCIA DEL QI ASÍ COMO OCASIONAR
UN GRAN NÚMERO DE DESEQUILIBRIOS.

No se considera que la actividad
sexual sea dañina en sí misma.

ENERGÍA SEXUAL

EN MEDICINA china, la energía sexual refleja el
aspecto más sutil del Qi, es decir, la esencia o Jing
de una persona. Esta forma de energía está
estrechamente relacionada con los Riñones, la
principal fuente de toda la energía Yin y Yang del
cuerpo. Se considera que demasiada actividad
sexual agota el Jing y el Qi del Riñón, y puede
provocar un envejecimiento prematuro así como
problemas de deficiencia en todo el Zangfu. El
planteamiento chino de la moderación en la
actividad sexual no surge de normas y costumbres
moralmente definidas ni refleja una cultura reprimida
desde el punto de vista sexual. La actividad sexual se
considera en relación con la salud energética general
del cuerpo.
Es más, ciertos ejercicios taoístas de Qigong
potencian el fortalecimiento y el mantenimiento de la
energía Jing esencial para favorecer la salud y la
longevidad.

EFECTOS SOBRE EL QI

AUNQUE EL QI DEL RIÑÓN SE VEA AFECTADO POR UN
EXCESO DE RELACIONES SEXUALES, UNA CORRECTA
CANTIDAD DE ESAS RELACIONES RESULTA BENEFICIOSA.

ESTILO DE VIDA

FENG SHUI

LA SITUACIÓN de los edificios en el paisaje y la organización de los espacios y objetos dentro de los edificios tienen gran importancia en el pensamiento chino. El Feng Shui, el arte y ciencia que rige este pensamiento, se traduce como «Viento y Agua», dos de las formas fundamentales de energía en el universo. El viento representa el aire, y el agua la naturaleza dinámica y fluida del universo. El Feng Shui enseña a sacar el máximo partido de estas fuerzas.

El Feng Shui explica que los edificios pueden estar influidos en su posición y diseño por energías invisibles.

DENTRO de la filosofía taoísta, se conciben ocho constituyentes del universo, representados como ocho trigramas, que parten de la representación dinámica del Yin y Yang. Estos trigramas se emplearon para desarrollar los 64 hexagramas que forman los arquetipos de la conciencia humana, tal como se revela en el importante tratado de pensamiento chino, el *Yi Jing* (conocido comúnmente como *El Libro de los Cambios*). El Yi Jing reconoce los patrones de cambio dentro del orden cósmico del universo. Una extensión de todo ello ofrece una visión acerca de cómo las energías del espacio físico pueden estar influidas por todas las interacciones posibles de estos patrones de energía fundamentales.

Cada uno de los ocho trigramas representa una cualidad específica de la energía y la experiencia del mundo emerge de las interacciones de estas cualidades energéticas. Las representaciones de los ocho trigramas básicos se muestran en el cuadro inferior.

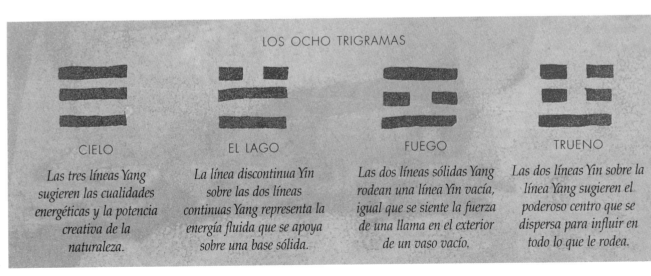

LOS OCHO TRIGRAMAS

CIELO
Las tres líneas Yang sugieren las cualidades energéticas y la potencia creativa de la naturaleza.

EL LAGO
La línea discontinua Yin sobre las dos líneas continuas Yang representa la energía fluida que se apoya sobre una base sólida.

FUEGO
Las dos líneas sólidas Yang rodean una línea Yin vacía, igual que se siente la fuerza de una llama en el exterior de un vaso vacío.

TRUENO
Las dos líneas Yin sobre la línea Yang sugieren el poderoso centro que se dispersa para influir en todo lo que le rodea.

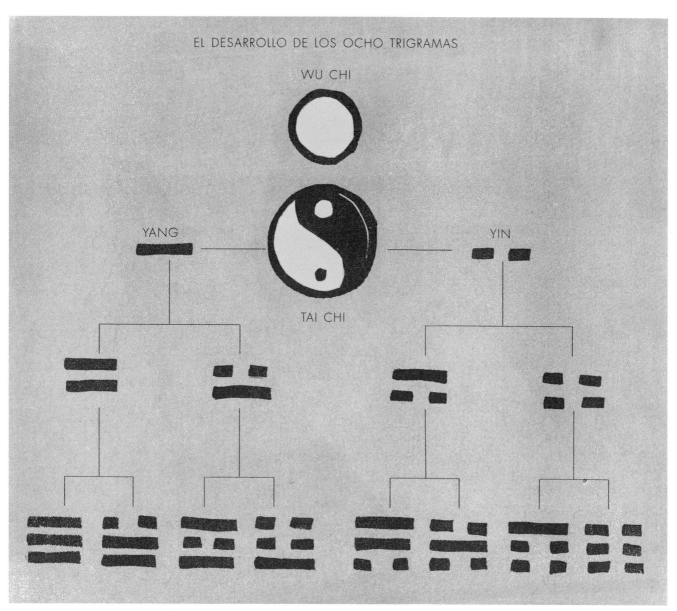

EL DESARROLLO DE LOS OCHO TRIGRAMAS

WU CHI

YANG

YIN

TAI CHI

Los ocho trigramas (arriba) representan el desarrollo de las ocho posibles combinaciones del Yin y Yang (abajo).

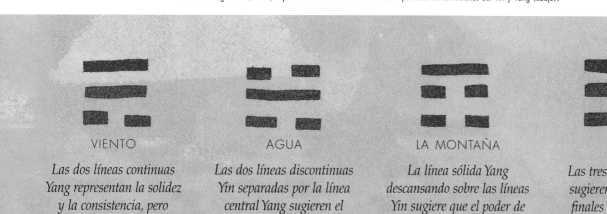

VIENTO

Las dos líneas continuas Yang representan la solidez y la consistencia, pero la línea Yin sigue moviendo las cosas.

AGUA

Las dos líneas discontinuas Yin separadas por la línea central Yang sugieren el flujo del agua con un núcleo muy poderoso.

LA MONTAÑA

La línea sólida Yang descansando sobre las líneas Yin sugiere que el poder de la superficie requiere unas raíces suaves y nutrientes.

TIERRA

Las tres líneas Yin rotas sugieren las cualidades finales de receptividad y nutrición de la energía de la Tierra.

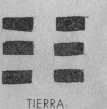

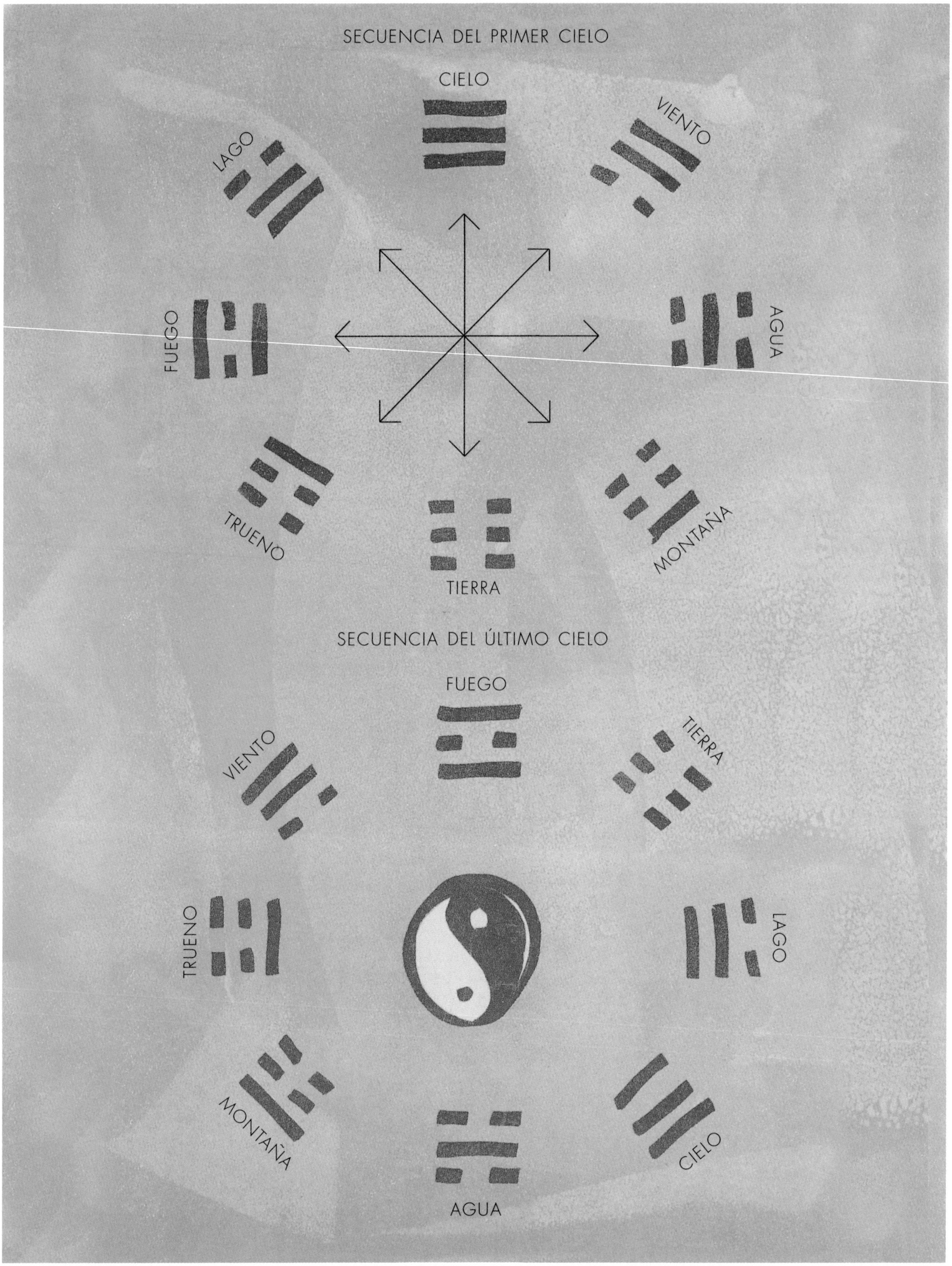

SECUENCIA DEL PRIMER CIELO

CIELO
VIENTO
LAGO
FUEGO
AGUA
TRUENO
MONTAÑA
TIERRA

SECUENCIA DEL ÚLTIMO CIELO

FUEGO
VIENTO
TIERRA
TRUENO
LAGO
MONTAÑA
CIELO
AGUA

中藥

MEDICINA CHINA

Los filósofos chinos situaron estas cualidades energéticas, en pares de opuestos que se equilibran, en una disposición de ocho lados llamada «Secuencia del Primer Cielo» (Ba Gua).

Aunque esta disposición parece ofrecer una sensación de perfecto equilibrio energético, no concuerda con la naturaleza más dinámica del universo, en la cual los opuestos normalmente no se encuentran en perfecto equilibrio. (Es ese desequilibrio natural el que da al universo su sentido de corriente dinámica.) Esta observación conduce a una nueva disposición de las cualidades energéticas en la «Secuencia del Último Cielo», que ofrece un Ba Gua algo más dinámico.

A su vez, proporciona una visión del universo como si se tratara de una gran dinamo de energía, continuamente en movimiento, siempre cambiando y reinventándose a sí misma, y sugiere que las dinámicas de energía se extienden por el espacio y evolucionan con el tiempo. El desarrollo de estas ideas se encuentra en el concepto de los Cinco Elementos y en los ciclos «Creativo» y «Control», esenciales en la teoría de la medicina china.

Finalmente, estas ideas se aplicaron al mundo físico para intentar comprender cómo ciertos lugares, edificios, diseños y disposiciones de habitaciones, objetos en el espacio, etc., están influidos por este inmenso caleidoscopio energético y para averiguar si estas energías constituyen una ayuda o un obstáculo en relación a cómo experimentamos el mundo que nos rodea. Un buen Feng Shui mejora la creatividad, la prosperidad y la salud; un mal Feng Shui puede hacer justo lo contrario.

Las secuencias del Primer Cielo (arriba) y del Último Cielo (abajo).

Este paisaje montañoso que data de, aproximadamente, 970-1050 expresa con claridad el sentimiento chino por el mundo natural.

LAS ENERGÍAS EN EL MUNDO NATURAL

LOS PRINCIPIOS del Feng Shui sugieren que el mundo natural está vivo: la energía se mueve y cambia, el Qi se reúne y se dispersa. La forma que tienen los individuos de experimentar el mundo es, en su mayor parte, una función de la interacción entre el propio Qi y el del entorno circundante. Este libro no puede hacer más que esbozar estas ideas. La mayoría de los lectores probablemente han sentido diversas reacciones ante distintos entornos físicos: algunos lugares les han estimulado el espíritu, haciéndoles sentir más vivos; en cambio, otros les han ahogado el espíritu, haciéndoles sentir pesados, letárgicos y deprimidos. Si se ha podido sentir este tipo de experiencia, en-

Existen formas para protegerse de los desequilibrios y estancamientos del «mal» Feng Shui.

tonces se ha sentido el poder del Feng Shui.

Un ejemplo evidente de esta sensación es el contraste entre la belleza de las zonas vírgenes de la naturaleza y las zonas urbanas arruinadas por la intervención del hombre. En las últimas, el Qi del entorno se ha vuelto deficiente y estancado, y ha creado desequilibrios, de la misma forma que la deficiencia y el estancamiento causan desequilibrios en el cuerpo. Por tanto, no es extraño que si se vive o se trabaja en una zona de «mal» Feng Shui, se sea más susceptible a padecer desequilibrios físicos y psicológicos. El propio Qi y el del entorno vibrarán a la misma frecuencia y mostrarán las mismas señales energéticas, a menos que se eviten.

¿CÓMO ENFRENTARSE AL «MAL» FENG SHUI?

LA PRIMERA solución y la más obvia con relación a este problema es cambiarse a otro lugar donde se experimente un «buen» Feng Shui. Sin embargo, no es una opción realista ni viable para la mayoría de las personas. Teniendo presentes las realidades de la vida diaria, hay que tomar las medidas apropiadas para protegerse en el entorno en que se vive. Los siguientes consejos son muy útiles, pero es necesario conocer mejor el Feng Shui para obtener el máximo beneficio:

✦ Adoptar una dieta sana y equilibrada, comiendo regularment ✦ Man-

Este banco de Hong Kong echó la culpa de su poco éxito a la fuente, pues se consideraba que tenía un «mal» Feng Shui.

tenerse físicamente en forma haciendo el ejercicio que mejor se adapte a cada uno. ✦ Aprender y practicar regularmente Qigong o Tai chi. ✦ Visitar el mundo natural y disfrutar de su belleza siempre que sea posible. ✦ Dedicar un rato cada día a pasear por una zona verde. ✦ Ser disciplinado en las costumbres y actitudes hacia los demás y hacia el mundo que nos rodea. ✦ Ser ordenado y no aumentar los desequilibrios del entorno. ✦ Ser consciente del efecto que ejerce el entorno y usar la disposición mental para enviar el Qi al mundo de una forma positiva.

La entrada al Hotel Mandarín de Pekín se ha renovado, de acuerdo
con las exigencias del Feng Shui.

El Banco de China, en Hong Kong, fue diseñado siguiendo
los métodos tradicionales de Feng Shui.

EQUILIBRIO EN EL HOGAR

*Hay muchas formas de hacer ajustes en el hogar para crear
un entorno favorable. Lo más importante es el equilibrio:
equilibrio de materiales duros y blandos, colores claros y
oscuros, áreas de luz y de sombra. Los espejos y las luces
pueden usarse para iluminar las esquinas sombrías; las
ventanas grandes se disminuyen ópticamente con cortinas
que oculten parcialmente los marcos; en cambio, las
pequeñas se pueden agrandar con sencillas persianas que
las muestren en su totalidad.*

LAS ENERGÍAS EN EL HOGAR Y EN EL TRABAJO

QUIZÁ no se tenga mucho control sobre el entorno general donde se vive y trabaja, pero sí que se puede tener sobre el hogar donde se vive y sobre el lugar de trabajo.

Es de vital importancia tener presente que los principios del Feng Shui pueden beneficiar esas áreas. Los siguientes casos constituyen un buen ejemplo de lo que se puede conseguir.

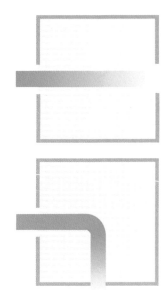

PUNTOS DE ENTRADA Y SALIDA DEL QI EN UNA HABITACIÓN

Algunas disposiciones de las puertas hacen que el Qi salga directamente de la habitación, lo que produce una continua sensación de molestia e incomodidad para cualquiera que esté sentado en esa vía de paso. En otros casos, la disposición de las puertas permite que el Qi entre y permanezca en la habitación, moviéndose de forma circular y uniforme, lo que produce una sensación más refrescante a aquél que está sentado en su camino. Esta acción recuerda la forma grácil de una postura del Tai chi, que refleja el natural movimiento circular del Qi de una forma relajante, tranquilizante y refrescante. Este sencillo ejemplo pretende incitar a pensar en las energías de las habitaciones. Existen muchas otras formas en las que el flujo del Qi se puede mejorar, pero esto requiere, como mínimo, una consulta a un buen libro sobre Feng Shui y, si es posible, con un terapeuta.

Cuando las puertas están enfrentadas, el Qi puede escaparse directamente de la habitación (dibujo superior); con otra disposición (dibujo inferior), el Qi debe realizar una curva para salir.

TORTUGA NEGRA

DRAGÓN VERDE

Muchos expertos en Feng Shui describen las áreas que estimulan el Qi beneficioso según la disposición de cuatro animales importantes.

FÉNIX ROJO

TIGRE BLANCO

MEDICINA CHINA

POSICIONES FAVORABLES PARA UN ESCRITORIO

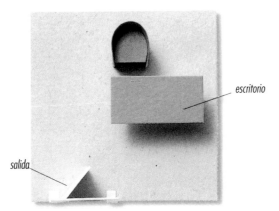

escritorio

salida

La mejor posición para la mesa es la esquina opuesta a la puerta, ya que las dos paredes actúan de protector y logran más control.

escritorio

salida

Hay que procurar sentarse frente a la puerta en el ángulo que se prefiera, pero nunca delante de ninguna esquina.

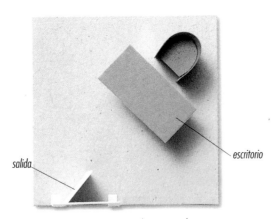

escritorio

escritorio

salida

Hay que intentar no sentarse directamente frente a la puerta; el Qi que entra puede resultar excesivamente poderoso.

POSICIONES DESFAVORABLES PARA UN ESCRITORIO

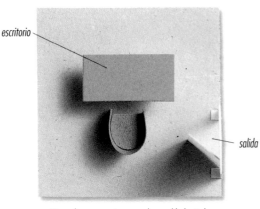

escritorio

salida

Nunca hay que sentarse con la espalda hacia la puerta, pues algún compañero puede traicionarnos por la espalda.

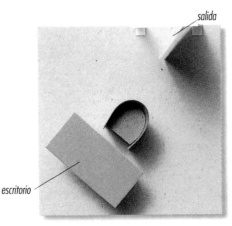

salida

escritorio

La puerta detrás de la silla crea una peligrosa flecha venenosa, que puede dejarnos vulnerables al ataque.

escritorio

salida

Teniendo la puerta detrás o a un lado, pueden escaparse por ella tanto la concentración como la autoridad.

EL BA GUA EN EL HOGAR

LOS TERAPEUTAS de Feng Shui emplean sus conocimientos sobre las energías del Ba Gua (*véanse páginas 226-227*) para analizar las energías del hogar. Cada una de las ocho secciones del Ba Gua se asigna a un determinado objetivo de la vida diaria, reflejado en las energías de esa sección.

FUEGO
Simboliza la energía activa y abundante del tiempo de verano. Un centro relajado rige el poder que hay a su alrededor de forma positiva y creativa, y representa la capacidad de cada uno en las actividades cotidianas.

TAI CHI
(«El Supremo Final» en el centro del Ba Gua) Representa la perfección y la unidad (el Dao) desde la que todo brota y que todo lo contiene.

TIERRA
Representa las energías nutritivas y de apoyo que proceden de las relaciones (familia, amigos, compañeros).

VIENTO
Representa la energía de la buena fortuna y de las bendiciones que entran en nuestras vidas, incluida la buena salud.

EL LAGO
Representa la energía de la creatividad. Hay demasiado potencial escondido en las profundidades del lago y en cada uno de nosotros.

TRUENO
Representa la cualidad más importante de la cultura china; respeto y honor a nuestros mayores (en particular, a los padres) y a nuestros superiores en el trabajo.

CIELO
Representa la energía de la ayuda y del apoyo que nos llega de los demás y que tenemos que ofrecer libremente a los otros; el flujo natural del Yin y Yang.

LA MONTAÑA
Representa la retirada y la reflexión; la energía que requerimos para meditar o contemplar nuestras vidas, como lo hicieron los sabios sobre la montaña.

AGUA
Representa el viaje de nuestra vida, de la misma forma que un río fluye desde su nacimiento hasta el mar.

Cada área del hogar tiene una afinidad con uno de los ocho trigramas. Para conseguir las mejores energías, la puerta se abrirá en paralelo con la pared, alineada con el lado «agua» de la habitación.

中藥

MEDICINA CHINA

El terapeuta de Feng Shui cubre ese Ba Gua de posibilidades e interacciones energéticas en cada habitación, como se explica en el siguiente ejemplo.

Cada sección de la casa refleja las cualidades energéticas del Ba Gua. Por ejemplo, si el área de la habitación cubierta por la cualidad del Viento (buena fortuna y bendiciones) está desordenada y descuidada, este descuido podría impedir el deseo de buena fortuna en todos los aspectos de la vida, incluido por supuesto el de la salud.

Obviamente, es un ejemplo muy simplificado pero, en último término, las personas que respetan la integridad energética de su hogar, tal y como se refleja en el Ba Gua, conservarán su salud y bienestar en un grado mucho mayor que los que ignoran estas conexiones.

En los textos sobre Feng Shui se ha escrito mucho acerca de los beneficios de las campanas de viento, cristales, plantas de interior, flautas de bambú, espejos correctamente situados, etc. Pero si se está considerando la terapia de Feng Shui para conseguir salud y bienestar, probablemente sea más pertinente seguir los siguientes consejos:

▶ Concentración y claridad en el propósito vital.
▶ Desarrollar unos hábitos sensatos en el estilo de vida en todos los aspectos.
▶ Deshacerse de lo superfluo e innecesario en la vida, tanto físico como de actitud.
▶ Una vez puestos en práctica todos los consejos anteriores, consultar con un terapeuta de Feng Shui cómo mejorar aún más nuestro entorno doméstico.

Los espejos y las imágenes del tigre pueden influir poderosamente en el Ba Gua.

El Feng Shui es una especialidad compleja y fascinante del pensamiento chino. Aunque supera el área inmediata de la salud, está íntimamente ligada a él. La medicina china siempre ha considerado al individuo como un microcosmos dentro del macrocosmos y ha insistido en la interacción energética de los dos. El arte y la práctica del Feng Shui realizan eficazmente esta conexión, que se puede utilizar para potenciar la salud y el bienestar.

Con el Feng Shui, al igual que con cualquier otro aspecto de la medicina china, es importante consultar con un terapeuta experimentado y de conocida reputación. El Feng Shui es una profesión que está creciendo en Occidente. Aunque siguen siendo fieles a los principios de este antiguo arte, los terapeutas occidentales proporcionan un contexto más familiar a esta práctica, haciéndola accesible a muchas más personas. Al final del libro se ofrecen algunas direcciones donde es posible localizar un terapeuta cualificado.

Este capítulo final ha pretendido colocar la práctica de la medicina china en un contexto mucho más amplio. Las teorías y los principios que sustentan la medicina china van mucho más allá de las agujas de la acupuntura y las fórmulas herbales, ya que abarcan el conjunto de la vida humana, sin excluir absolutamente nada.

Cuando el Qi está en armonía, el resultado es la salud y el bienestar. El Qi impregna el universo, y la vida humana está definida por esta gran danza cósmica de energías. El mantenimiento y la mejora de la salud requiere la conservación de esta visión universal.

CASOS PRÁCTICOS

ESTE LIBRO *ha esbozado con cierto detalle las teorías y los métodos terapéuticos de la medicina china. Como ya habrá quedado claro, es un sistema sumamente desarrollado y sofisticado del cuidado de la salud que existe desde hace miles de años y que continúa refinándose y adaptándose en la actualidad. Ningún otro sistema ofrece una articulación tan clara de la anatomía y fisiología de la energía. Este método seguirá estando en la vanguardia de los avances y tendrá importantes consecuencias, a medida que nos adentremos en el siglo XXI, por su forma de comprender el funcionamiento del cuerpo y de explicar por qué falla.*

En Occidente, las actitudes han cambiado drásticamente en los últimos veinte años. La acupuntura ya no se trata con el desdén y condescendencia con los que se había tratado anteriormente; el uso de las hierbas está ganando un gran respeto, especialmente para tratar enfermedades que no responden bien a los tratamientos ortodoxos; el Tai chi, el Qigong y las prácticas de meditación ya han dejado de estar confinados al interés de grupos marginales, y los terapeutas en Feng Shui se están implicando cada vez más en el diseño de edificios y planificación ambiental. A pesar de que muchos terapeutas formados en Occidente intentan acomodar con calzador la medicina china en la camisa de fuerza de la reduccionista ciencia occidental, por ejemplo, intentando «aislar» el ingrediente químico activo de un remedio herbal, no hay duda de que las prácticas y métodos chinos seguirán ocupando el lugar que les corresponde y continuarán evolucionando y creciendo en el futuro.

Es importante ir más allá de la noción de que la acupuntura sólo sirve para aliviar el dolor, que los remedios herbales no son nada más que tónicos suaves y que el Tai chi y el Qigong son complementos útiles del «verdadero» ejercicio físico. La práctica de la medicina china requiere ser contextualizada en las enfermedades y su prevención, en términos que todos puedan relacionar y en un lenguaje que todos puedan comprender.

Para intentar ofrecer una inmediatez real a este tipo de medicina, los casos siguientes son ejemplos de la vida real que han respondido bien al tratamiento de medicina china.

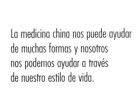

La medicina china nos puede ayudar de muchas formas y nosotros nos podemos ayudar a través de nuestro estilo de vida.

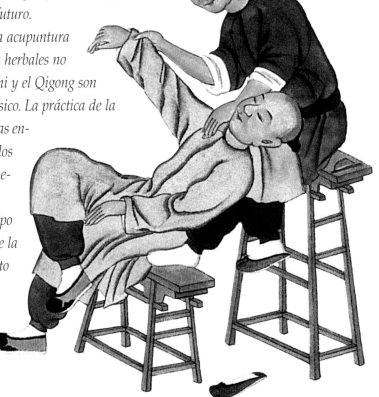

Las distintas modalidades ofrecen tratamientos específicos para las dolencias cotidianas.

中藥

MEDICINA CHINA

Caso 1

dolor
de oídos

dolor en los hombros

JUAN *se quejaba de un fuerte dolor de oídos y de unas molestias generalizadas que se extendían desde la cabeza a los hombros. El foco del dolor se desplazaba por la parte superior de los brazos, los hombros, el cuello y la cabeza. El dolor que sentía en los oídos era especialmente agudo. Había aparecido repentinamente al despertar esa mañana y se había pedido el día libre en su trabajo de vendedor de seguros. Era realmente molesto ya que cobraba por comisión de las ventas de sus pólizas; por ello, había acudido a la clínica para ver si la medicina china podía hacer algo para ayudarle. Había tomado analgésicos, pero no le habían resuelto su problema.*

En un caso como éste, a veces es fácil pasar por alto lo obvio. La información que reveló una muy completa entrevista de diagnóstico no era en absoluto lógica. En un principio, Juan insistió que simplemente se había levantado esa mañana sintiendo ese dolor, pero finalmente confesó que poseía un coche deportivo descapotable que había sacado la tarde anterior para dar un largo paseo con su nueva novia. Había dejado la capota bajada, a pesar de que la temperatura agradable del día estaba dando paso al frío de la tarde. Estimó que habría conducido unos 40 ó 50 kilómetros y que no había llegado a su casa hasta las diez y media de la noche, cuando ya hacía bastante frío.

Esta información proporcionó la clave del problema de Juan. Estaba sufriendo una invasión de Viento y Frío en los canales de la cabeza, cuello y cara, que causaba un estancamiento local del Qi en los canales relevantes y colaterales. El tipo de dolor es coherente con un trastorno de los canales y el hecho de que el foco del dolor pareciera desplazarse demuestra la influencia del Viento invasor.

El tratamiento que se eligió fue la acupuntura, y los principios del tratamiento fueron expulsar el Viento y el Frío y limpiar los canales. Se seleccionaron los adecuados puntos de acupuntura y se calentaron los canales alrededor de los oídos, que estaban especialmente doloridos, usando una varita de moxa que se movía por la zona con ligeros golpecitos. El problema era muy agudo pero la acupuntura tuvo un efecto inmediato. Después de una única sesión, el dolor se redujo considerablemente. Juan regresó al trabajo al día siguiente y, al final de la semana, cuando había recibido la tercera sesión, prácticamente ya no sentía ningún dolor.

Se le sugirió que mantuviera el coche cerrado o que llevara la ropa adecuada la siguiente vez que quisiera impresionar a una nueva novia con su deportivo descapotable.

Caso 2

resfriado persistente

tos con flemas

IRENE *tenía 60 años y acudió a la clínica quejándose de que le habían diagnosticado bronquitis crónica y que las pastillas recetadas por el médico le fastidiaban el estómago. Ese problema ya lo padecía desde hacía muchos años pero se había recrudecido especialmente durante el invierno. Había pasado un fuerte resfriado en noviembre y desde entonces no había llegado a reponerse del todo. Al toser expulsaba grandes cantidades de una flema espesa y amarillenta y sus toses eran tan agudas que a veces parecía que iba a tener un espasmo. Aunque ya casi no fumaba, había fumado entre treinta y cuarenta cigarrillos al día desde adolescente. Finalmente hace tres años dejó de fumar después de tener su primer ataque de bronquitis. Admitió que todavía fumaba algún cigarrillo, pero sólo esporádicamente. La lengua de Irene era roja y seca, con un recubrimiento amarillento espeso y pegajoso. Sus pulsos eran débiles y escurridizos, especialmente en el pulso de los Riñones.*

La causa y el efecto en este caso eran obvios: Irene tenía gravemente dañada su función pulmonar debido a un prolongado período de abuso de cigarrillos. Fumar lleva el Calor a los Pulmones, que consume los fluidos Yin y afecta a la función de los Pulmones. Irene tenía además un ligero sobrepeso y se solía quejar de falta de energía. Por tanto, era probable que la función del Bazo estuviera también afectada, lo que causaba una acumulación de Humedad. Con el tiempo, la Humedad se había transformado en Flema que obstruía los Pulmones, también con deficiencia de Yin.

El diagnóstico era Flema y Calor en los Pulmones con una deficiencia del Yin del Pulmón asociada y una deficiencia del Qi del Bazo generalizada. El principio del tratamiento consistió en drenar el fuego de los Pulmones, limpiar la Flema, detener la tos y tonificar los Pulmones y el Bazo.

Se creyó apropiado combinar la acupuntura con la fitoterapia: la acupuntura para limpiar el Calor y la Flema y para tonificar los Pulmones, y la fitoterapia para drenar el Calor Flema de los Pulmones y, al mismo tiempo, detener la tos

e hidratar los Pulmones. Uno de los beneficios de la fórmula herbal es que las hierbas se seleccionan para tratar los aspectos concretos del desequilibrio.

Irene tomó las hierbas en forma de extracto seco. Acudió durante seis semanas, un día a la semana. Cada vez recibía un tratamiento de acupuntura y, cada dos semanas, se le revisaba y adaptaba el tratamiento herbal. Su tos mejoró y la Flema se redujo. Se sentía mucho mejor y ahora era capaz de hacer más cosas. Sin embargo, admitió que desde que se encontraba mejor seguía fumando ese cigarrillo esporádico. Al cabo de ocho semanas, se interrumpió

el tratamiento de acupuntura y continuó sólo con el tratamiento herbal. Cada tres semanas, volvía a la consulta para someterse a una visita de seguimiento y, al cabo de seis meses, su pecho estaba más limpio que nunca.

Quince meses después de su primera visita, Irene se encuentra mucho mejor y se siente más saludable en todos los aspectos. Su problema de Pulmón probablemente surja de vez en cuando, pero el uso de la acupuntura y las hierbas servirá para aliviar su enfermedad. Siempre que evite fumar y estar en lugares donde fuman otras personas, seguirá sintiéndose mejor.

Caso 3

JAIME *ocupaba un cargo ejecutivo en una empresa de ingeniería y estaba sometido a una gran presión. La empresa estaba en conversaciones de fusión con una gran multinacional y Jaime se sentía agobiado por sus esfuerzos de mantener segura su posición en la empresa. Creía que si la absorción seguía adelante su empleo peligraría.*

Cuando realizó su visita, Jaime trabajaba unas quince horas al día y la mayor parte de los fines de semana dedicaba algún momento a trabajar. Su dolencia principal era que se sentía mareado y a veces notaba como si se fuera a desmayar. Comentó que creía que iba a perder su puesto de trabajo y que ya no era capaz de controlar las cosas como antes. Sólo podía acudir al tratamiento a las 7 de la mañana, ya que estaba muy ocupado durante el resto del día, pero estaba dispuesto a pagar más por la molestia.

Tenía un poco de sobrepeso y la cara roja. Se quejaba de zumbidos en los oídos y a veces tenía dolores de cabeza. También confesó que sufría de un terrible y molesto picor genital, que a veces le resultaba bastante embarazoso. Su pulso era rápido y escurridizo y muy fuerte. Tenía la lengua roja alrededor de los bordes, con un recubrimiento graso. En toda la entrevista de

mareos

zumbidos en los oídos

sobrepeso

diagnóstico se mostró muy nervioso y en un momento determinado tuvo que suspender la conversación para hacer una urgente llamada telefónica desde su teléfono móvil.

Era probable, a partir de la información obtenida, que el mareo y los otros síntomas de «cabeza» estuvieran causados por una obstrucción de Flema en los orificios de la cabeza. Además, parecía evidente que había un estancamiento del Qi del Hígado y que, con el tiempo, se había acumulado un desequilibrio de las

energías del Yin y del Yang, lo que provocó una subida de la energía del Yang del Hígado a la cabeza, llevando con ella la Flema.

El principio de tratamiento fue controlar el Yang del Hígado, potenciar el flujo uniforme del Qi y limpiar la Flema de los orificios. En este caso, el tratamiento de Jaime comenzó con un relajante masaje de digitopuntura. Fue muy útil para alejar el nerviosismo y permitió que el tratamiento posterior fuera más eficaz. Esta primera sesión fue seguida por la acupuntura y por una fórmula herbal en polvo que también se recetó para ayudar a mejorar el tratamiento.

Al cabo de varias sesiones, Jaime confesó que se encontraba mucho mejor: «Como un hombre nuevo». La terapia continuó durante otras tres semanas y por entonces él ya sentía que estaba mucho mejor y que era capaz de arreglárselas por sí mismo. Jaime regresó seis meses después. Se sentía de nuevo bastante presionado, pero esta vez la fusión de su empresa se había llevado a cabo y su trabajo estaba seguro. En esta ocasión, su principal fuente de problemas eran las presiones de la nueva posición ejecutiva que tenía dentro de la empresa.

Caso 4

María, *de 23 años, era profesora de primaria. Sufría de eczema crónico desde que era pequeña. La habían llegado a hospitalizar y había tomado numerosos preparados de esteroides, pero sin resultados.*

El eczema se estaba agravando en las manos, los brazos, la cabeza y las rodillas; también tenía zonas de eczema en las piernas y en el tronco. Tenía la piel fina y escamosa; le picaba mucho y cuando se rascaba, sangraba. Las áreas peores eran las manos, donde la sequedad era tan acusada que la piel se agrietaba y se infectaba con frecuencia. Cuando sucedía eso, sentía mucho dolor y no podía escribir ni usar las manos para nada. Intentaba evitar la tiza en la clase porque también así se agravaba el problema. María era delgada y pálida. Tenía la lengua pálida y bastante seca; su pulso era débil y un poco filamentoso.

piel pálida

eczema crónico

picores en la piel

Según la medicina china, un estado cutáneo como éste generalmente se considera resultado de una deficiencia de Sangre, que permite que el Viento invada los canales. La piel seca y escamosa, la tez pálida, y la lengua y el pulso indican un cuadro de deficiencia de Sangre. El picor demuestra la presencia de un Viento patógeno en los canales.

El principio de tratamiento fue limpiar el Viento de los canales, tonificar la Sangre y nutrir la piel. Aunque la acupuntura puede ser de utilidad en estos casos, se decidió que el tratamiento para los problemas cutáneos fuera a base de hierbas. Se seleccionaron algunas que limpiaran el Viento, tonificaran el Yin y la Sangre, y nutrieran la piel. Existen varias fórmulas clásicas que podrían constituir la base para el tratamiento de un estado como éste y podrían adaptarse de acuerdo con los rasgos específicos de los indicios y síntomas presentes.

María inicialmente encontró que las hierbas que le habían recetado aliviaban el picor con bastante rapidez, pero las lesiones todavía estaban secas y no parecía que fueran a desaparecer.

Se le adaptó la fórmula y, al cabo de seis a ocho semanas, se observó una considerable mejoría en el estado de la piel. Tres meses después, la piel estaba más sana de lo que había estado durante años, pero todavía tenía lesiones y las de las manos aún se agrietaban en la unión de las articulaciones de los dedos.

Al cabo de un año de tratamiento de fitoterapia, el estado de María es estable. La piel está mucho mejor y sus manos ahora están limpias. A veces sufre recaídas, pero para estos casos María conserva una bolsa de hierbas que toma siempre que observa algún problema. Tendrá que acudir de vez en cuando a la consulta para vigilar el estado de su piel.

Caso 5

A Javier *le habían diagnosticado VIH positivo y en los últimos seis meses había evolucionado en sida. Estaba intentando continuar su vida normal lo mejor que podía y recibía regularmente un tratamiento médico ortodoxo. Acudió a la clínica para que le ayudaran a aliviar los síntomas que sufría. Sus principales dolencias eran la falta de energía, que no podía dormir por las noches y los continuos sudores nocturnos que requerían que cambiara las sábanas dos o tres veces cada noche. Tenía palpitaciones y sus nervios estaban constantemente de punta, por lo que discutía con frecuencia con sus amigos y con su pareja. Javier estaba muy delgado. Tenía la piel seca, con lesiones en la cara y en la espalda. Su rostro estaba enrojecido y la lengua la tenía roja y pelada, con una punta roja brillante. Su pulso era rápido y un poco filamentoso.*

Javier presentaba los indicios y síntomas clásicos de un Calor Vacío resultante de una deficiencia subyacente de energía del Yin en el cuerpo. El sida tiene como resultado el agotamiento de los fluidos

del Yin, y el cuerpo, literalmente, «se consumía» desde el interior. El Calor Vacío también estaba afectando al Yin del Corazón, lo que daba como resultado la imposibilidad de conciliar el sueño, el nerviosismo y las palpitaciones.

Es bastante improbable que la medicina china sea capaz de curar el sida, pero no había ninguna razón para que no se pudieran aliviar los síntomas. El principio de tratamiento consistió en limpiar el Calor Vacío, tonificar el Yin y

incapacidad para dormir por la noche

sudores nocturnos

siempre con los nervios de punta

relajar el Shen del Corazón. En el caso de Javier se decidió usar la acupuntura. Puede sorprender la elección en un paciente con sida, pero siempre que se observen un normal sentido común y rigurosos procedimientos de higiene, no hay absolutamente ningún motivo por el que no se pueda emplear la acupuntura en estos casos.

Javier fue tratado inicialmente dos veces a la semana y luego semanalmente. Al cabo de tres meses de tratamiento ya dormía mejor, lo que naturalmente ayudó a mejorar su nivel de energía. Todavía seguía teniendo sudores nocturnos, aunque la intensidad se había reducido considerablemente.

Se le animó a acudir a clases de Qigong y a aprender algunas posturas y ejercicios sencillos que le pudieran ayudar. Así lo hizo e, incluso después de haber terminado las sesiones de acupuntura, continuó acudiendo a las clases.

Al cabo de cuatro meses, Javier decidió abandonar su tratamiento de acupuntura. La enfermedad estaba lejos de estar curada, pero había recibido un importante beneficio y, ahora que dormía mejor, se sentía capaz de continuar la lucha contra su enfermedad a su modo: haciendo ejercicios Qigong regularmente.

constantemente siente frío

sobrepeso   articulaciones inflamadas

CASO 6

MARTA *tenía 76 años y quería saber si podía hacer algo para curar su artritis. Sentía rigidez y dolor en todo el cuerpo, pero especialmente en las articulaciones de las rodillas y los tobillos, que estaban hinchados y le dolían al tocarlos. Tenía sobrepeso y se quejaba de que sus pies y sus dedos a veces se hinchaban. También le resultaba difícil calentarse, incluso cuando el clima era cálido. Se quejaba además de diarrea cró-*

nica, especialmente a primeras horas de la mañana. La lengua de Marta era pálida y húmeda, y su pulso, lento.

El problema de Marta sugería la invasión de los canales por Frío y Humedad. Los factores patógenos invasores tienden a albergarse en los canales que se encuentran alrededor de las articulaciones, provocando el dolor y la inflamación característicos de la artritis. También había evidencia de una deficiencia generalizada de Yang, caracterizada por frío y diarrea crónica, y por los indicadores de la lengua y el pulso. La deficiencia del Yang es un rasgo natural del proceso de envejecimiento.

Los principios de tratamiento consistieron en limpiar la Humedad y el Frío de los canales y tonificar la energía Yang subyacente del cuerpo. Marta fue tratada con acupuntura, moxibustión y fórmulas herbales. También se le recomendaron unas sesiones de ventosas para hacer circular el Qi por las áreas más afectadas. Al cabo de veinte sesiones semanales, el estado de Marta mejoró considerablemente. Decidió finalizar los tratamientos de acupuntura y moxibustión, pero continuó tomando hierbas durante los seis meses siguientes y su estado sigue siendo bastante estable.

CONCLUSIÓN

STOS CASOS han esbozado brevemente algunos cuadros típicos que pueden beneficiarse de los tratamientos ofrecidos por la medicina china. Hay muy pocas enfermedades, si es que hay alguna, en donde la medicina china no pueda ser de utilidad. Para muchas dolencias comunes, los tratamientos médicos chinos suelen llevar un registro que sugiere cuáles deben ser los

tratamientos de primera elección. La práctica de la medicina china ofrece un servicio general para el cuidado de la salud, que va desde las principales modalidades de la acupuntura y fitoterapia, hasta la oferta de clases y terapia Qigong, e incluso los servicios de un terapeuta Feng Shui. Sería ideal que estos servicios estuvieran disponibles junto con otras terapias complemen-

tarias y en unión de los métodos ortodoxos occidentales.

La medicina china constituye una forma eficaz y rentable de ofrecer una gama variada de servicios médicos, que no sólo abre nuevas posibilidades de tratamiento sino que también se encuentra en la vanguardia de un creciente avance de la medicina energética según nos acercamos al nuevo siglo.

概 診 治
念 断 療 前

Conceptos Diagnóstico Tratamientos Información Complementaria

INFORMACIÓN
COMPLEMENTARIA

STE LIBRO *ha intentado explicar los **antecedentes y la** práctica de la medicina china de una forma fácilmente asimilable por cualquier lector.* **Con esta** *información, el lector interesado ya puede disponer de un buen conocimiento básico así como* **comprender** *de qué* **trata** *este fascinante sistema de medicina y qué es lo que ofrece: los tratamientos adecuados para los* **problemas de salud** *existentes y los métodos preventivos que potencian la salud y el bienestar.*

Asimismo, habrá resultado evidente nuestra **insistencia en** *que se acuda a terapeutas profesionales y expertos, ya que es absolutamente esencial que cualquier persona que esté considerando* someterse *a un tratamiento de medicina china sepa dónde acudir. En esta sección del libro se aborda cómo* **obtener información adicional** *y cómo tener acceso a terapeutas expertos en medicina china.*

La sección de bibliografía sugiere los libros que profundizan y amplían el conocimiento de las diversas tendencias de la medicina china y la sección con direcciones útiles ofrece información acerca de dónde se pueden conseguir excelentes terapeutas. En cada caso, es importante asegurarse de que la información sea actual y exacta.

La medicina china es un viaje fascinante y ¡éste es el lugar idóneo para comenzarlo!

Siempre hay que acudir a terapeutas profesionales de medicina china.

BIBLIOGRAFÍA

La siguiente selección de publicaciones ofrece a los lectores interesados la oportunidad de ampliar su conocimiento y comprensión sobre distintos aspectos de la medicina china. Quizás no tenga todos los nombres pero puede ser la mejor forma de iniciar un estudio más profundo.

BUNNAG, Tew. *El arte del Tai Chi Chuan. Meditación en movimiento*. Barcelona: Los Libros de la Liebre de Marzo, 1995

CALLE, Ramiro A. *El libro de la relajación, la respiración y el estiramiento*. Madrid: Alianza, 1992

CALLE, Ramiro A. *La meditación*. Madrid: Tikal Ediciones, 1996

DALET, Roger. *Suprímase usted mismo sus dolores y molestias con una simple presión del dedo*. Barcelona: Daimon, 1984

ESCRIG FEBAS, José. *Guía práctica de medicina natural*. Barcelona: Dictext, 1992

GREGORIO, Sergio de. *Estar sano es natural*. Madrid: Tikal Ediciones, 1995

HOFFMAN, D. *Guía de salud: Plantas medicinales*. Madrid: Susaeta Ediciones, 2003

KUSHI, Michio. *El libro del diagnóstico oriental: descubra las señales de la enfermedad antes de su aparición*. Madrid: Edaf, 1996

LAWLESS, Julia. *Guía de salud: Aromaterapia*. Madrid: Susaeta Ediciones, 2003

MURRAY, Michael y Pizzorno, Joseph. *Enciclopedia de medicina natural*. Madrid: Ed. Tutor, 1997

ODY, Penélope. *Plantas medicinales en casa*. Barcelona: Blume, 1996

PAHLOW, Mannfried. *Mis remedios caseros: cómo usarlos eficazmente en el tratamiento de las afecciones, dolencias y trastornos más frecuentes*, Madrid: Everest, 1995

REED GACH, Michael. *Alivie su artritis con digitopuntura*. Madrid: Tikal Ediciones, 1996

REQUENA, Yves. *Qi Gong. Gimnasia china para la salud y la longevidad*. Barcelona: Los Libros de la Liebre de Marzo, 1993

REQUENA, Yves. *Diagnóstico morfotipológico de la mano en medicina china*. Ed. Solal, 1983

SCHELEMMER, André. *El método natural en medicina: doctrina y aplicaciones*. Madrid: Alhambra, 1985

TURETTA, Antonio. *Guía de la medicina tradicional china*. Barcelona: Ed. de Vecchi, 1997

WALJI, Hasnain. *Vitaminas, minerales y suplementos dietéticos*. Madrid: Edaf, 1996

WEIL, Andrew. *La curación espontánea: cómo descubrir y estimular la capacidad natural del cuerpo para mantenerse sano y curarse en caso de enfermedad*. Barcelona: Urano, 1999

DIRECCIONES ÚTILES

Es importante que los pacientes que estén considerando la posibilidad de utilizar la medicina china como una forma de tratamiento puedan encontrar un terapeuta registrado. Y siempre es conveniente hacerlo a través de una asociación profesional.

Más abajo, se dan los nombres y direcciones de centros. Los lectores de otros países pueden acudir a oficinas públicas donde les proporcionen información necesaria sobre terapeutas cualificados y registrados.

ESPAÑA ─────

Associació catalana de Choy Li Fut, Tai Chi Chuan y Chi Kung
Tel. (93) 246 32 65

Asociación de medicinas complementarias
Prado de Torrejón, 27
Pozuelo de Alarcón (Madrid)
Tel. (91) 351 12 11

Associació espanyola de Tai Chi
Camí Romà, 49 - 3º
08.400 Granollers
Tel. (93) 841 62 59

Asociación española para la investigación de la energía humana y universal
C/ O'Donnell, 43
Madrid
Tel. (91) 576 09 66

Centro de acupuntura y naturoterapias
C/ Las Navas, 32 - 4º izda.
03.001 Alicante

Centro de enseñanza de medicina tradicional china
Pza. Madrid, 2 - 1º
47.001 Valladolid
Tel. (983) 39 70 24

Centro de estudios de la cultura china
C/ Mallorca, 219 - 1º
08.008 Barcelona
Tel. (93) 453 67 88

Clínica Universidad de Pekín
C/ General Moscardó, 37 - 1º
28.020 Madrid
Tel. (91) 534 88 44

Escuela superior de medicina tradicional china
Delegación de Amposta
C/ Larache, 10
43.870 Amposta (Tarragona)
Tel. (977) 70 40 70

Delegación de Barcelona
C/ Berlín, 16
08.014 Barcelona
Tel. (93) 419 75 30

Delegación de Madrid
C/ Ferrocarril, 16-18
28.045 Madrid
Tel. (91) 528 42 96

Delegación de Valencia
Pza. Mestre Ripoll, 10
46.022 Valencia
Tel. (96) 372 06 85

Escuela de terapias orientales
C/ Dulcinea, 48 - bajo izda.
28.020 Madrid
Tel. 279 16 23

Gremi d'herbolaris
Rda. Universitat, 6 - entlo. 1ª
Tel. (93) 412 14 45
Fax (93) 301 47 62

Instituto de difusión de acupuntura china
C/ Churruca, 18
28.010 Madrid
Tel. (91) 523 12 00

Societat d'Acupuntors de Catalunya
C/ Junqueres, 18 - 6º B
08.003 Barcelona
Tel. (93) 268 29 64

Instituto europeo de Qigong en España - Tai Chi Chuan Eskola
C/ Campanario, 10
20.003 San Sebastián
Tel. (943) 42 37 57

CHINA ─────

The World Academic Society of Medical Qigong
No 11 Heping Jie Nei Kou

Pekín 100.029
China

ESTADOS UNIDOS ─────

The International Chi Kung/ Qigong Directory
PO Box 19.708
Boulder
Colorado 80.308
Estados Unidos
Tel. (1-303) 442 31 31
Fax (1-303) 442 31 41

GRAN BRETAÑA ─────

School of Herbal Medicine/ Phytotherapy
Bucksteep Manor
Bodle Street Green
Near Hailsham
Sussex BN27 4RJ
Gran Bretaña
Tel. (44-1323) 833 812/4
Fax (44-1323) 833 869

El autor estaría encantado de atender a cualquier lector interesado en obtener información más detallada sobre la medicina china. Para contactar con él:

The Kun Chen Clinic
34 Orchard Drive
Giffnock
Glasgow G46 7NU
Tel/Fax (44-141) 638 88 01

ÍNDICE VISUAL

LOS TERAPEUTAS *de medicina china se suelen especializar en una rama concreta, pero todos ellos poseen el mismo marco de trabajo teórico y su método siempre es recuperar o preservar la armonía para que el cuerpo pueda mantener el equilibrio energético. Puede que el lector interesado en la medicina china se pregunte por dónde empezar y qué sistema probar primero.*

Las ramas de la medicina se conocen como «modalidades» y, aunque se suelen solapar, cada una posee sus propios elementos característicos. En este libro, se describe cada modalidad de forma independiente. Algunas son formas de tratamiento y terapias preventivas, relativamente pasivas en lo que al «paciente» concierne (acupuntura, moxibustión, ventosas, digitopuntura, fitoterapia y sanación Qigong); el resto son formas de terapias preventivas y formativas en las que el «paciente» tiene que desempeñar un papel activo (Qigong, Tai chi, meditación y Feng Shui). Además de esto, el libro también da algunos consejos sobre la dieta y hábitos sociales desde el punto de vista de la medicina china. Estas dos páginas ofrecen una guía rápida para encontrar lo que se desea cuando se busca información sobre estas áreas concretas.

LAS TERAPIAS

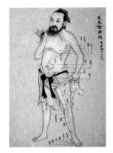
Acupuntura
página 131

Moxibustión
página 142

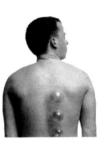
Ventosas
página 145

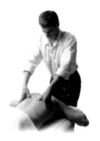
Digitopuntura
página 149

Fitoterapia
página 163

Qigong
página 189

Tai chi
página 206

Curación Qigong
página 208

Meditación
página 214

Dieta
página 218

Hábitos sociales
página 222

Feng Shui
página 224

Glosario

Abdomen Parte del cuerpo entre el pecho y la pelvis.

Acupuntura Terapia de curación china diseñada para reequilibrar o desbloquear el flujo de energía del cuerpo. Se usan agujas en

ACUPUNTURA

ciertos puntos del cuerpo, que se corresponden con los puntos en los meridianos por donde se cree que fluye la energía. (Véase Puntos de acupuntura, Meridianos.)

An Mo Término chino para masaje; literalmente «presionar» y «frotar».

Analgésico Remedio o agente que alivia el dolor.

Angina de pecho Dolor agudo en la parte inferior del pecho, en el lado izquierdo, normalmente.

Artritis Inflamación dolorosa de los tejidos de las articulaciones.

Asma Espasmo de los bronquios en los pulmones que estrecha las vías respiratorias.

Auricular Relacionado con el oído.

Bronquitis Infección de los bronquios, los conductos que llevan el aire a los pulmones.

Calor Vacío Calor interno del cuerpo derivado de la deficiencia de Yin.

Canales Vías invisibles por las que viaja el Qi; también llamados meridianos. Aparecen dentro y fuera del cuerpo.

Chakra Uno de los centros de energía del cuerpo. Basado en la concepción india del cuerpo energético.

Chong Mai Vaso de acceso; uno de los ocho meridianos extraordinarios.

Ciática Dolor en la parte inferior de la espalda, indicio, por lo general, de algún otro problema, como una hernia de disco.

Ciclo Ke Ciclo de control mutuo en el sistema de los Cinco Elementos.

Ciclo Sheng Ciclo de producción o apoyo en el sistema de los Cinco Elementos de la medicina china.

Cinco Elementos/Fases Sistema de la medicina china basado en la observación del mundo natural. El sistema se desarrolla en torno a los elementos agua, madera, fuego, metal y tierra.

Contraindicación Cualquier factor en el estado de un paciente que indique que el tratamiento puede implicar un grado de riesgo mayor de lo normal y que por tanto no es recomendado.

Crónico Persistente durante largo tiempo, un estado que no muestra ningún cambio o un cambio muy lento.

Cuadro de las Seis Etapas Sistema de diagnóstico en medicina china.

Cuadro de los Ocho Principios Sistema de organización de la información para el diagnóstico según los principios de Yin y Yang, Interior y Exterior, Calor y Frío, Exceso y Deficiencia.

Cuatro Niveles Sistema de diagnóstico de la medicina china.

Cuerpos de energía Las «capas» de energía que se considera que rodean el cuerpo físico.

Dai Mai Vaso del ajuste, uno de los ocho meridianos extraordinarios.

Dan Tien Centros de energía del cuerpo. En medicina china se habla de tres: el superior (entre las cejas), el medio (en el centro del tronco) y el inferior (en la parte inferior del abdomen). Se considera que almacena el Qi.

Dayan Qigong «Qigong del ganso salvaje». Secuencia de ejercicios dinámicos basados en los movimientos del ganso salvaje.

Decocción Preparación herbal donde la planta se hierve en agua y se reduce para conseguir un extracto concentrado.

HUMEDAD

Deposiciones Heces.

Deqi Literalmente, «adquirir el Qi», la sensación de acceder al Qi con la aguja, que el paciente puede experimentar como un cosquilleo o como una sensación de entumecimiento.

Desequilibrio Falta de armonía y de equilibrio en el cuerpo.

Diarrea Evacuación frecuente de heces sueltas (acuosas).

Digitopuntura Actúa sobre los mismos principios básicos de la acupuntura, pero el Qi se trabaja con presión y masaje en lugar de con agujas.

Disfunción Funcionamiento anormal de un sistema u órgano dentro del cuerpo.

Du Mai Vaso gobernador; uno de los ocho meridianos extraordinarios.

Eczema Término que designa una amplia variedad de problemas cutáneos.

Edema Una inflamación indolora causada por la retención de fluidos debajo de la superficie de la piel.

Enfermedad de Parkinson Una enfermedad progresiva del sistema nervioso.

Enuresis Micción involuntaria mientras se duerme.

Epigastrio La parte del abdomen que se extiende desde el esternón hacia el ombligo.

Epilepsia Anormalidad de la función cerebral que causa ataques.

Estado de deficiencia En medicina china, cualquier trastorno que esté causado por la incapacidad del cuerpo de mantener el equilibrio, a través de la inadecuada función del Zangfu.

Estado de exceso Estado en el que el Qi, la Sangre y los Fluidos Corporales están desequilibrados y se acumulan en diversas partes del cuerpo.

Estreñimiento Estado en el cual la evacuación de los intestinos es infrecuente y difícil.

Externo En medicina china, cualquier factor que influye en el cuerpo desde el exterior.

Feng Shui Sistema chino de análisis de los cuadros de energía del entorno físico.

Flema En medicina china, un desequilibrio de los Fluidos Corporales produce Flema, tanto externa o visible, como interna o invisible.

Fu Órganos huecos Yang del cuerpo.

Fu extraordinarios Órganos «menores», o de menor importancia, en medicina china.

Fuego Mingmen Naturaleza de la energía calórica esencial del Yang del Riñón; se considera vital para el mantenimiento del calor en el cuerpo.

Gan Dulce; usado para asignar el sabor a las hierbas chinas.

Gu Qi El Qi que extrae el estómago de la digestión de alimentos sólidos y líquidos.

Hegu Punto de acupuntura número cuatro del Intestino Grueso; se traduce como «boca de tigre».

Hemofílico Persona que sufre de hemofilia, trastorno hereditario que causa hemorragias excesivas cuando cualquier vaso sanguíneo se rompe, aunque sea ligeramente.

Hipertensión Tensión sanguínea elevada.

Hipocondrio La región a cada lado del abdomen, bajo los cartílagos costales y las costillas flotantes.

EXCESO

VIDA

Hipotermia Anormal temperatura corporal, causada por la exposición al frío, o inducida.

Holístico Pretende tratar a la persona como una entidad, e incorpora cuerpo, mente y espíritu. Procede de la palabra griega holos, que significa 'todo'.

Homeostasis Tendencia del entorno interno del cuerpo de permanecer constante a pesar de las variantes condiciones externas.

Humedad En medicina china, la Humedad se considera una influencia patógena Yin, que ocasiona lentitud, cansancio, pesadez en las extremidades y letargo generalizado.

Infarto de miocardio Destrucción de la sustancia muscular del corazón debido a una interrupción del suministro sanguíneo.

Insomnio Estado donde conciliar el sueño es difícil o imposible.

Interno En medicina china, alude a los desequilibrios que surgen en el interior del cuerpo.

Jiao «Encendedor o Calentador». Alude a zonas del cuerpo.

Jin Ye Fluidos Corporales. Jin se refiere a los fluidos ligeros; Ye a los más densos.

Jing Término chino para la esencia vital, que es la fuente de vida y del desarrollo individual.

Jing Luo Zhi Qi Qi que fluye por los meridianos.

Jue Yin Canales en el brazo y la pierna del Pericardio y del Hígado.

Kong Qi Qi extraído del aire en los Pulmones.

Ku Amargo; término usado para designar el sabor de las hierbas chinas.

Laogong Punto de acupuntura situado en el centro de la palma: el Pericardio 8.

Lesión Término usado para explicar cualquier anormalidad o daño en el cuerpo.

Letargo Fuerte adormecimiento o sopor no naturales.

Leucorrea Emisión vaginal, que con frecuencia indica infección.

Luo Sistema de canales conectores de los canales principales.

Mar de Médula En medicina china se considera que el cerebro se compone de Médula, y recibe el nombre de «mar».

Materia medica Una rama de la ciencia que trata de los orígenes y propiedades de los remedios; descripción completa de todas las hierbas chinas.

Meditación Contemplación continua, especialmente sobre un tema religioso o espiritual.

Médula Sustancia que compone el cerebro y la columna vertebral en medicina china.

Meridianos Canales a través de los cuales fluye la energía vital en el cuerpo. En acupuntura china hay 59 meridianos; la medicina hindú reconoce varios cientos.

Modalidades Métodos de medicina china.

Morfología Ciencia de la forma, especialmente de los organismos vivos y de sus partes.

PREOCUPACIÓN

Moxa Artemisa seca, que se quema en el extremo de agujas o enrollada en una varita, y luego se calienta en moxibustión. Se dice que calienta el Qi en el cuerpo para aumentar su flujo. Está compuesta por una especie de artemisa, la Artemisa vulgaris.

Moxibustión Forma de tratamiento en que se quema la hierba china llamada moxa.

Moco Fluido viscoso secretado por diversas membranas del cuerpo.

Nadis Finos canales de energía que conectan los chakras y los enlazan por todo el cuerpo.

Obeso Anormalmente grueso.

Palacio del Semen Fuente masculina de energía sexual en el Dantian inferior.

Palpación Examen con las manos.

Palpitación Latidos rápidos o un ritmo anormal del corazón.

Patógeno Que causa o produce enfermedad.

Pediátrico Relacionado concretamente con el tratamiento médico de los niños.

Proceso de diagnóstico La identificación de un trastorno por medio de sus síntomas.

Psicótico Persona que sufre de un trastorno mental grave.

Psoriasis Problema cutáneo que causa que la piel se vuelva seca o con picor.

Puntos Ashi Puntos débiles en el cuerpo.

Puntos de acupuntura Puntos específicos en el cuerpo donde se puede ajustar el flujo de energía por los meridianos del cuerpo.

Qi (chi) Término chino para la fuerza vital o energía vital del universo, fundamental en todos los aspectos de la vida. Impregna todo el cuerpo y se concentra en los canales.

Qi Ni Qi rebelde; el que se desplaza en la dirección «errónea».

Qi o Jing Postnatal o Posterior al Cielo Qi o Jing extraídos del aire o de los alimentos.

Qi o Jing Prenatal o Anterior al Cielo Qi o Jing heredado de los padres.

Qi Xian Qi que se hunde; el Qi se hunde cuando es insuficiente para realizar su función de sujeción.

Qi Xu Qi deficiente.

Qi Zhi Qi estancado; Qi lento que ha dejado de circular bien.

Qigong Literalmente significa «cultivo de energía». Una serie de ejercicios dinámicos y estáticos destinados a esta función.

Qihai «Mar de Qi» en el Dantian inferior. Punto Ren 6.

Quchi Punto de acupuntura 11 del Intestino Grueso. Literalmente significa «charca tortuosa».

Radial Cerca del radio del brazo.

Reduccionista Que fragmenta algo en sus partes constituyentes.

Ren Mai Vaso de la concepción, uno de los ocho meridianos extraordinarios.

Ren Shen Raíz del ginseng.

San Jiao Triple Calentador/ Quemador/ Encendedor. Órgano de procesamiento en el sistema Zangfu chino.

Sangre El concepto chino de la Sangre difiere del occidental.

Shao Yang Canales del San Jiao y de la Vesícula Biliar.

Shao Yin Canales del Corazón y del Riñón.

Shen Uno de los elementos más importantes de la mente o el espíritu en medicina china.

QI

Shiatsu Terapia que deriva de la acupuntura en la cual la presión se aplica a más de 600 puntos de acupuntura con el pulgar o la palma; procede de la palabra japonesa shiatsu, que significa «presión de los dedos».

Suan Agrio; descripción de un sabor para las hierbas chinas.

Sudor de las Cinco Palmas Sudoración característica asociada a la deficiencia de Yin que aparece en las palmas, las plantas de los pies y el pecho.

Tai chi Literalmente significa «supremo final»; se refiere a los ejercicios de arte marcial que deberían llamarse Tai chichuan, es decir, «puñetazo supremo final».

Tai Yang Canales del Intestino Delgado y de la Vejiga.

Tai Yin Canales del Pulmón y del Bazo.

Tao/taoísmo Sistema filosófico y espiritual chino. Tao significa literalmente «el camino».

Tinnitus Estado en el cual aparecen sonidos (zumbidos) en el oído sin razón aparente.

TAI CHI

Tintura Remedio herbal o material de perfumería preparado en una base de alcohol.

Tonificación Proceso en medicina china que implica el fortalecimiento y apoyo de la Sangre y del Qi.

Tóxico Venenoso para el cuerpo.

Tres Tesoros Nombre colectivo para el Qi, el Jing y el Shen.

Trigrama Inscripción de tres letras o figura de tres líneas.

Triple Calentador Véase San Jiao.

Tumor Crecimiento anormal de las células.

Venas varicosas Estado en el cual las venas se distienden y se tuercen.

Ventosas Técnica de tratamiento orientada a hacer aflorar el Qi y la Sangre a la superficie de la piel por medio del vacío que se crea en el interior de una taza de cristal o bambú.

Wei Qi Qi defensivo que protege el cuerpo de la invasión de factores patógenos externos. Fluye por debajo de la piel.

Xian Salado; descripción de un sabor para las hierbas chinas.

Xin Acre; descripción de un sabor para las hierbas chinas.

Xu Deficiencia; desequilibrio habitual en medicina china.

Xue Término chino para denominar la Sangre.

Yang Uno de los opuestos complementarios de la filosofía china. Refleja los aspectos más activos, dinámicos y caloríficos; véase también Yin.

Yang Ming Canales del Intestino Grueso y del Estómago.

Yin Uno de los opuestos complementarios de la filosofía china. Refleja los aspectos más pasivos, inmóviles y reflexivos; véase también Yang.

Ying Qi Elementos nutritivos del Qi que alimentan el cuerpo.

Yuan Qi Qi original o fuente del Qi. Parte del Qi que se hereda de los padres.

Zang Órganos Yin sólidos del cuerpo.

Zangfu Término usado en medicina china para designar los órganos completos Yin y Yang del cuerpo (que difieren de los de la medicina occidental).

Zangfu Zhi Qi Qi de los órganos. Nutre los órganos del cuerpo.

Zheng Qi Qi normal o correcto; Qi que circula por los canales y los órganos del cuerpo.

AGUA

ZANG

ÍNDICE

中藥

MEDICINA CHINA